HEX.Copyright © 2016 Thomas Olde Heuvelt,
by arrangement with The Cooke Agency International,
RIFF Agency and Uitgeverij Luitingh-Sijthoff.
Originally published in Dutch by Uitgeverij Luitingh-Sijthoff
and translated into English by Nancy Forest-Flier.

Publicado mediante acordo com The Cooke Agency International,
RIFF Agency e Uitgeverij Luitingh-Sijthoff. Publicado originalmente
em holandês por Uitgeverij Luitingh-Sijthoff e traduzido para o
inglês por Nancy Forest-Flier.

Os personagens e as situações desta obra são reais
apenas no universo da ficção; não se referem a pessoas
e fatos concretos, e não emitem opinião sobre eles.
Ilustração da Guarda © Vitor Willemann, 2018

Tradução para a língua portuguesa
© Fábio Fernandes, 2018

Diretor Editorial
Christiano Menezes

Diretor Comercial
Chico de Assis

Diretor de Mkt e Operações
Mike Ribera

Diretora de Estratégia Editorial
Raquel Moritz

Gerente Comercial
Fernando Madeira

Coordenadora de Supply Chain
Janaina Ferreira

Gerente de Marca
Arthur Moraes

Gerentes Editoriais
Bruno Dorigatti
Marcia Heloisa

Capa e Projeto Gráfico
Retina 78

Coordenador de Arte
Eldon Oliveira

Coordenador de Diagramação
Sergio Chaves

Finalização
Sandro Tagliamento

Revisão
Isadora Torres
Marlon Magno
Retina Conteúdo

Impressão e Acabamento
Gráfica Geográfica

DADOS INTERNACIONAIS DE CATALOGAÇÃO NA PUBLICAÇÃO (CIP)
Andreia de Almeida CRB-8/7889

Heuvelt, Thomas Olde
 Hex / Thomas Olde Heuvelt ; tradução de Fábio Fernandes.
—Rio de Janeiro : DarkSide Books, 2018.
 368 p.

 ISBN:978-85-9454-069-0
 Título original: Hex

 1. Ficção holandesa 2. Terror I. Título II. Fernandes, Fábio

17-1546   CDD 839.317

Índices para catálogo sistemático:
1. Ficção holandesa

[2018, 2023]
Todos os direitos desta edição reservados à
DarkSide® Entretenimento LTDA.
Rua General Roca, 935/504 — Tijuca
20521-071 — Rio de Janeiro — RJ — Brasil
www.darksidebooks.com

THOMAS OLDE HEUVELT

HEX

~~DARKSIDE~~

TRADUÇÃO
FÁBIO FERNANDES

A PARTIR
DA TRADUÇÃO
INGLESA DE
NANCY FOREST-FLIER

PARA
JACQUES
POST,
MEU XAMÃ
LITERÁRIO

PARTE I
#APEDREJAMENTO

1

Steve Grant virou a esquina do estacionamento atrás do Black Spring Market & Deli bem a tempo de ver Katherine van Wyler ser atropelada por um enorme e antigo realejo mecânico holandês. Por um minuto, achou que era ilusão de óptica porque, em vez de ser jogada de volta para a rua, a mulher pareceu se fundir nas volutas de madeira, asas de anjos cheias de penas e canos cromados de órgão. Foi Marty Keller quem empurrou o realejo para trás por seu engate de reboque e, seguindo as instruções de Lucy Everett, conseguiu pará-lo. Embora não se tenha ouvido nenhum som de pancada nem se tenha visto um filete de sangue quando Katherine foi atingida, as pessoas começaram a correr de todos os lados com a urgência que os habitantes de uma cidadezinha sempre parecem exibir quando acontece um acidente. No entanto, ninguém deixou cair as sacolas de compras para ajudá-la a se levantar... pois, se havia uma coisa que os moradores de Black Spring valorizavam ainda mais que a urgência, era uma insistência cautelosa em nunca se envolver demais nos assuntos de Katherine.

"Não chegue perto!", gritou Marty, estendendo a mão na direção de uma garotinha que vinha se aproximando com passos hesitantes, atraída não pelo bizarro ocorrido, mas pela magnificência da máquina colossal.

Steve percebeu na hora que não fora um acidente. Na sombra do realejo, viu dois pezinhos sujos e a bainha enlameada do vestido de Katherine. Sorriu, indulgente: então era uma ilusão. Dois segundos depois, os acordes da "Marcha Radetzky" explodiram por todo o estacionamento.

Ele diminuiu o passo, cansado mas bastante satisfeito consigo mesmo, quase no fim de seu grande circuito: vinte e cinco quilômetros ao longo do limite do Parque Estadual de Bear Mountain até Fort Montgomery e subindo o Hudson até a Academia Militar de West Point — que o pessoal da região chamava de Point —, onde virou na direção de casa. De volta à floresta, nas colinas. Isso fazia com que se sentisse bem, não só porque correr era a maneira ideal de livrar seu corpo da tensão acumulada após um longo dia de ensino na New York Med, em Valhalla. Era principalmente a deliciosa brisa de outono *fora* de Black Spring que lhe deixava de bom humor, rodopiando em seus pulmões, e levando o cheiro do seu suor para regiões mais a oeste. Era tudo psicológico, claro. Não havia nada de errado com o ar de Black Spring... Pelo menos, nada que pudesse ser provado por análise.

A música havia atraído o cozinheiro da Ruby's Ribs a sair detrás de sua grelha. Juntando-se aos outros espectadores, ele olhou com desconfiança para o realejo. Steve circundou o instrumento, enxugando a testa com o braço. Quando viu que a belíssima lateral laqueada do órgão era, na verdade, uma porta de vaivém e que ela estava entreaberta, não conseguiu continuar reprimindo um sorriso. O realejo estava completamente oco por dentro, até o eixo. Katherine estava parada, imóvel na escuridão, até que Lucy fechou a porta e a escondeu de vista. Agora o realejo era novamente um realejo. E, rapaz, como tocava.

"Então", disse ele, ainda ofegante, as mãos na cintura. "Mulder e Scully andaram enchendo os bolsos de novo?"

Marty foi até ele e deu um sorriso. "Você é que pensa. Sabe quanto essas merdas aqui custam? E vou te contar, eles são uns avarentos de marca maior." Ele virou a cabeça para o realejo. "É totalmente falso. Uma réplica do realejo do velho Museu Holandês em Peekskill. Muito bom, né? Por baixo é só um trailer comum."

Steve ficou impressionado. Agora que dera uma olhada melhor, podia ver que sim, claro, a fachada não passava de uma mistura de feias figuras de porcelana e badulaques mal colados — e mal pintados também. Os canos do realejo nem ao menos eram de cromo de verdade, mas pvc pintado. Mesmo a "Marcha Radetzky" não convencia: uma ilusão, sem o suspiro delicioso das válvulas ou o bater dos cartões de música perfurados esperados de um instrumento de outrora.

Marty leu sua mente e disse: "Um iPod com um alto-falante gigantesco. Escolha a playlist errada e você acaba ouvindo heavy metal".

"Parece uma ideia do Grim", riu Steve.

"Pois é."

"Pensei que o objetivo fosse distrair a atenção para *longe* dela..."

Marty deu de ombros. "Você conhece o estilo do mestre."

"É para eventos públicos", disse Lucy. "Para a feira, ou durante o festival, se houver muitos Forasteiros."

"Bem, boa sorte", sorriu Steve, se preparando para retomar seu caminho. "Talvez você consiga ganhar um dinheirinho enquanto isso."

Ele pegou mais leve nos últimos dois quilômetros, descendo pela Deep Hollow Road no caminho para casa. Assim que percebeu que não havia ninguém ouvindo, parou de pensar na mulher no escuro, a mulher no ventre do realejo, embora a "Marcha Radetzky" continuasse tocando em sua cabeça ao ritmo de seus passos.

+++

Depois de uma ducha, Steve desceu e encontrou Jocelyn na mesa de jantar. Ela fechou seu laptop. Em seus lábios, o sorriso sutil pelo qual ele havia se apaixonado vinte e três anos antes, e que ela provavelmente carregaria até o dia de sua morte, apesar das rugas crescentes e das bolsas sob os olhos ("bolsinhas dos quarenta", ela os chamava). Disse: "Pronto, já dei muito tempo para os meus namorados. Agora é a vez do meu marido".

Steve sorriu. "Qual era mesmo o nome dele? Rafael?"

"Uhum. E Roger. Dei um pé na bunda do Novak." Ela se levantou e passou as mãos pela cintura dele. "Como foi seu dia?"

"Cansativo. Cinco horas seguidas de aulas com um intervalo de vinte minutos. Vou pedir a Ulmann para mudar minha grade, ou montar um gerador de energia atrás do estande."

"Você é patético", disse ela, dando um beijo em sua boca. "Devo te avisar que temos uma voyeur, sr. Apressadinho."

Steve recuou e ergueu as sobrancelhas.

"Vovó", disse ela.

"Vovó?"

Puxando-o mais para perto, ela se virou e acenou com a cabeça para trás. Steve acompanhou seu olhar pelas portas francesas abertas até a sala de estar. Dito e feito: parada em pé, num cantinho entre o sofá e a lareira, bem ao lado do estéreo — Jocelyn sempre chamou aquele canto de Limbo, porque não conseguia imaginar o que fazer com ele —, estava uma mulher baixinha e murcha, magra como um palito e absolutamente imóvel. Ela parecia algo que não pertencia à clara luz dourada da tarde; escura, suja, noturna. Jocelyn havia pendurado um pano de prato velho sobre a cabeça dela, então não dava para ver seu rosto.

"Vovó", disse, meditativo. Então começou a rir. Não pôde evitar: com aquele pano de prato, ela era um espetáculo estranho e ridículo.

Jocelyn corou. "Você sabe que eu fico arrepiada quando ela olha para nós desse jeito. Sei que ela é cega, mas às vezes tenho a sensação de que não faz a menor diferença."

"Há quanto tempo ela está parada ali? Acabei de vê-la na cidade."

"Menos de vinte minutos. Ela apareceu um pouco antes de você."

"Vai entender. Eu a vi no estacionamento da Market & Deli. Eles tinham colocado um dos novos brinquedos em cima dela, um maldito realejo. Acho que ela não gostou muito da música."

Jocelyn sorriu e franziu os lábios. "Bem, espero que ela goste de Johnny Cash, porque era o que estava no som, e passar por ela uma vez que seja para apertar o play já é demais para mim, muito obrigada."

"Gesto corajoso, minha senhora." Steve passou os dedos pelos cabelos de Jocelyn na altura de sua nuca e voltou a beijá-la.

A porta de tela se escancarou e Tyler entrou com uma sacola plástica grande com cheiro de delivery chinês. "Opa, nada de sacanagem, ok?", disse ele. "Sou menor de idade até quinze de março, e até lá minha alma inocente não vai suportar ser corrompida. Muito menos dentro da minha própria cadeia genética."

Steve piscou para Jocelyn e disse: "Isso vale pra você e Laurie também?".

"Experimentar é normal para mim", disse o rapaz ao colocar a sacola em cima da mesa e tirar a jaqueta. "É apropriado para minha idade. A Wikipédia diz isso."

"E o que é que a Wikipédia diz que deveríamos fazer na *nossa* idade?"

"Trabalhar... cozinhar... dar mesada."

Jocelyn arregalou os olhos e explodiu em gargalhadas. Atrás de Tyler, Fletcher havia se enfiado pela porta de tela e estava andando ao redor da mesa da sala de jantar com as orelhas em pé.

"Ah, meu Deus, Tyler, pega ele...", disse Steve assim que ouviu o border collie rosnar, mas era tarde demais: Fletcher tinha avistado a velha senhora no Limbo de Jocelyn. Ele começou um latido ensurdecedor, que virou um gemido tão agudo que todos os três deram um pulo de susto. O cão voou pela sala, mas escorregou nos ladrilhos escuros, de modo que Tyler mal conseguiu agarrá-lo pela coleira. Latindo loucamente e tentando atacar o ar com as patas dianteiras, Fletcher parou subitamente entre as portas francesas.

"Fletcher, no chão!", gritou Tyler, puxando a guia com força. Fletcher parou de latir. Balançando nervosamente a cauda, ele começou a rosnar, um rosnado bem do fundo da garganta, para a mulher no Limbo de Jocelyn... que não tinha movido um músculo sequer. "Caramba, gente, vocês não podiam, sei lá, ter me dito que ela estava aqui?"

"Desculpe", disse Steve, pegando a guia das mãos de Tyler. "Não vimos Fletcher entrar."

Uma expressão cínica se espalhou pelo rosto de Tyler. "O paninho combina bem com ela." Ele jogou a jaqueta em cima de uma cadeira e correu escada acima sem mais comentários. Não para fazer sua lição de casa, Steve supôs; quando o negócio era lição de casa, Tyler nunca se apressava. A única coisa que o fazia correr era a garota que estava namorando (uma coisinha fofa de Newburgh que infelizmente não podia visitar com muita frequência devido ao Decreto de Emergência) ou o vlog no seu canal do YouTube, no qual provavelmente estava trabalhando quando Jocelyn o mandou buscar comida no Emperor's Choice Take-Out. Quarta era seu dia de folga e ela gostava de simplificar as coisas, muito embora tudo naquele restaurante chinês tivesse praticamente o mesmo sabor.

Steve levou um Fletcher rosnante até o quintal e o trancou em seu canil, onde o cão pulou contra a grade de metal e começou a andar de um lado para o outro, inquieto.

"Para com isso", ralhou Steve, com mais força do que a situação talvez exigisse. Mas o cão estava lhe dando nos nervos, e ele sabia que não se acalmaria na próxima meia hora. Já fazia certo tempo desde a última vez em que Vovó fora parar lá na casa deles, mas, não importava a frequência com que ela aparecia, Fletcher nunca se acostumava com ela.

Ao voltar lá para dentro, fizeram a mesa. Steve estava abrindo embalagens de papel do *chow mein* de frango e do tofu do General Tso quando a porta da cozinha voltou a se escancarar. E entraram as botas de equitação de Matt, pisando duro no chão, enquanto o cão continuava a latir sem parar. "Caramba, Fletcher!", gritou o caçula. "Qual é o seu problema?"

Matt entrou na sala de jantar com o boné torto e as calças de equitação amarrotadas nos braços. "Oba, comida chinesa, que delícia!", disse ele, abraçando os pais ao passar. "Desço já!" E, como Tyler, correu para o andar de cima.

Steve considerava a sala de jantar naquele horário o epicentro dos Grant, o lugar onde as vidas interessantes dos membros da família individualmente deslizavam umas sobre as outras, como placas tectônicas, e repousavam. Não era só porque eles honravam a tradição de comer juntos sempre que possível; isso tinha a ver com o próprio aposento: um lugar de confiança na casa, emoldurado com dormentes de ferrovia e uma vista que não tinha preço do estábulo no fundo do quintal, a vastidão selvagem das encostas do Abismo do Filósofo bem atrás.

Ele estava servindo macarrão com gergelim quando Tyler entrou na sala de jantar com a câmera esportiva GoPro que ganhara em seu aniversário de dezessete anos. A luz vermelha de gravação estava acesa.

"Desligue esse negócio", disse Steve com firmeza. "Você conhece as regras quando a Vovó está aqui."

"Não estou filmando ela", disse Tyler, puxando uma cadeira do outro lado da mesa. "Olha, daqui nem dá pra colocar ela no enquadramento. E você sabe que ela raramente sai andando quando está aqui dentro." Deu um sorriso inocente e passou para sua típica voz de YouTube (música 1.2, pose 2.0): "E agora está na hora de fazer uma pergunta para meu relatório *três important* de estatística, Ó Digno Progenitor".

"Tyler!", gritou Jocelyn.

"Desculpe, Ó Duplamente Digna Parideira."

Jocelyn olhou para ele com um jeito firme, porém amigável.

"Você vai cortar isso na edição", disse ela. "E tire essa câmera da minha cara. Eu estou horrível."

"Liberdade de imprensa", Tyler deu um sorriso maroto.

"Direito à privacidade", retrucou Jocelyn.
"Suspensão das tarefas domésticas."
"Corte de mesada."
Tyler virou a GoPro para si mesmo e fez uma careta.
"Aah, eu estou sempre ouvindo essas merdas. Eu já disse antes e repito agora, meus amigos: estou vivendo numa ditadura. A liberdade de expressão está seriamente ameaçada nas mãos da geração mais velha."
"Assim falou o Messias", disse Steve enquanto se servia, sabendo que Tyler acabaria cortando a maior parte na edição. Tyler fazia edições inteligentes de suas opiniões, seus absurdos e suas filmagens de rua, que complementava com música pop chiclete e efeitos de vídeo acelerados. Ele era bom nisso. E os resultados eram impressionantes: da última vez em que Steve olhou o canal do YouTube de seu filho, TylerFlow95, ele tinha trezentos e quarenta assinantes e mais de duzentas e setenta mil visualizações. Tyler chegou até a ganhar uns trocados (muito pouco, ele admitia) com renda de publicidade.
"O que você queria perguntar?", perguntou Steve, e a câmera se virou imediatamente para ele.
"Se tivesse que deixar alguém morrer, quem seria: seu próprio filho ou toda uma aldeia do Sudão?"
"Mas que pergunta irrelevante."
"Meu próprio filho", respondeu Jocelyn.
"Oh!", gritou Tyler com grande senso de drama, e lá fora, em seu canil, Fletcher levantou as orelhas e começou a latir incansavelmente mais uma vez. "Vocês ouviram isso? Minha própria mãe impiedosamente me sacrificaria por alguma aldeia inexistente na África. Seria essa uma indicação de sua compaixão pelo Terceiro Mundo ou um sinal de disfunção dentro de nossa família?"
"As duas coisas, querido", disse Jocelyn, e, se dirigindo para o andar de cima: "Matt! Vamos comer!".
"Mas sério, pai. Digamos que você tivesse dois botões à sua frente; se apertasse um, o seu próprio filho — *moi*, quero dizer — morreria, e se você apertasse o outro, uma aldeia inteira do Sudão morreria, e se você não fizesse uma escolha antes da contagem regressiva de dez, os dois seriam apertados automaticamente. Quem você salvaria?"
"É uma situação absurda", disse Steve. "Quem me forçaria a fazer essa escolha?"
"Me faça esse favor."

"Mesmo assim, não existe resposta certa. Se eu salvar você, você vai me acusar de deixar uma aldeia inteira morrer."

"Mas, por outro lado, morreríamos todos", insistiu Tyler.

"É claro que eu deixaria a aldeia morrer, não você. Como eu poderia sacrificar meu próprio filho?"

"É mesmo?" Tyler soltou um assovio de admiração. "Mesmo que seja uma aldeia cheia de soldados-mirins muito mal alimentados, com barriguinhas inchadas e moscas zumbindo ao redor dos olhos, e pobres mães abusadas e com aids?"

"Mesmo assim. Essas mães fariam o mesmo por seus filhos. Cadê o Matt? Estou com fome."

"E se tivesse que escolher entre me deixar morrer ou todo o Sudão?"

"Tyler, você não devia fazer essas perguntas", disse Jocelyn, mas sem muita convicção; ela sabia muito bem que, assim que seu marido e seu filho mais velho começavam, uma intervenção tinha tão pouca chance de sucesso quanto... bem, quanto qualquer intervenção numa arena política maior.

"E aí, pai?"

"O Sudão", disse Steve. "Por que esse relatório, afinal? Nosso envolvimento na África?"

"Honestamente", disse Tyler, "qualquer pessoa que diga que salvaria o Sudão está mentindo. E qualquer pessoa que não quiser responder está apenas sendo politicamente correta. Perguntamos a todos os professores e só a srta. Redfearn, de Filosofia, foi honesta. E você." Ele ouviu seu irmão mais novo descer correndo as escadas e gritou: "Matt, se você tivesse que deixar alguém morrer, quem você escolheria: o Sudão inteiro, ou nossos pais?".

"O Sudão", foi a resposta imediata. Fora do enquadramento da câmera, Tyler acenou com a cabeça para a sala de estar e passou o dedo pelos lábios, imitando um zíper sendo fechado. Steve olhou relutantemente para Jocelyn, mas viu, pelo jeito que ela mordia o lábio, que estava disposta a brincar também. Um segundo depois, a porta se abriu, e Matt entrou apenas com uma toalha enrolada na cintura, aparentemente saindo direto do banheiro.

"Legal, você acabou de me conseguir umas mil visualizações a mais", disse Tyler. Matt fez uma cara de palhaço para a câmera e começou a balançar os quadris para a frente e para trás.

"Tyler, ele tem treze anos!", disse Jocelyn.

"É sério. Aquele clipe com Lawrence, Burak e comigo sem camisa, dublando as Pussycat Dolls, passou das trinta mil visualizações."

"Aquilo foi quase pornográfico", disse Matt, puxando uma cadeira ao lado dele, de costas para a sala de estar — até então ele não tinha visto a mulher no Limbo de Jocelyn. Os dois trocaram um olhar divertido.

"Você não pode vestir uma roupa para se sentar à mesa, por gentileza?", suspirou Jocelyn.

"Você queria que eu descesse pra comer! Minhas roupas estão com cheiro de cavalo, e eu nem tomei banho. A propósito, gostei do seu álbum, mãe."

"Que álbum?"

"No Facebook." Com a boca cheia de macarrão, ele se afastou da beira da mesa e se equilibrou nas pernas traseiras da cadeira. "Você é irada, mãe."

"Estou vendo, querido. As quatro pernas no chão, ok? Ou vai cair de novo."

Ignorando-a, Matt voltou sua atenção para a lente de Tyler. "Aposto que você não quer saber o que *eu* acho."

"Não quero mesmo, irmão-que-cheira-feito-cavalo. Preferia que você tomasse um banho."

"É suor, não cavalo", disse Matt, imperturbável. "Acho sua pergunta fácil demais. É muito mais interessante perguntar o seguinte: se você tivesse que deixar alguém morrer, quem seria: seu próprio filho ou toda a Black Spring?"

Fletcher começou um grunhido baixo. Steve olhou para o pátio e viu o cachorro pressionando a cabeça contra o chão atrás da grade de metal e arreganhando os dentes como um animal selvagem.

"Cara, o que tá acontecendo com esse cachorro?", perguntou Matt. "Além de ser completamente louco."

"Por acaso Vovó não estaria por aqui, estaria?", perguntou Steve inocentemente.

Jocelyn abaixou os ombros e olhou ao redor do aposento. "Eu não a vi o dia inteiro hoje." Fingindo urgência, ela olhou do pátio para o carvalho vermelho partido no final da propriedade, onde a trilha subia a colina. O carvalho possuía três câmeras de segurança montadas no tronco, apontando para vários cantos do Abismo do Filósofo.

"*Por acaso Vovó não estaria por aqui.* O que os seguidores de Tyler vão achar disso?", Matt sorriu com a boca cheia. A mãe de Jocelyn, que sofrera de Alzheimer por muito tempo, tinha morrido de infecção nos pulmões um ano e meio antes; a de Steve, havia oito anos. Não que o YouTube soubesse disso, mas Matt estava se divertindo.

Steve se virou para seu filho mais velho e disse, com uma severidade que não era nem um pouco a cara dele: "Tyler, você vai editar isso, certo?".

"Claro, pai." Trocou de voz para TylerFlow95. "Vamos trazer a pergunta mais para perto de casa. Se você tivesse que deixar alguém morrer, *ó padre mio*, quem seria: seu próprio filho ou o resto de nossa cidade?"

"Isso incluiria minha esposa e meu outro filho?", perguntou Steve.

"Sim, pai", respondeu Matt com uma risada condescendente. "Quem você salvaria, Tyler ou eu?"

"Matthew!", gritou Jocelyn. "Já chega."

"Eu salvaria vocês dois", disse Steve solenemente.

Tyler deu um sorriso maroto. "Que tédio, pai."

Nesse momento, Matt se inclinou muito para trás nas pernas da cadeira. Balançou loucamente os braços em uma tentativa de recuperar o equilíbrio, espirrando molho vermelho de sua colher, mas a cadeira caiu com um estrondo e Matt rolou para o chão. Jocelyn deu um pulo para cima, assustando Tyler e fazendo com que a GoPro escorregasse de suas mãos e caísse em seu prato de *chow mein* de frango. Steve viu que Matt, ainda com a flexibilidade de uma criança, havia detido sua queda com o cotovelo e ria histericamente, deitado de costas e tentando segurar a toalha na cintura com uma das mãos.

"Irmão caçula ao mar!", gritou Tyler. Apontou a GoPro para baixo, para ter uma boa tomada, limpando o *chow mein*.

Então Matt estremeceu, como se tivesse recebido um choque elétrico: a expressão no seu rosto virou um careta de horror, ele bateu a canela no pé da mesa e deu um grito.

+++

Primeiro: ninguém jamais verá as imagens que a câmera GoPro de Tyler capturou naquele momento. Isso é uma pena, porque, se alguém fosse estudá-las, seria testemunha de algo muito estranho, talvez até perturbador — isso para dizer o mínimo. As imagens são cristalinas, e imagens não mentem. Muito embora a GoPro seja uma câmera pequena, ela captura a realidade em surpreendentes sessenta quadros por segundo, produzindo clipes espetaculares tirados da mountain bike de Tyler descendo o Monte Misery, ou quando ele vai nadar de snorkel com seus amigos no lago Popolopen, mesmo quando a água está turva.

As imagens mostram Jocelyn e Steve olhando atônitos, além de seu filho mais novo, ainda no chão, para dentro da sala de estar. No meio da imagem há um ponto congelado de clara de ovo e macarrão. A câmera dá um tranco na outra direção e Matt não está mais deitado no chão; ele se endireitou virando o corpo em um espasmo e recuou, batendo na mesa. De algum modo, ele conseguiu manter a toalha na cintura. Por um momento, parece que estamos em pé no convés ondulante de um navio, pois tudo o que vemos está inclinado, como se toda a sala de jantar estivesse se descosturando. Então a imagem se endireita, embora a mancha de macarrão oculte a maior parte da nossa visão, e vemos uma mulher esquelética avançando pela sala de estar na direção das portas francesas abertas, a caminho da cozinha. Até então havia ficado parada, imóvel, no Limbo de Jocelyn, mas de repente ela está bem ali, como se sentisse pena de Matt por ele ter caído. O pano de prato escorregou de seu rosto, e numa fração de segundo — talvez apenas dois quadros — vemos que seus olhos estão costurados, e sua boca também. Tudo acontece tão rápido que acaba antes que percebamos, mas é o tipo de imagem que se fixa em seu cérebro, por tempo suficiente não só para nos retirar de nossa zona de conforto, mas para destruí-la por completo.

Então, Steve corre para a frente e fecha as portas francesas que dão para a sala de estar. Atrás do vidro colorido e quase translúcido vemos a mulher esquelética parar. Chegamos até a ouvir a ligeira vibração do vidro quando ela bate no painel.

O bom humor de Steve desapareceu. "Desligue esse negócio", diz ele, muito sério. Embora seu rosto não esteja aparecendo (tudo o que podemos ver é sua camiseta e sua calça jeans, e o dedo de sua mão livre apontando para a lente), podemos todos imaginar como ele deve estar. Então tudo fica escuro.

+++

"Ela veio direto pra mim!", gritou Matt. "Ela nunca fez isso antes!" Ele ainda estava parado ao lado da cadeira caída, segurando a toalha na cintura para evitar que escorregasse.

Tyler começou a rir — *em sua maior parte de alívio*, pensou Steve. "Talvez ela tenha tesão por você."

"Eca, que nojo, tá me zoando? Ela é muito velha!"

Jocelyn explodiu de rir também. Ela colocou um punhado de macarrão na boca mas não reparou a quantidade de molho picante que tinha posto na colher. Lágrimas começaram a brotar de seus olhos.

"Perdão, querido. Nós apenas queríamos mexer um pouco com você, mas acho que *ela* é que ficou mexida. Realmente, foi estranho o jeito como veio andando até você. Ela nunca faz isso."

"Há quanto tempo ela estava ali?", perguntou Matt, indignado.

"O tempo todo." Tyler deu um sorriso maroto.

O queixo de Matt caiu. "Agora ela me viu pelado!"

Tyler olhou para ele com uma mistura de surpresa absoluta e o tipo de nojo que é quase próximo de amor, reservado apenas para irmãos maiores com relação aos seus irmãos caçulas e mais bobos. "Ela não enxerga, idiota", disse ele. Limpou a lente de sua GoPro e olhou para a mulher cega atrás do vidro colorido.

"Senta, Matt", disse Steve, o rosto ficando mais duro. "O jantar está esfriando." Emburrado, Matt obedeceu. "E quero que você apague essas imagens agora, Tyler."

"Ah, qual é! Eu posso apenas cortar ela..."

"*Agora*, e eu quero ver você fazer isso. Você conhece as regras."

"O que é isso aqui, Pyongyang?"

"Não me faça repetir."

"Mas tinha um material irado aqui", Tyler resmungou sem muita esperança. Ele sabia quando seu pai falava sério. E ele de fato conhecia as regras. Com relutância, ergueu o display em um ângulo com relação a Steve, selecionou o arquivo de vídeo, clicou em APAGAR e depois em OK.

"Bom garoto."

"Tyler, reporte ela no aplicativo, pode ser?", perguntou Jocelyn. "Eu queria fazer isso antes, mas você sabe que eu não sei mexer com essas coisas."

Com cuidado, Steve deu a volta até a sala de estar pelo corredor. A mulher não havia se movido. Lá estava ela, bem diante das portas francesas, com o rosto encostado no vidro, como algo que tinha sido colocado ali, uma piada macabra, para substituir um abajur ou uma planta caseira. Seus cabelos finos pendiam imóveis e sujos sob o lenço. Se ela sabia que havia mais alguém na sala, não deu a entender. Steve se aproximou, mas evitou deliberadamente olhar para ela, sentindo apenas sua forma pelo canto do olho. Era melhor não olhar tão de perto. Mas agora ele conseguia sentir seu cheiro: o fedor de outra era, de lama e gado nas ruas, de doença.

A mulher se balançava suavemente, de modo que a corrente de ferro forjado que prendia seus braços com força ao seu corpo emagrecido batia contra a porta envernizada com um clangor seco.

"Ela foi vista pela última vez às 17h24 pelas câmeras atrás do Market & Deli", ouviu a voz abafada de Tyler da outra sala. Steve também pôde ouvir que a mulher estava sussurrando. Ele sabia que não ouvi-la sussurrar era questão de vida ou morte, então se concentrou na voz de seu filho e em Johnny Cash. "Há quatro relatórios de pessoas que a viram, mas depois disso nada. Alguma coisa a respeito de um realejo. Pai... Você está bem?"

Com o coração acelerando, Steve se ajoelhou ao lado da mulher de olhos costurados e pegou um pano de prato. Então se levantou. Seu cotovelo roçou na corrente da mulher, e ela virou seu rosto desfigurado para ele. Steve deixou o pano de prato cair e cambaleou para trás, distanciando-se dela e voltando à sala de jantar, a testa encharcada de suor, ao som do latido feroz e alarmado do cão, que vinha do pátio.

"Pano de prato", disse ele para Jocelyn. "Ótima ideia."

A família continuou a comer, e durante todo o jantar a mulher de olhos costurados permaneceu imóvel atrás do vitral.

Só se moveu uma vez: quando a risada aguda de Matt atravessou a sala de jantar, ela inclinou a cabeça.

Como se estivesse escutando.

Depois do jantar, Tyler encheu a lavadora de louça e Steve limpou a mesa. "Me mostre o que você enviou a eles."

Tyler levantou seu iPhone com os registros do HEXapp na tela. A última entrada dizia o seguinte:

> Qua. 19.09.12, 19:03, 16M atrás
> Tyler Grant @gps 41.22890 N, 73.61831
> #K @ sala de estar, 188 Deep Hollow Road
> omg eu acho que ela tá a fim do meu irmão caçula

+++

Mais tarde, Steve e Jocelyn estavam largados na sala de estar — não em seus lugares habituais no sofá, mas no divã do outro lado da sala — vendo *The Late Show* na cbs. Matt estava na cama; Tyler estava lá em cima, trabalhando em seu laptop. A luz fraca da tv reluzia nas correntes de metal que envolviam o corpo da mulher cega — ou pelo menos nos elos que não estavam enferrujados. Sob o pano de prato, a carne morta no campo aberto de sua boca estremecia, quase não era visível. Ela repuxava os pontos pretos tortos que costuravam seus lábios com força, a não ser por um ponto solto no canto que se destacava como um pedaço de arame torto. Jocelyn bocejou e se espreguiçou contra o corpo de Steve. Ele imaginou que ela não ia demorar muito a dormir.

Quando subiram, meia hora depois, a mulher cega ainda estava lá, parte da noite que a noite tinha agora recuperado.

2

Um tenso Robert Grim olhava a tela enquanto o pessoal da mudança retirava a mobília do caminhão, envolta em lona e plástico, e a levava para dentro da residência na Upper Reservoir Road, seguindo as instruções daquela estúpida vadia yuppie. Era a câmera D19-063 — o antigo terreno da falecida sra. Barphwell —, embora ele não precisasse do número da câmera para saber disso. A imagem ocupava a maior parte da parede oeste do Centro de Controle HEX, bem como a maior parte da atormentada noite de sono de Grim. Ele fechou os olhos e, com uma grande dose de força de vontade, conjurou uma nova imagem, uma imagem sublime: Robert Grim viu arame farpado.

Apartheid é um sistema subestimado, pensou Grim. Ele não apoiava a segregação racial na África do Sul nem a *purdah* radical que separava homens de mulheres na Arábia Saudita, mas uma parte revolucionária e perturbadoramente altruísta dele via o mundo dividido em pessoas *de* Black Spring e pessoas *fora de* Black Spring. De preferência com muito arame farpado enferrujado no meio. Com dez mil volts, se possível. Colton Mathers, chefe do Conselho, denunciou essa atitude e, de acordo com as exigências do Point, solicitou um projeto de integração controlada — porque, sem novo crescimento, Black Spring morreria ou evoluiria para uma espécie de comunidade fechada que faria Amishville, Pensilvânia, parecer a meca dos hippies. Mas o expansionismo de Colton Mathers não era páreo para quase trezentos e cinquenta malditos anos de política de acobertamento, o que era um alívio para todos. Robert Grim via o ego do conselheiro como uma cabeça particularmente grande. Ele odiava isso.

Grim suspirou e rolou a cadeira ao longo da beirada da mesa para dar uma olhada nas estatísticas, tabelas e medições no monitor à frente de Warren Castillo, que bebia café e lia *The Wall Street Journal*, os pés em cima da mesa.

"Neurótico", disse Warren sem levantar a cabeça.

As mãos de Grim travaram numa câimbra. Voltou a olhar para o caminhão de mudanças.

Mês passado, tudo tinha parecido tão promissor. O corretor imobiliário levara o casal de yuppies para visitar a casa, e Grim havia se preparado para a operação até o último detalhe, referindo-se a ela como "Operação Barphwell", por respeito à velha ocupante anterior. A Operação Barphwell consistia numa cerca provisória bem atrás da propriedade, um caminhão cheio de areia, algumas placas de concreto, uma grande placa da construtora com os dizeres BAZAR & CLUBE NOTURNO DE POPOLOPEN, PARA MEADOS DE 2015, e alto-falantes de concerto ocultos, com *subwoofers* tocando sons de bate-estaca da seleção *New Age & Mindfulness* do iTunes. E, de fato, depois que as câmeras de segurança mostraram o carro do corretor se aproximando da cidade pela Rota 293, e Grim deu o sinal para começar a trilha sonora, o batecum foi difícil de ignorar. Juntamente com a britadeira de Butch Heller, que o homem do azulejo usou para perfurar de qualquer maneira as placas de concreto, sugeria a construção de castelos no ar.

Delarosa era o nome deles, e eles vinham de Nova York. De acordo com as informações que Grim havia recebido do Point, o marido havia conseguido assento na Assembleia Municipal de Newburgh, e a esposa era assessora de comunicações e herdeira de uma fortuna de moda masculina. Eles contariam com excesso de lirismo aos seus amiguinhos do Upper East Side como redescobriram a vida no campo, excretariam bebês inchados em dois tempos e decidiriam voltar para a cidade em mais ou menos seis anos.

Mas era ali que as coisas ficavam problemáticas. Uma vez que tivessem se acomodado em Black Spring, não teriam como voltar.

Era fundamental *evitar* que eles viessem a Black Spring.

A eficácia do falso lote de construção deveria ser inquestionável, mas, só para ter certeza, Grim havia colocado três garotos locais na Upper Reservoir Road. Sempre havia adolescentes em Black Spring dispostos a aceitar um trabalho por alguns cigarros ou uma caixa de cerveja. Desta vez eram Justin Walker, Burak Şayer e Jaydon Holst, o filho do açougueiro. O corretor viu sua comissão evaporar quando os jovens locais acusaram Bammy Delarosa de, digamos, "trabalhar no turno da noite" assim que ela saiu do carro, e a convidaram para uma masturbação coletiva ao som hidráulico da empilhadeira.

Isso deveria ter dado conta da questão. Quando Grim se acomodou em sua cama alegremente naquela noite, congratulou a si mesmo por sua engenhosidade e logo adormeceu. Flagrou-se sonhando com Bammy Delarosa, que em seu sonho era corcunda. A corcunda tinha uma boca que tentava se abrir e gritar, mas não conseguia, pois estava costurada com arame farpado.

"Se prepara", disse Claire Hammer na manhã seguinte, quando Grim entrou no centro de controle. Ela ergueu um pedaço de papel. "Você não vai acreditar nisso."

Grim não se preparou. Ele leu o e-mail. Colton Mathers estava furioso. Acusava HEX de um sério erro de julgamento. O corretor tinha começado a fazer perguntas sobre a placa que dizia BAZAR & CLUBE NOTURNO DE POPOLOPEN, PARA MEADOS DE 2015. Grim xingou a morte da sra. Barphwell, mas os parentes mais próximos dela tinham ligado para um corretor de Newburgh em vez de contatar Donna Ross Hometown Realty, de Black Spring, paga por Grim para seguir uma política de desencorajar as pessoas, não atraí-las. *De um jeito ou de outro, você está lidando com Forasteiros aqui*, escreveu Mathers. *E, mais uma vez, você está sendo criativo demais na execução de suas tarefas. Como eu vou me livrar dessa confusão?*

Essa era a preocupação do conselheiro. A de Grim era que os Delarosa tivessem se apaixonado pela propriedade e feito uma oferta. Grim imediatamente lançou uma contraproposta usando uma identidade falsa. Delarosa aumentou a oferta. Grim também. Gastar tempo até que os compradores perdessem o interesse era crucial nessas questões. Black Spring se dava muito bem na bolha imobiliária.

Uma semana depois, Warren Castillo o chamou do centro de controle na hora do almoço, justo quando ele estava prestes a comer um sanduíche de pernil do Griselda's Butchery & Delicacies. O Mercedes dos Delarosa fora visto na cidade. Claire já estava a caminho. O risco de um Código Vermelho — um sinal de Forasteiros — era quase zero, e Warren já tinha duas pessoas em alerta. Correndo o mais rápido que podia e puto por conta do sanduíche de pernil inacabado, Grim subiu a colina em disparada. Estava sem fôlego quando encontrou Claire perto da Memorial Footbridge na Upper Reservoir Road.

"O que é que vocês *querem?*", perguntou o nova-iorquino, incrédulo, depois de ele e sua esposa anormalmente bronzeada terem sido abordados na frente do bangalô da sra. Barphwell. Os Delarosa tinham aparecido sem o corretor, provavelmente para se convencer mais uma vez do caráter extraordinário da casa e do ambiente que a cercava.

"Quero que vocês cancelem a compra desta casa", repetiu Grim. "Vocês não vão mais fazer nenhuma oferta aqui nem em nenhuma outra propriedade de Black Spring. A cidade está preparada para compensar vocês pelo inconveniente pagando cinco mil dólares para a compra de qualquer outro terreno, em qualquer outro lugar, desde que não seja aqui em Black Spring."

Os Delarosa olharam para os dois oficiais da HEX com franca incredulidade. Era um dia de calor, e mesmo ali, no abrigo da Floresta de Black Rock, Grim sentiu uma gota de suor descendo por sua têmpora, que estava ficando calva. A calvície o segregava de algum modo, ele pensava. Uma careca inspirava yuppies e mulheres. Apesar de estar na casa dos cinquenta, Robert Grim era uma presença intimidadora devido à sua altura, seus óculos com aro de tartaruga e sua gravata estilosa, e Claire Hammer era uma mulher tão linda que chegava a inibir, a não ser por uma testa um pouco alta demais que ela não deveria realçar tanto.

A caminho da propriedade, eles haviam conversado sobre como lidar com a situação. Claire preferia uma abordagem emocional e uma história bobinha sobre laços de família e memórias de infância. Grim estava convencido de que, ao lidar com esse tipo de geeks de carreira, a melhor coisa era ser direto, e não lhe deu ouvidos. Era por causa de sua testa. Ela o distraía. Havia algo de anulador em uma mulher com uma testa muito alta — especialmente se ela realçasse essa característica.

"Mas... por quê?", perguntou o sr. Delarosa, depois de finalmente recuperar a voz.

"Temos nossas razões", respondeu Grim, impassível. "É para seu próprio bem. Vocês precisam partir agora e esquecer tudo a respeito. Podemos definir os detalhes do acordo num contrato..."

"Que autoridade você representa, afinal?"

"Isso é irrelevante. Se vocês cancelarem a compra, receberão cinco mil dólares. Certas coisas o dinheiro não pode comprar. Para todo o resto, você tem a nós."

Delarosa olhou como se Grim tivesse acabado de sugerir que iria executar publicamente sua esposa no cadafalso da cidade. "Você acha que sou louco?", gritou ele, furioso. "Com quem acha que está lidando?"

Grim fechou os olhos e se preparou. "Pense no dinheiro." Ele, no entanto, estava pensando em cianureto. "E aceite isso como uma proposta de negócios."

"Não vou me deixar ser subornado pelo primeiro vigilante da vizinhança que aparece! Minha esposa e eu adoramos esta casa e vamos assinar o contrato amanhã. Dê-se por satisfeito por eu não processar ninguém."

"Escute. A sra. Barphwell tinha um telhado com goteiras todo outono. Ano passado, isso provocou um dano considerável em seu piso. Esta casa", disse Grim, fazendo uma cara feia, "é uma merda. Existem belas propriedades em Highland Falls, tão rústicas quanto, mas bem à beira do Hudson, e os preços lá são mais baixos."

"Você está enganado se acha que posso ser tapeado por cinco mil dólares", disse Delarosa. Então uma coisa lhe ocorreu. "Vocês são aqueles palhaços do Bazar Noturno? Por que diabos estão fazendo isso?"

Grim abriu a boca, mas Claire tomou a dianteira. "Não gostamos de vocês", falou ela, detestando seu papel, mas em plena forma, como de costume. "Não gostamos de babacas da cidade como vocês. Poluem o ar."

"É uma dose saudável de humor inato", acrescentou Grim confidencialmente. Sabia que havia acabado de perder seu caso.

Bammy Delarosa olhou para ele com lentidão, virou-se para o marido e perguntou: "O que exatamente eles estão dizendo, meu amor?". Robert Grim imaginou o cérebro dela como algo torrado em aparelhos de bronzeamento e agora incrustado na parede interna de seu crânio.

"Quietinha, coração", disse Delarosa, e a puxou para perto. "Saiam daqui antes que eu chame a polícia!"

"Vocês vão se arrepender disso", disse Claire, mas Grim a puxou para longe.

"Deixa pra lá, Claire. Não vale a pena."

Naquela noite, Grim ligou para Delarosa de seu celular e implorou para que ele desistisse da compra. Quando o homem lhe perguntou por que estava se dando tanto trabalho, Grim lhe contou que Black Spring sofria de uma maldição de trezentos anos, que os infectaria também se decidissem ficar na cidade, e estariam condenados até a morte, e que havia uma bruxa má vivendo em Black Spring. Delarosa desligou.

"Idiotas!", gritou Grim, olhando para o pessoal da mudança. Jogou a caneta na tela grande e os vinte monitores ao seu redor pularam para novos ângulos de câmera, oferecendo a visão de pessoas andando na cidade. "Eu estava fazendo um favor a vocês, porra!"

"Relaxa", disse Warren. Dobrou o jornal e o colocou em cima da mesa. "Fizemos tudo o que podíamos. Ele pode ser um intelectual, babaca de merda, mas pelo menos ele é *nosso* intelectual babaca de merda. E ela até que parece gostosinha."

"Você é nojento", disse Claire.

Grim espetou a tela com o dedo indicador. "No Conselho, eles estão esfregando as mãos. Mas, quando esse pessoal começar a criar caso, quem vai limpar a merda?"

"Nós", respondeu Warren. "E nós somos bons nisso. Cara, desencana. Fica feliz por a gente ter encontrado algo novo em que apostar. Cinquenta paus que vai ser encontro doméstico."

"Cinquenta paus?" Claire estava chocada. "Você é louco. Estatisticamente falando, encontros domésticos nunca acontecem primeiro."

"Estou com esse feeling, querida", disse Warren, e começou a batucar na mesa. "Se eu fosse ela, iria checar a carne nova, se é que me entende." Levantou as sobrancelhas. "Quem está dentro?"

"Cinquenta dólares: estou dentro", disse Claire. "Eu digo que eles vão vê-la na rua."

"As câmeras de segurança", falou Marty Keller, seu analista de dados on-line do outro lado do centro de controle. "E aumento as apostas para setenta e cinco."

Os outros olharam para ele como se tivesse ficado louco. "Ninguém nunca vê essas coisas se não sabe que elas estão lá", disse Warren.

"Ele vai ver", disse Martin, assentindo com a cabeça na direção do monitor. "Ele é desse tipo. Vê as câmeras de segurança e começa a fazer perguntas. Setenta e cinco."

"Pode contar comigo", disse Claire prontamente.

"Comigo também", disse Warren. "E o primeiro drinque é por minha conta."

Marty batucou no ombro de Lucy Everett, que estava na cadeira ao seu lado ouvindo chamadas telefônicas. Ela tirou o fone de ouvido. "O que foi?"

"Você está na aposta? Setenta e cinco paus."
"Claro. Encontro doméstico."
"Vai se foder, essa aposta é minha!", gritou Warren.
"Então você tem que dividir os ganhos com Warren", disse Marty. Lucy se virou e jogou um beijo para Warren, que a ignorou e caiu na cadeira.
"E você, Robert? Está dentro?", perguntou Claire.
Grim deu um suspiro. "Vocês são mais nojentos do que eu imaginava. Ok, eles vão ouvir falar sobre isso na cidade. Tem sempre alguém que não consegue ficar de boca fechada."
Marty anotou no quadro branco com uma caneta de ponta de feltro apagável. "Ficam faltando Liz e Eric. Vou enviar e-mails para os dois. Se eles entrarem no bolão, teremos um montante de... quinhentos e vinte e cinco dólares. Ainda são duzentos e setenta e cinco para você, Warren."
"Duzentos e sessenta e dois e cinquenta, querido", disse Claire.
"Fica quieta, sua metida", disse Warren, mal-humorado.
Robert Grim colocou o casaco para pegar um pouco de torta de nozes-pecã na cidade. Seu humor estava estragado pelo resto do dia, mas pelo menos seria capaz de curtir um pouco de torta paga pelo Estado. Embora não tivesse autoridade oficial sem ordem do Conselho, e embora tudo tivesse de ser relatado ao seu contato no Point trimestralmente, Grim detinha o poder executivo em Black Spring, e um de seus talentos era arrancar subsídios do que chamava de Poço Sem Fundo. Os salários anuais dos sete empregados da HEX eram pagos a partir desse "poço", assim como as quatrocentas e poucas câmeras de vigilância e seu sistema operacional, o servidor filtrado com acesso à internet para toda a cidade, umas duas festas muito bem-sucedidas (com vinho excelente) depois da reunião do Conselho e iPhones para todos sob o regulamento de relatórios compulsórios que preferissem usar o aplicativo HEX em vez do número 0800. Esta última ideia fez de Robert o homem mais celebrado de Black Spring entre a população mais jovem, e ele podia ser encontrado com frequência sonhando acordado sobre alguma jovem morena (e normalmente de pernas longas) aleatória que vinha da cidade até o centro de controle para explorar as proporções lendárias de seu status cult, no meio de objetos do século XVII ainda fedendo a decomposição.
Robert Grim sempre foi solteiro.
"A propósito, recebemos um e-mail de John Blanchard", disse Marty, quando Grim estava se preparando para ir embora. "Você sabe, aquele criador de ovelhas da floresta, de Ackerman's Corner."

"Ah, que ótimo, esse cara", disse Warren, olhando para o alto.

"Ele diz que sua ovelha Jackie deu à luz um cordeiro de duas cabeças. Natimorto."

"Duas cabeças?", perguntou Grim, incrédulo. "Isso é horrível! Não acontece desde o bebê de Henrietta Russo, em 1991."

"O e-mail dele meio que me assustou. Ele ficou falando de profecias e presságios, e alguma coisa sobre o nono círculo, sei lá."

"Ignore ele", disse Warren. "Na última reunião do Conselho, ele contou que tinha visto luzes estranhas no céu. Disse que 'os ignorantes e os sodomitas serão castigados por seu orgulho e sua ganância'. O sujeito é louco. Ele vê profecias na lenha que corta de manhã."

Marty se virou para Grim. "Bem, então a gente fica com isto? Olha a foto que ele anexou." Clicou em seu touchpad, e a foto de uma coisa feia, morta e carnuda no chão apareceu na tela grande — e com certeza dava facilmente para discernir duas cabeças deformadas de cordeiro. Jackie não quis sequer tirar a membrana com a língua. Meio cortada da foto e um tanto fora de foco, ela podia ser vista comendo feno e se recusando a prestar atenção no monstro fetal.

"Nossa, que aberração", disse Grim, virando de costas. "Sim, mande o dr. Stanton dar uma olhada e colocá-lo em formol junto com os outros espécimes do arquivo. Mais alguém quer torta de nozes-pecã?"

Um "eca" unânime partiu de todos os membros da equipe, mas no comecinho Grim não ouviu que Claire tinha sido a única que disse "merda" em vez de "eca". Ele já virava a maçaneta quando ela repetiu: "Não, sério, Robert. Merda. Marty, abre a parte de Barphwell na tela grande".

Marty arrastou a foto do cordeiro morto para longe e o pessoal da mudança apareceu.

"Não, a câmera do lote *dela*, D19... 064."

Grim ficou visivelmente pálido.

A câmera de segurança estava localizada no poste de luz em frente ao terreno do bangalô dos Delarosa e oferecia uma vista da Upper Reservoir Road que descia até a margem da Floresta de Black Rock. O caminhão de mudança estava estacionado à direita, e dava para ver os moradores pegando caixas e desaparecendo na parte inferior da imagem. O resto da rua estava vazio, a não ser por um trecho de cerca de vinte metros mais acima, à esquerda. Parada em cima da grama de uma casa baixa do outro lado da rua estava uma mulher. Imóvel, ela não olhava para a mudança, mas para o morro logo abaixo.

No entanto, Robert Grim não precisava vê-la de perto para saber que ela não estava encarando o nada. Entrou em pânico.

"Diabos!", gritou ele, e sua mão direita foi até a boca e a cobriu. "Mas que porra, como isso é possível..." Ele correu de volta à mesa e seus olhos voaram pela tela.

O caminhão enorme de mudança estava tapando a visão do casal yuppie, mas bastaria um idiota dar a volta pela rampa de descarga e eles veriam. Maldito Código Vermelho vezes quatro. Ele chamaria o 911: uma mulher seriamente mutilada — *sim, ela parece mal, chamem uma ambulância e a polícia*. Ou pior: eles próprios tentariam ajudá-la. Então as consequências seriam enormes.

"O que ela está fazendo ali, pelo amor de Deus? Ela não devia estar com os Grant?"

"Sim, até...", Claire espiou seu registro, "pelo menos 8h37 desta manhã, quando o menino mandou no aplicativo que tinha de ir para a escola. Depois disso a casa ficou vazia."

"Como é que a velha descobre isso?"

"Relaxa", disse Warren. "Dê-se por satisfeito que ela não está na sala de estar deles, e sim parada no gramado. Vamos colocar a velha linha de varal de roupas em cima dela, com lençóis. Você e Marty podem chegar lá em cinco minutos. Vou ligar para o pessoal dessa propriedade e pedir que a cubram com um cobertor até chegarmos lá."

Grim correu para a saída e empurrou Marty corredor abaixo. "Mas que merda do caralho."

"Se eles a virem, vamos dizer que faz parte do festival", disse Warren. Deu um sorriso para Grim, mais apropriado para um mojito numa festa de salsa do que para uma situação onde pessoas podiam morrer, e fracassou catastroficamente em seu objetivo de acalmar o colega. "Uma piada dos nativos para receber os recém-chegados. *Ooo-ooo*, o que um pouco de sugestão não pode fazer. É apenas uma bruxa."

Robert Grim se virou na porta. "Isto aqui *não é* João e Maria, porra!"

3

O último dia quente do ano chegou e foi embora. O semestre já havia despontado três semanas antes e Steve Grant tinha começado a se ajustar ao ritmo de alternar entre aulas na New York Med e seu trabalho como líder de projetos do centro de pesquisa científica. Jocelyn estava trabalhando três dias e meio no Hudson Highlands Nature Museum, em Cornwall, e os garotos tinham começado a se adaptar ao seu novo ano escolar na O'Neill High School, em Highland Falls, embora com a relutância de sempre. Tyler tinha passado o primeiro ano por um triz, e estava agora tendo aulas extras de matemática para se manter em dia até as provas finais. Isso o deixava irritado. Tyler era homem de palavras, não de números, e se passasse naquele ano — um grande "se", se você perguntasse a Steve —, ele queria trabalhar com palavras. Jornalismo, de preferência na New York University, na cidade, embora isso significasse ir e vir todos os dias. Um quarto no dormitório do campus, tão longe de Black Spring, seria muito arriscado. A coisa se aproximaria dele devagar, de modo quase imperceptível... mas no fim chegaria, e possivelmente de modo inesperado demais para que ele se preparasse.

Matt havia passado pelo seu primeiro ano da escola tranquilamente e começara o segundo com suas hiperativas alterações de humor da puberdade. Ele se cercava de garotas na escola e parecia compartilhar os infinitos ataques de riso delas, bem como suas fúrias de TPM, e ficava deprimido em um piscar de olhos. Jocelyn havia expressado sua preocupação de que Matt pudesse sair do armário neste ano ou no seguinte, e embora Steve tivesse erguido suas sobrancelhas com essa ideia, suspeitava que Jocelyn tivesse razão. A ideia o alarmava, não porque qualquer um deles tivesse visões conservadoras, mas porque ainda via Matt como o que sempre fora: uma criança doce e vulnerável.

Eles estão mesmo crescendo, pensou, não sem um pouco de nostalgia. *E nós estamos ficando velhos. Ninguém está fazendo uma exceção para nós. Todos vamos ficar velhos... e isso será em Black Spring.*

Deprimido por esse pensamento, ele desceu a trilha na direção do estábulo, no fim do quintal. Embora fossem quase onze horas, ainda estava bem quente. Uma típica noite de fim de verão, sem sinal de outono no ar, embora a rádio WAMC tivesse previsto chuva para o dia seguinte. A floresta se erguia alta diante dele, silenciosa e escura. Steve assoviou chamando Fletcher, que estava se escondendo em algum lugar lá fora.

Do outro lado da cerca, o cigarro de Pete VanderMeer brilhou no escuro. Steve levantou a mão e Pete bateu simpático com dois dedos em sua têmpora. Sociólogo até os ossos, Pete ficava frequentemente sentado em seu quintal fumando até tarde da noite. Ele havia se aposentado cedo, há dois anos, por conta de uma artrite reumática. Sua esposa, Mary, botava o dinheiro na mesa desde então. Pete era quinze anos mais velho que Steve, mas seu filho, Lawrence, tinha a mesma idade de Tyler, e as famílias haviam se aproximado ao longo dos anos.

"Ei, Steve. Tentando aproveitar ao máximo o finzinho do verão?"

Ele sorriu. "O quanto eu puder."

"Aproveite enquanto dura. Tem uma tempestade chegando."

Steve ergueu as sobrancelhas.

"Você não ouviu?" Pete exalou uma nuvem de fumaça. "Temos carne nova no pedaço."

"Que merda", disse Steve. "Que tipo de gente?"

"Um casal da cidade, ainda bem jovem. Ele recebeu uma proposta de trabalho em Newburgh. Me lembrei de vocês." Um dos cavalos do estábulo relinchou suavemente. "Não é uma merda? É mais fácil se você nasceu aqui, como eu. Eles vão conseguir, se o casamento for forte o bastante. A maioria consegue. Mas eu não preciso dizer isso a você."

Steve sorriu, resignado. Ele e Jocelyn também não eram originariamente daquela parte do mundo. Eles tinham se mudado para seu refúgio colonial reformado há dezoito anos, quando Jocelyn estava grávida de Tyler, e Steve havia aceitado um estágio de medicina na New York Med. Eles já haviam tido um problema com a venda antes de deixarem Atlanta — um corretor imobiliário mal-humorado, dificuldades inesperadas na obtenção de uma hipoteca —, mas era o lugar ideal para criar filhos, a floresta do Vale do Hudson ao redor e a uma curta distância de carro ou de ônibus do campus.

"Espero, para o bem deles, que a esposa tenha dado seu voto nisso também", disse Steve. "Eu ainda agradeço, todos os dias, aos pedregulhos, do fundo do meu coração."

Pete jogou a cabeça para trás e deu uma gargalhada. Jocelyn estava trabalhando em seu doutorado em Geologia na época e havia se apaixonado pelos pedregulhos deixados para trás pelas geleiras que percorrem toda a extensão da Deep Hollow Road, de sua propriedade até o centro da cidade. Steve nunca ousou dizer isso a ela, mas suspeitava que os pedregulhos haviam salvado seu casamento. Se a mudança para Black Spring tivesse ocorrido inteiramente por sua conta, ele não sabia se Jocelyn teria sido capaz de perdoá-lo. Poderia ter desejado isso, mas a amargura dela simplesmente seria forte demais.

"Ah, no final vai dar errado", disse Pete. "O casal nunca dominará completamente este lugar... mas Black Spring certamente vai dominar o *casal*." Deu uma piscadela para ele, como se fossem dois garotos dividindo um segredo. "Enfim, eu deveria estar indo para a cama. Temos um trabalho a fazer por esses dias."

Eles se despediram e Steve voltou para os fundos da propriedade, procurando Fletcher. Do celeiro, veio o som de um dos cavalos — Pablo ou Niké — farejando, um som incansável, e ao mesmo tempo mais íntimo. Por mais estranho que parecesse, Steve adorava a vida em Black Spring, apesar de suas restrições. Ali, na escuridão, ele sentia um forte senso de pertencimento — uma coisa que, assim como tantos aspectos da psique humana, não podia ser explicada racionalmente, mas que teimava em existir. Steve tinha uma mente científica demais para acreditar em algo espiritual como o poder de um lugar, mas mesmo assim havia uma parte mais primitiva, intuitiva, dele que sabia que seu vizinho tinha razão. Aquele lugar os dominava. E mesmo agora, no final da noite do verão tardio, era possível sentir que o lugar em si pertencia a alguma coisa mais antiga. A casa deles ficava nas margens da reserva natural da Floresta de Black Rock, aos pés do Monte Misery. A cadeia de morros, forçada para o alto por geleiras glaciais inteiras cortadas pela água derretida, exercia uma atração para as pessoas que colonizaram aquele lugar desde tempos ancestrais. Qualquer um que escavasse ali encontraria os restos de agrupamentos e territórios funerais das tribos dos munsee e dos moicanos. Depois, quando holandeses e ingleses se mudaram e afastaram os índios do rio naquela área, aquela vastidão selvagem cultivada conservou seu caráter, e os morros foram usados por cultos pagãos para seus rituais. Steve conhecia a história... Mas a conexão que os historiadores não faziam era a influência do lugar propriamente dito. Essa conexão era irracional e só existia se você vivesse ali... e ela tomasse conta de você.

Realmente, aqueles primeiros anos não haviam sido fáceis.

Primeiro a negação, depois a raiva. A negação terminou bruscamente quando, depois de sete semanas de descrença e espanto, eles fizeram uma reserva para férias de um mês em um esplêndido bangalô de bambu numa praia da Tailândia. Ele achou que poderia ser uma boa ideia para Jocelyn se afastar de toda a confusão por algum tempo durante sua gravidez. No meio da primeira semana deles na Ásia, ambos ficaram deprimidos, como se uma tristeza intensa e invisível tivesse tomado conta deles desde o Golfo da Tailândia e agora os estivesse devorando de dentro para fora. Não tinha origem nem direção, mas estava ali e se espalhava como uma mancha de tinta. Steve se recusava terminantemente a admitir que isso pudesse ter algo a ver com o aviso do Conselho de que a extensão de suas férias era uma estupidez — e até mesmo uma ameaça às suas vidas —, até que, menos de uma semana e meia depois de partirem, ele começou a brincar com a ideia de se enforcar no telhado de bambu usando os lençóis do bangalô.

Cristo, há quanto tempo eu estava parado aqui?, perguntou a si mesmo quando despertou do sonho, acordado com um choque. Apesar do calor tropical, Steve estava com a pele de seus braços e costas toda arrepiada. Ele estava parado ali com os lençóis na mão. Não sabia o que poderia tê-lo possuído, mas a imagem por trás de seus próprios olhos saltados quando o lençol cortou o suprimento de oxigênio para seu cérebro e a pressão hidrostática de seu fluido cerebrospinal aumentou tinha ficado impressa em sua mente, vívida e terrivelmente tentadora. Em sua visão, ele ainda estava vivo. Olhando para baixo, Steve tinha visto seus próprios pés pendurados, e, olhando para cima, o mar, e atrás disso, a morte. *O que, em nome de Deus, foi aquilo?*, pensou ele, jogando água na cara. *Eu queria fazer aquilo. Queria mesmo.*

Jocelyn também teve uma visão. Não de se matar. Ela havia acasalado com um burro, depois enfiado uma faca de cozinha na barriga para cortar fora o bebê.

Naquela mesma noite, eles fizeram as malas, remarcaram o voo e voltaram diretamente para casa. Assim que retornaram a Black Spring, a profunda tristeza se desprendera deles como um véu de lágrimas, e o mundo lhes pareceu mais fácil de lidar novamente.

Nunca mais foi tão ruim como naquele momento. Eles tiveram conversas intensas com Robert Grim e um pequeno grupo de voluntários da cidade que havia sido apontado pelo Conselho, entre eles Pete VanderMeer. "Você se acostuma", dissera Pete. "Eu costumava pensar que Black Spring era como um corredor da morte, mas hoje vejo mais como um pequeno estábulo com uma porta gradeada. Você pode enfiar o dedo por entre as barras de vez em quando, mas só pra mostrar que está engordando direitinho."

Quando Steve e Jocelyn perceberam que não havia como negar a verdade, a sensação de impotência lentamente se converteu em depressão e culpa, que exacerbou a tensão do casamento. Mas a chegada do bebê trouxera também a cura. Quando Tyler tinha seis meses, Steve deixou de lado seu desejo não só de compreender a situação como também de *modificá-la*, e decidiu que sua mudança para Black Spring havia sido um gesto de amor. Encontrou um jeito de seguir em frente, embora o coração carregasse cicatrizes: Tyler jamais cresceria para se tornar um correspondente de guerra, assim como Jocelyn teve de suspender sua pesquisa de campo nas calotas polares da Groenlândia. O amor deles era pelo desolado e pelo remoto, não pelo sedimento do Vale do Hudson. Isso havia partido seus corações, assim como cada sonho não realizado parte o coração humano, mas a vida era assim. Jocelyn e Matt haviam aprendido a amar os cavalos — Matt, particularmente, adorava cavalgar, e agora estava no seu quinto ano de competição —, e Tyler tinha sua GoPro e seu canal no YouTube. Você se adapta, e faz sacrifícios. Por seus filhos ou por amor. Por causa de doença ou de um acidente. Porque tem novos sonhos... e, às vezes, por causa de Black Spring.

Às vezes, você faz sacrifícios por causa de Black Spring.

Uma coruja marrom guinchou na floresta, se assustou e se calou. Steve voltou a assoviar chamando o cão. Começou a não se sentir muito à vontade. Superstição, é claro, até um pouco ridículo, mas em Black Spring, onde podia sentir seu poder no escuro, estava presente mesmo assim. Ele não pensava naqueles primeiros anos com frequência. Estava tudo um pouco borrado em sua memória; tinha aquela estrutura de neve derretida, que se dissolve assim que você a espreme. Ele se lembrou de que haviam perguntado a si mesmos se seria ético trazer uma criança ao mundo em um lugar assim. Jocelyn dissera de modo um tanto cáustico que em tempos de guerra e fome crianças nasciam em circunstâncias muito mais difíceis.

Depois disso, eles haviam vivido relativamente felizes a maior parte do tempo... Mas a culpa nunca desapareceu por completo.

"Fletcher, vem cá!", sibilou ele. Finalmente, Fletcher foi andando da escuridão até Steve, não diretamente, mas em arco, para mostrar que de fato não havia feito nada de errado. Steve trancou o estábulo e seguiu o cachorro ao longo do caminho displicentemente pavimentado até a porta dos fundos.

O silêncio reinava na casa, quieto com os barulhos do sono. A única luz vinha da porta aberta do quarto de Tyler, no andar de cima. O garoto estava saindo do banheiro quando Steve chegou ao último degrau. Steve se curvou como um boxeador, e Tyler se defendeu com destreza, a saudação padrão Steve-Tyler.

"Pronto pra amanhã?"

"Algum dia estaremos prontos?"

Steve sorriu. "Mas que filósofo sem-vergonha. Não fique acordado até tarde, ok?"

"Não, já vou deitar. Boa noite, pai."

Mas, quando Steve foi para o banheiro, meia hora depois, ainda havia uma luz brilhando pela fresta superior da porta de Tyler — a radiação pálida de seu laptop. Ele pensou em dizer alguma coisa, mas achou melhor permitir ao garoto sua privacidade.

Logo antes de dormir, ele se levantou de seu lado da cama e olhou pela janela. Jocelyn não se mexia. O quarto deles ficava nos fundos da casa e estava escuro demais lá fora para distinguir formas, mas, em algum lugar na noite, Steve pensou que podia ver o ponto vermelho de luz da câmera de vigilância no carvalho ao fim da propriedade. Então sumiu. Talvez um galho tenha soprado na frente dela. Pensou na ponta incandescente do cigarro de Pete VanderMeer. Na coruja marrom. No resfolegar inquieto dos cavalos. Até mesmo na luz que vinha do quarto de Tyler. *Estão montando guarda*, pensou ele. *Estão todos montando guarda. Por quê?*

Para proteger o que é deles. Era um pensamento incoerente, mas foi seguido de outro muito mais lúcido, um pensamento que entrou em sua mente cansada com uma fluidez fria: *Às vezes, você faz sacrifícios por causa de Black Spring.*

Ele deixou isso de lado e adormeceu.

4

A entrada postada na manhã seguinte no site *Abra Seus Olhos: Pregações do Ninho da Bruxa* dizia o seguinte:

> hoje à noite a gente chega lá! #maravilha
> #mainstream #omg #testedolampião
> *Postado por Tyler Grant às 10:23.*

Obviamente, ninguém em Black Spring leu o post naquele dia. As cinco pessoas que sabiam da existência do site e que tinham a senha estavam todas na faixa entre os dezesseis e os dezenove anos de idade, e nem em um milhão de anos pensariam em visitar aquele site por meio dos provedores da cidade.

A janela pop-up de boas-vindas do site dizia:

> Ok, aqui vai um aviso que você está pensando que não vai ler, assim como os avisos de eu-tenho-dezoito-anos ou mais que você clica quando vai bater punheta. Mas este aqui é diferente: isto é um *disclaimer* que você precisa decorar palavra por palavra, melhor que a música de batalha dos O'Neill Raiders

(para os heróis entre nós) ou o Discurso de Gettysburg (para os neoniilistas). Este aviso é: **SIGILO COMPLETO e NUNCA FAÇA LOGIN EM BLACK SPRING**, nem mesmo no seu iPhone ou tablet. De qualquer forma, se você fizer isso, só vai aparecer uma mensagem de ERRO 404, mas eles ainda podem traçar a URL com o keylogger deles. Apenas discutam o conteúdo cara a cara, não via Skype, nem mesmo se houver uma vaca parada no cabo em algum lugar entre você e a HEX. Esclarecendo: temos um Decreto de Emergência aqui em BS no qual: 1) manter ou distribuir imagens ilegais da Vovó K. resultará num bilhete somente de ida para Doodletown; e 2) vazamentos são considerados "uma séria ameaça à ordem pública" e já foram resolvidos, tipo, na Idade Média, com punição corporal total ("não-damos-tais-punições-desde-1932" CSEDAM*). Então se liga: **O QUE ESTAMOS FAZENDO É PERIGOSO**. A única coisa boa de uma cidadezinha que sai doutrinando os jovens é que vocês todos sabem como guardar segredo. Vou confiar em vocês, caras. Não quero ficar de mimimi, mas eu checo o contador de status todo dia para ver exatamente quem está logando e de onde. Quem quebrar as regras vai ser banido para sempre do site sem aviso prévio. E isso antes de Colton & Cia. começarem seu freak show. **SIGAM AS REGRAS**. Esse é o nosso foda-se definitivo para o sistema.

* Como se eu desse a mínima

Eles realmente seguiram as regras. O site era provavelmente o único movimento de guerrilha on-line que só operava à luz do dia: todos os seus usuários viviam em Black Spring e dormiam em suas próprias camas à noite.

Mas não naquela noite. Naquela noite, eles saíram de mansinho de seus quartos, descendo por canos e calhas como guerreiros em território ocupado, e partiram com pás, cordas, roupas pretas e um par de alicates de fio. Não eram o que você chamaria de amigos íntimos, nem todos. Dos cinco que saíram naquela noite, Tyler só considerava Lawrence VanderMeer, da casa ao lado, e Burak Şayer seus verdadeiros amigos — não só o tipo com o qual se mantinha maratonas de mensagem até tarde da noite, mas o tipo de pessoa para o qual você contava coisas, coisas íntimas. Mesmo assim não era toda a história, não que você não tivesse mais ninguém em quem contar. Tendo nascido em Black Spring, as pessoas se conheciam desde cedo e temiam os adultos, não seus aliados.

Era a primeira noite naquele outono que chovia. Não uma chuva de verão, mas uma chuva de outono de verdade, do tipo que parecia lenta e infinita. Quando completaram sua missão, quarenta minutos depois, estavam encharcados. Deram as mãos e Tyler disse solenemente: "Pela Ciência, cara".

"Pela Ciência", repetiu Lawrence.

"Pela Ciência", disseram Justin Walker e Burak em coro.

Jason Holst lançou-lhes um olhar mergulhado em ácido e disse: "Vão se foder, suas bichas".

Na manhã seguinte, com olheiras que iam até os pés, eles se reuniram no pátio do Sue's Highland Diner, na praça da cidade — embora dizer que aquilo era uma praça provavelmente fosse uma baita forçação de barra. Estava mais para um conjunto de lojas e restaurantes na Lower Reservoir Road e na Deep Hollow Road ao redor da Pequena igreja Metodista (que todos chamavam de igreja Crystal Meth por causa da forma de metanfetamina em suas janelas) e o velho cemitério Temple Hill, na encosta da colina. Havia até aqueles que achavam que a palavra "conjunto" era muito forte para a patética desculpa de estabelecimento de varejo e comida ali, naquele cruzamento. Entre esses céticos estavam os cinco garotos do pátio no Sue's, tomando, de forma letárgica, cappuccino ou latte, cansados demais para se excitar com o que estava prestes a acontecer.

"Vocês garotos não têm que estar na escola?", perguntou Sue ao levar os pedidos deles. Tinha parado de chover, mas estava friozinho, e Sue precisou retirar as poças d'água das mesas e cadeiras de plástico.

"Não, as duas primeiras aulas foram canceladas, então nos deixaram sair", disse Burak. Os outros assentiram concordando ou apertando os olhos na luz do sol fraco. Burak tinha um emprego de lavador de pratos no Sue's, o que lhes garantia uma primeira rodada grátis. Depois disso, normalmente iam para o Griselda's Butchery & Delicacies, do outro lado da praça (Griselda era mãe de Jaydon), o que significava mais uma primeira rodada grátis.

Burak não estava mentindo, não totalmente. As primeiras duas aulas realmente haviam sido canceladas, mas ninguém os havia deixado sair.

"Tivemos um alerta, garotos", disse Sue.

"Eu sei, senhora", disse Jaydon amigavelmente, um sinal claro para todos que conheciam Jaydon Holst começarem a ver a palavra CUIDADO em enormes letras de neon. Na verdade, como Tyler havia um dia observado a Lawrence, Jaydon era a razão pela qual a palavra "cuidado" existia, assim como os termos "comprometimento involuntário" e "desastre esperando para acontecer". Mas todos conheciam seu histórico, então tentavam ser simpáticos. "A gente achou melhor ficar sentado aqui, pra poder ajudar caso algo aconteça."

"Você é um anjo, Jaydon. Vou dizer isso à sua mãe quando ela vier pegar o bacon esta tarde." Burak deu o melhor de si para não rir quando Sue colocou um cinzeiro na frente dele. "Querem que eu pegue mais alguma coisa para vocês, rapazes?"

"Não, senhora, obrigado", disse Jaydon, com um sorriso que subiu como uma nuvem de monóxido de carbono.

Ela já ia pegar o menu aberto da mesa quando Tyler rapidamente colocou a mão nele, com mais força do que tinha pretendido. "Posso ficar com ele? Vai que eu queira pedir alguma coisa daqui a pouco."

"Claro, Tyler", disse Sue. "É só gritar, tá? Eu aviso a vocês se receber alguma mensagem. Provavelmente não será necessário. Eles têm o coral pronto à espera." Ela levou a bandeja de volta.

Tudo ficou em silêncio por um momento, o silêncio no qual a estranheza da situação pareceu engrossar o ar. Então, com um sorriso fraco, Jaydon disse: "Que merda do caralho".

"Cara, fala sério... você quer ir pra Doodletown ou coisa assim?" Apesar do alívio de Tyler, seu coração estava na garganta. Se Sue tivesse descoberto a GoPro embaixo do menu, eles estariam muito encrencados. A luz estava acesa e a câmera esportiva apontada para a Deep Hollow Road ao sul, onde naquele exato momento dois homens estavam colocando uma barreira vermelha e branca na estrada perto da igreja de St. Mary. A mesma coisa estava acontecendo ao norte, além do lugar onde a Old Miners Road, que vinha do Point, se abria para a avenida principal. A GoPro não conseguia ver isso, mas Tyler, Justin e Lawrence conseguiam. E tinha mais uma coisa: da Casa de Repouso Roseburgh, ao lado do Sue's, vinham oito ou nove senhoras idosas bem agasalhadas, vasculhando ferozmente a estrada. Elas conversavam entre si, e então, de braços dados umas com as outras, passaram pelo pátio e foram na direção do cruzamento.

"É hora do espetáculo", observou Justin. "A galera vai ao delírio."

"Que horas são?", perguntou Tyler.

Lawrence espiou seu iPhone.

"9h13. Mais um minuto. Liga a câmera, cara."

Com grande cuidado, Tyler deslizou a GoPro coberta pelo menu para o outro lado da mesinha e apontou a lente para a Old Miners Road, que subia a colina numa curva em S aguda passando pelo Centro de Visitantes Popolopen, fechado. Duas das velhinhas se sentaram no banco perto da fonte e da estátua da lavadeira de bronze. Outras foram para o cemitério — para conferir as acomodações, Tyler imaginou.

"Ah, meu Deus", Justin disse baixinho, e assentiu. "Lá está ela."

"Bem na hora", reportou Tyler, excitado demais para ficar frio, calmo e contido. Passou a língua pelos lábios e empurrou o iPhone de Lawrence embaixo do menu e o segurou na frente da lente. "Manhã de quarta-feira, 9h14. Como de costume, exatamente no mesmo ponto."

De trás da Old Miners Road, uma mulher veio caminhando da floresta.

> Por que ela segue **EXATAMENTE** o mesmo padrão na praça e passa pelo cemitério toda quarta de manhã eu não sei, mas a Bruxa de Black Rock é como a srta. Autismo, campeã indisputável do título por trezentos e cinquenta anos seguidos.
> O que não é exatamente o motivo pelo qual as bruxas são famosas. Você fica se perguntando se ela algum dia desidrata. Não, né? Ela é como um sistema operacional Microsoft: projetada para semear morte e destruição, e todas as vezes a mesma mensagem de erro.
> Então esse padrão comportamental é megainteressante, claro, porque: o que ela tá fazendo lá? E por que volta toda semana? Vejam! Tenho duas teorias: a primeira é que ela está presa em alguma espécie de deformação no tempo e permanece repetindo seu passado ao ponto da neurose obsessivo-compulsiva (também conhecida como Teoria Windows XP). Grim diz que, muito tempo atrás, eles tinham um mercado aberto na praça, na frente da igreja (perguntei se era bem em frente ao cemitério, e ele respondeu que não sabiam dizer sequer se havia um cemitério naquela época), e ela podia ter ido até lá para comprar pão e peixe (o que, tipo assim, totalmente não faz sentido, porque, se a cidade a tinha expulsado, não iam gostar nem um pouco de deixá-la comprar lá. Conclusão: Grim é legal, mas está só chutando). De qualquer maneira, ela

também não estava indo para a igreja ou algo assim, porque hereges não vão à igreja (a não ser o tipo onde eles dançam ao redor da cruz, pelados, e se sujam com o sangue de Cristo e cantam salmos, essas coisas), senão não estaríamos presos aqui com ela agora, certo?

E ainda tem mais o seguinte: se você está morta (ou deveria estar), qual o sentido de andar no mesmo circuito semana sim, semana não? Eles não ensinam, tipo, variedade na escola de bruxas? Faz tão pouco sentido quanto aquele velho clichê poltergeist de acender e apagar as luzes. (Quero dizer, basta falar se você quer dizer uma coisa, e não faça isso em latim, porra.)

A segunda teoria, a mais provável, é que **ELA FICOU ASSIM PORQUE OS OLHOS DELA ESTÃO COSTURADOS.** E se temos uma bruxa em Black Spring **QUE SIMPLESMENTE TRAVOU** (a tal Teoria Windows Vista)?

(Fonte: site *Abra Seus Olhos*, setembro de 2012)

Eles ficaram olhando enquanto a mulher com os olhos costurados atravessava a Old Miners Road, passando atrás do ponto de ônibus e ficando cada vez mais perto. Seus pés descalços faziam círculos nas poças que se formavam na sarjeta. Talvez ela fosse impelida por instinto, ou talvez algo mais antigo e mais primitivo do que o instinto, mas, de qualquer maneira, Tyler sabia que era *deliberado*, uma coisa que não necessitava de seus olhos cegos. Ouviu o clangor seco das correntes que faziam pender seus braços ao longo do corpo. Era como se ela parecesse uma dessas enchiladas de supermercado enroladas em celofane que você preferia não comer, embrulhada e indefesa. Tyler sempre a achava menos assustadora quando andava, porque assim você não precisava se perguntar o que ela estava planejando por trás daqueles olhos costurados. Ela era como um inseto raro, do tipo que você pode estudar sem levar uma picada.

Mas quando ela parava... tornava-se um pouco assustadora.

"Sabe o que há de notável a respeito dela?", devaneou Justin. "Para um personagem de contos de fadas ela é, tipo assim, cronicamente feia."

"Ela não é uma porra de um personagem de conto de fadas", disse Burak. "Ela é um fenômeno sobrenatural."

"Ah, mas é, sim. Bruxas só aparecem em contos de fadas. Então ela é um personagem de contos de fadas."

"Tá de sacanagem? Você tá louco, cara? Ainda assim isso não faz dela uma personagem de conto de fadas. Eles não são reais, de qualquer modo."

"E se Chapeuzinho Vermelho aparecesse na sua frente?", disse Justin, com uma gravidade que não podia ser negada, quanto mais ridicularizada. "Ela subitamente seria um fenômeno sobrenatural? Ou uma personagem de contos de fadas?"

"Nenhum dos dois, só uma garota com um fetiche louco com absorvente", disse Jaydon.

Burak espirrou o cappuccino pelo nariz em cima da camiseta e Lawrence quase entrou em coma de tanto rir. *Um pouco de crédito demais*, pensou Tyler. "Ah, porra!", disse Burak limpando a mancha com um monte de guardanapos. "Cara, você é louco!"

"A propósito", disse Lawrence, depois de voltar a se controlar, "a Bruxa de Blair também não era um personagem de conto de fadas."

Eis um argumento que Justin não podia refutar, e isso mais ou menos encerrou o debate.

Um carro se aproximou da igreja de St. Mary. As idosas voluntárias na fonte esticaram os pescoços para observar o veículo, que, no entanto, parou no bloqueio da estrada e virou à esquerda. As senhoras relaxaram. Provavelmente alguém da cidade. Se algum Forasteiro tivesse sido avistado, as velhinhas já teriam se reunido ao redor de Vovó para andar com ela, conversando entre si, ocupadas. E, se ela parasse, Tyler sabia (e isso, mais do que qualquer outra coisa, era o que realmente o fazia se envergonhar por ser um garoto de Black Spring), elas se acomodariam ao redor da Vovó e começariam a praticar hinos da igreja, como uma espécie de *Glee* para os quase-mortos. O sentido mais profundo por trás disso ele não sabia, mas era um exemplo brilhante de psicologia reversa: ninguém jamais notaria a mulher magra cheia de correntes parada no meio delas se não soubesse que já estava lá. Ninguém teria estômago para um coral de velhas por tempo suficiente para descobrir.

A mulher dos olhos costurados passou bem diante deles e avançou até a praça, observada bem de perto pelas senhoras na fonte. Tyler ligou a GoPro. Era essencial para o sucesso de sua experiência que nenhum Forasteiro estivesse ali justo quando ele estava para mergulhar em sua própria sorte. Sue saiu e ficou parada na porta, como se tivesse sido atingida por essa supersônica, e até então inadvertida, sensação de quem sabe quantos anos têm seus clientes menores de idade.

"Conseguiu algum pesticida?", perguntou Jaydon.

Sue deu uma gargalhada e disse: "Se isso funcionasse, já teríamos tentado há muito tempo, Jaydon", sem perceber que era dela que eles precisavam, não da outra bruxa. Mas Burak captou a dica, foi até ela com uma desculpa esfarrapada sobre planejar seu cronograma de trabalho e os dois entraram.

Justin sorriu. "Ela deixaria até você comer ela de ladinho, Jaydon."

"Vai se foder."

"Ei, fiquem quietos", disse Tyler. "Vai acontecer." Ele tirou a GoPro de debaixo do menu e a protegeu com o corpo. A câmera de segurança estava montada no ponto para a fachada da Pousada Point to Point, do outro lado do cruzamento. Para a diversão deles, a câmera ainda estava pendurada em um ângulo baixo e torto, do jeito que Jaydon a deixara na noite anterior, depois de bater nela com um comprido pedaço de pau. Jaydon era como um mapa vivo de logística quando se tratava da praça e de seus arredores, já que ele e sua mãe moravam atrás do açougue do lado. Dissera que havia duas outras câmeras com visão do poste do lado leste do cemitério. Uma delas estava localizada nos arbustos no canto mais alto da Temple Hill, que haviam neutralizado pendurando um galho de pinheiro diante dela. A segunda câmera era inacessível. Estava oculta numa janela da Crystal Meth, mas eles haviam decidido que havia árvores demais na frente da igreja para causar problemas de verdade à noite.

Eram 2h57 da manhã quando penduraram o longo tecido preto de Burak como uma cortina nos galhos do carvalho que se bifurcava sobre a cerca viva do cemitério. Eram 3h36 da manhã quando tiraram a cortina encharcada e a enrolaram. Durante todo aquele tempo, só um carro havia descido a Deep Hollow Road e passado sem reduzir.

A única prova visível de sua operação era que o farol atrás da cortina havia se apagado às 3h17, justo quando Jaydon cortou o fio elétrico exposto que corria para a caixa de energia subterrânea. Felizmente, o poste em si não era muito alto, e sua estrutura de aspecto clássico era de alumínio, não de ferro forjado. Era moleza. Quando limparam tudo e fizeram um brinde à Ciência, a luz do poste não estava mais contra a cerca viva do cemitério, mas bem plantada no meio da calçada, a cerca de sessenta centímetros para a esquerda.

O Marco Zero.

> Então, como você pode ver nos clipes abaixo, ela sai direto da floresta e desce para oeste, pela Deep Hollow Road. Chega até a praça, caminha ao longo do riacho, sobe a calçada, faz uma espécie de pirueta na cerca viva do cemitério, como se fosse a Princesa do Balé ou alguma coisa assim, e fica de frente para a rua, como se alguém a tivesse tirado da tomada. Quero dizer, estamos falando de um *runtime error* muito sério. Um fiozinho de fumaça subindo de seus cabelos acrescentaria um efeito dramático. Exatamente 8 minutos e 36 segundos depois, é como se alguém tivesse apertado Ctrl+Alt+Del. Porque ela começa a andar de novo e desaparece atrás das casas na Hilltop Drive. E ela faz isso toda semana, exatamente do mesmo jeito (exceto pela estupidez de que ninguém sabe exatamente como e onde ela desaparece — alguma ideia, pessoal?)

Tudo aconteceu em um relance.

Quando a mulher de olhos costurados subiu ao longo do riacho e passou pelo sinal DEVAGAR — CRIANÇAS, os garotos do pátio esqueceram o tédio e ficaram tão empolgados que deixaram suas cadeiras e começaram a balançar o corpo, trocando o peso de uma perna para a outra. Não conseguiam evitar. Era como se estivessem testemunhando um daqueles raros momentos significativos na história humana que sobreviveriam até mesmo à Wikipédia, como a invenção da penicilina ou a primeira explosão de implante de silicone no peito. Tyler esqueceu seu medo de Doodletown e não se importou mais de manter sua GoPro fora da vista da câmera de vigilância. Aquilo tinha de ser capturado.

"Putaquepariu", Justin disse sem respirar.

"Ela vai ver... ela vai ver... *ela vai ver...*"

Ela não viu. Com um impacto audível, a Bruxa de Black Rock trombou no poste de luz e caiu de bunda no chão.

As senhoras na fonte deram um pulo, horrorizadas, cobrindo a boca. Tyler e seus amigos olharam uns para os outros em silêncio, sem palavras, os queixos caídos na calçada. Burak apareceu na porta do restaurante. Era como se o impacto tivesse sugado todo o oxigênio do ar. Isso excedia seus sonhos mais loucos. Eles haviam acabado de derrubar o fenômeno sobrenatural de trezentos anos, e tinham isso gravado em vídeo.

Vovó estava se contorcendo na calçada, aos pés do poste, como vocês poderiam imaginar, uma enchilada se contorcendo em celofane. Todo o terror que seu rosto mutilado e sua reputação haviam conquistado por um momento caiu por terra. Agora ela parecia simplesmente indefesa, como um filhote de passarinho caído do ninho. Não havia como ela se levantar sozinha. Uma das mulheres mais velhas se aproximou dela, a mão no rosto, e por um momento Tyler teve medo de que a mulher tivesse tomado a decisão suicida de ajudá-la a se levantar, e então algo totalmente assustador aconteceu. Em um relance, a bruxa estava de pé novamente. A mulher mais velha recuou com um grito. Por um instante, a Vovó estava lá deitada, indefesa, se contorcendo na calçada; no momento seguinte, como em um vídeo de *stop motion*, ela já estava de pé, encostando-se ao poste com suas correntes, como se estivesse tentando atravessá-lo.

"Puta que pariu três vezes" foi tudo o que Jaydon conseguiu dizer.

"Você filmou isso?", perguntou Lawrence. Tyler olhou para baixo e descobriu que havia cometido o erro mais grosseiro de sua promissora carreira de repórter: em sua consternação, havia deixado a câmera pendurada e acabou por filmar um interessante vídeo da calçada, perdendo o *stop motion* da bruxa. Sentiu as bochechas ficarem roxas e se xingou, mas os outros estavam muito concentrados no que a mulher fazia naquele momento para prestar alguma atenção.

"O que está acontecendo?", perguntou Sue enquanto lutava pra ver algo da porta atrás de Burak. Ninguém se deu o trabalho de informar a ela.

"Olha só pra isso", disse Justin. "Ela está tentando atravessar."

Era verdade. Por trezentos anos, a bruxa passou por aquele exato ponto; hoje não era exceção, com ou sem poste.

"Ela tá tipo pré-programada", disse Lawrence.

"Ela tá tipo trepando com o poste", disse Jaydon.

Depois de meio minuto de metal roçando em metal, ela subitamente passou por ele, deu sua pirueta e sumiu.

Justin foi o primeiro a rir.

Burak foi o segundo.

Então todos riram, uma risada selvagem, descontrolada, e ficaram dando tapinhas nos ombros uns dos outros e trocando soquinhos de leve. As velhinhas mal-humoradas na fonte se viraram e fixaram os olhares no grupo de garotos. Viram a GoPro e uma delas gritou: "Ei, o que você tem aí? O que está fazendo com a câmera, rapaz?".

"Fodeu!", gritou Jaydon. "Qual de vocês empurrou ela?"

Isso causou confusão generalizada entre as mulheres, como se elas estivessem considerando seriamente a possibilidade de uma delas a ter empurrado (isso ou o fato de que as pessoas acima dos setenta anos perdem todo o seu talento para respostas inteligentes), e isso fez os garotos rirem ainda mais. Ainda estavam rindo quando passaram pelo bloqueio de estradas um minuto depois e desceram correndo a Deep Hollow Road, e riram ainda mais quando duzentos metros além não conseguiram mais conter a curiosidade e pararam na subida para ver o filme na tela LCD da GoPro.

+++

As imagens não deveriam ter surpresas; é sabido o que veriam ali. São as primeiras imagens na história do jornalismo a apresentar um fenômeno sobrenatural caindo de bunda. São tão exclusivas que viralizam no YouTube em questão de minutos e são comemoradas e analisadas em centenas de blogs — isso para não mencionar as diversas exibições no programa do Jimmy Fallon. Mas é claro que isso não acontece. É claro que as imagens são mantidas em segredo. Mesmo assim, naquela mesma noite, eles ganham uma espécie de status cult.

Os garotos não nasceram ontem e sabem que estão em perigo. Imaginam que só existe uma maneira de fugir de Doodletown: se apresentar e se fazer de inocentes.

"A gente estava de zoeira", diz Tyler ao mostrar a Robert Grim a "versão do diretor" do vídeo. Nela, vê-se a bruxa subir ao longo do riacho, bater de frente no poste e cair. Grim vê as cenas diretamente do cartão de memória. São os únicos registros daquela manhã que ainda estão na câmera — Tyler deixou dessa maneira. O restante está seguramente escondido em seu MacBook protegido por senha. Tyler tenta adicionar um tom contrito à sua voz imaginando uma auréola sobre sua cabeça, mas em certo momento não consegue segurar a risada.

Robert Grim também está rindo. Na verdade, lágrimas correm por suas bochechas quando ele vê a traquinagem dos meninos. Ele ri pelo mesmo motivo que riem os meninos, e pelo mesmo motivo pelo qual riem os frequentadores da Taverna do Homem Calado quando se acumulam ao redor do laptop de Grim naquela noite. Nenhum deles percebe que aquilo é mais do que se divertir à custa da queda vaudevilliana da bruxa: é um triunfo, por menor e mais inconsequente que pareça, sobre a mesma coisa que lançava uma sombra sobre suas vidas há tanto tempo quanto conseguem lembrar. Há um alívio coletivo na risada, tão profundo que torna-se único. E depois, quando Tyler percebe o motivo, aquilo o faz gelar a espinha.

"Oficialmente, não posso aprovar isso, claro", diz Robert Grim depois de se endireitar e enxugar as lágrimas dos olhos. Mas ele começa a rir outra vez. Sem uma reclamação, os garotos concordam com a proposta: para ficarem livres do Conselho, eles devem colocar tudo de volta como estava antes, pagar com o próprio dinheiro pelo cabo cortado e passar o resto da semana recolhendo lixo no Ladycliff Park.

Quando já está na cama naquela noite, Tyler recebe uma mensagem privada de Jaydon:

> Kct kra. Tdo mundo c mjou de ri da bruxa kainu.
> MTO LOKO!

Nesse momento, Tyler ainda está ofuscado pelo sucesso do teste do poste (embora fique seriamente irritado enquanto tenta escrever seu relatório para o site e Lawrence pergunta a ele: "Ok, mas *o quê* isso tudo prova?"), então ele ainda não entende o que Jaydon quer dizer.

Mas no dia seguinte, enquanto está fazendo o trabalho de limpeza no parque e vê os rostos das pessoas na chuva, a coisa começa a despertar nele. Todo mundo parece saber o que ele fez, e de um dia para o outro Tyler se transforma em um herói cult. Ninguém diz nada, mas todos sorriem para ele e expressam silenciosamente seu apoio. São aqueles rostos sorridentes que o incomodam. Deveriam parecer agradáveis, mas não são. São perversos, como sempre foram. Porque quando esses rostos sorriem ele não os reconhece mais. São rostos que esqueceram como sorrir. São rostos com pele demais, muitas rugas para seus anos. São rostos que levam vidas próprias, e todo dia murcham um pouco mais. São rostos achatados, rostos amargos, rostos que enfrentam um estresse insuportável. São os rostos de Black Spring. E, quando tentam sorrir, parece que estão gritando.

Naquela noite, Tyler deita na cama com uma terrível premonição de trevas e horror, e há duas imagens que o mantêm acordado até o romper da aurora: rostos que gritam na chuva e a bruxa caindo. E então eles se desvanecem na escuridão.

5

O antigo Centro de Visitantes de Popolopen, no fim da Old Miners Road, tinha sido propriedade da Academia Militar dos Estados Unidos em West Point desde 1802. Ainda em exibição no friso da parede externa estava o quadro de azulejos com o lema da escola em grandes e antigas letras: DEVER — HONRA — PÁTRIA. Agora o posto avançado estava abandonado e os oficiais no Point faziam de tudo para evitá-lo, mas a bandeira com o emblema da águia ainda estava pendurada no humilde museu do centro de visitantes, onde era possível encontrar nostálgicas impressões em sépia de oficiais do Exército vestidos de fraque e mulheres usando golas de pele. O centro também estava fechado. Mas, se você por acaso desse uma espiadinha, poderia ver, pendurada tranquilamente em um canto, uma surrada foto em preto e branco — uma foto da praça da igreja de St. Mary, com três mulheres vestindo farrapos e com os olhos fechados e pintados, se inclinando para a frente e sacudindo os punhos para um pequeno grupo de crianças de calças curtas e casacos pesados. Em suas mãos, quase garras, elas seguravam cabos de vassoura, do tipo que limpadores de chaminés usavam no começo do século passado. A legenda da foto diz: COMEMORAÇÃO DO DIA DAS BRUXAS, 1932.

Mas mesmo que as bruxas da foto tivessem sido capturadas enfiando seus cabos de vassoura no rabinho das crianças e saíssem rodopiando a molecada até que explodissem em chamas, isso não teria estragado nem um pouquinho o excelente humor de Robert Grim. Logo depois da meia-noite da data do incidente do poste, ele deixou a Taverna do Homem Calado e desceu a colina, um sorriso largo no rosto e o laptop sob o braço.

Era raro Grim estar tão bem-humorado, e, devido ao fato de que ele havia sido oficialmente advertido por Colton Mathers no começo daquele dia, a coisa era ainda mais surpreendente. O pobre ego conservador do vereador havia se sentido de fora naquele negócio do poste. Chamar Robert Grim de progressista era como chamar Auschwitz de um campo de escoteiros, mas o conservadorismo de Colton Mathers havia alcançado um ponto negativo recorde, quase anfíbio, como se tivesse sido desprezado pela própria evolução depois de sair rastejando do pântano primordial e, de pura angústia, dado meia-volta e retornado para lá. A desculpa de Mathers era Deus; mas até aí as Cruzadas também eram trabalho de Deus, raciocinou Grim.

As leis puritanas também.

E o jihad.

Seguiu na direção da Old Miners Road. No dia seguinte ia chover, uma chuvinha chata e persistente que continuaria durante toda a primeira semana de outubro, mas agora estava seco e as nuvens vagavam pelo ar em fios escuros. Grim pegou as chaves do antigo centro de visitantes no bolso e entrou. Não tinha tarefa noturna, mas se sentia muito animado para dormir. Trancou a porta atrás de si, deu a volta no balcão em meio à escuridão empoeirada e desceu os três lances de escada ao fim do corredor direto para o segredo encravado na encosta.

Não era por acaso que o antigo posto militar havia sido construído contra a colina íngreme, já que, claro, seu principal objetivo não fora abrigar o Centro de Visitantes de Popolopen. A renda adquirida pelo aluguel do imóvel aos proprietários da Reserva Florestal de Black Rock até eles se mudarem para Cornwall, ao norte, em 1989, tinha coberto a maior parte das despesas que o Point teve para sua própria operação secreta: a supervisão dos residentes de Black Spring. Para Robert Grim, o objetivo era sutilmente diferente: salvar suas malditas peles.

O interior do Centro de Controle HEX parecia um cruzamento entre o Controle da Missão da NASA em Houston e uma casa na árvore caindo aos pedaços. Ao lado da sala de coordenação, com sua tela gigantesca e a mesa de computador em forma de ferradura, havia arquivos de vídeo e microfilme bem-conservados; a sala de provedores da rede da cidade; uma pequena biblioteca sobre ocultismo; um armazém para cortinas de fumaça, que lembrava objetos de teatro mais do que qualquer outra coisa (os grandes artefatos, como o alojamento de construção para quando ela aparecia nas estradas públicas, eram guardados em um barraco na Deep Hollow Road); uma área de descanso com sofás velhos e manchados; uma pequena cozinha sem lavadora de pratos. O centro de controle havia sido reformado muitas vezes ao longo dos anos, e modernizado visando tanto ao progresso técnico como ao pensamento provinciano do norte do estado medíocre. Como chefe de segurança da HEX, Robert sempre tinha a sensação de que estava desempenhando um papel em um filme de James Bond dirigido por um retardado mental. O exemplo mais doloroso disso era a caixa de papelão doada semanalmente por Colton Mathers, que continha macarrão instantâneo e chá Lipton de quatorze sabores diferentes.

A chaleira elétrica estava quebrada há meses.

Mas, naquela noite, mesmo a lembrança do rosto mesquinho de Mathers não conseguia abalar o humor e a empolgação de Grim. Ele entrou na sala da coordenação e deu um boa-noite quase musical para a equipe noturna, Warren Castillo e Claire Hammer.

"Você trepou ou algo assim?", perguntou Warren.

"Melhor ainda", disse Grim. "Tive uma estreia de gala." Com um sorrisinho, ele colocou o laptop em cima da mesa.

"Não!"

"Sim."

"Meu herói!"

Warren deu uma gargalhada, mas Claire atacou na hora. "Robert, que merda você tem na cabeça? Você já provocou Colton da maneira errada hoje, e não vai querer fazer isso outra vez."

"O que ele vai fazer? Gritar comigo novamente?"

"Segundo o protocolo... "

"Foda-se o protocolo. Toda a cidade me apoia. Eles adoraram. Absolutamente adoraram. Eles precisam disso, Claire. Deixe eles desabafarem de tempos em tempos. Já temos muita coisa aqui para aguentar. E o babaca do Colton aprecia uma piada de mau gosto de vez em quando."

Warren ergueu as sobrancelhas. "Colton Mathers apreciando piadas de mau gosto é algo tão improvável quanto um filme da Disney onde todo mundo morre de hemorragia interna no final."

"Só estou dizendo para você tomar cuidado, Robert", disse Claire. "Isso vai voltar para você."

"Tá, carma é uma merda. Mas agora chega. Cadê nossa adorável senhora esta noite?"

Warren arrastou um mapa digital até a tela principal, que marcava as aparições mais recentes dela com pequenas luzes. Uma delas, em algum lugar na baixa Black Spring, perto da Rota 293, estava piscando com uma luz vermelha. "Ela esteve na Weyant Road, no porão da sra. Clemens, desde 5h30. Deveria estar cheio de mobília. Ela não a viu até descer pra pegar uma lata de milho. Está presa entre uma cadeira de massagem e uma tábua de passar."

"Ela não precisa de muita coisa para ser feliz", disse Grim.

"A sra. Clemens ficou bem chocada. Na idade dela, realmente não costuma receber mais visitas inesperadas, ela mesma disse", fungou Warren. "Ela ligou, dá pra acreditar? Eu não falei nada, mas ano passado ela solicitou um iPhone pra poder usar o maldito aplicativo. Acho que ela só usa para falar no Skype com aquela filha dela lá na Austrália."

"Desde que ela não use o Skype sentada na cadeira de massagem esta noite...", disse Grim olhando para a tela. "E Katherine? Ela está abalada depois do que aconteceu de manhã?"

"Não que tenhamos notado", disse Claire. "Isso não parece ter surtido efeito algum nela. Talvez tenha conseguido um galo na testa, mas você sabe como a mudança desaparece quando ela se muda de um lugar para o outro. Embora eu esteja curiosa pra ver se haverá alguma alteração de padrão na semana que vem."

"Hábitos antigos custam a morrer", disse Warren. Ele bocejou e se virou para Grim. "Ei, por que você não vai descansar, workaholic? A gente cuida disso."

Grim disse que seguiria o conselho de Warren assim que checasse seu e-mail. Claire voltou sua atenção ao tráfego da internet, e Warren continuou sua partida de paciência. Não havia nada no e-mail ou no Yahoo! News, e dez minutos depois Grim reparou que ele também estava bocejando. Preparava-se para voltar para casa quando Warren pulou de sua mesa com um grito triunfante: "Encontro doméstico! Eu *sabia*!".

Grim e Claire se viraram e levantaram a cabeça. O queixo de Claire caiu. "Não é possível? Os Delarosa?"

Warren começou a pular para a frente e para trás na frente da mesa, conseguindo um equilíbrio entre o Moonwalk e o Gangnam Style. Grim não conseguia decidir se o sujeito era um dançarino muito bom ou um idiota. Claire custou a crer. "E eles só estão aqui há uma semana! Como isso é possível?"

Na tela grande, em visão noturna esverdeada, imagens ao vivo da câmera D19-063, que dava para o antigo terreno da sra. Barphwell, agora de propriedade dos Delarosa. No meio da rua estava Bammy Delarosa, com um lençol branco enrolado no torso como uma túnica grega. Embora as câmeras de vigilância em Black Spring não tivessem microfones, era óbvio que ela estava gritando. Seu marido — Burt, seu nome era Burt Delarosa — estava de cuecas e pulando ao redor dela passando uma sensação de pânico indefeso. Para Robert Grim, eles pareciam um sátiro e uma náiade se preparando para uma oferenda a Dioniso.

A experiência de Grim em avaliar situações lhe deu um conforto imediato. Os Delarosa haviam corrido o mais rápido que suas pernas lhes permitiram, esquecendo seus celulares na pressa. Isso deu a Grim e sua equipe um pouco mais de tempo antes que ocorresse ao casal ligar para o 911. De qualquer maneira, os Delarosa não pareciam ter o tipo de experiência que os levasse a chamar as autoridades — um exorcista, talvez, se tal coisa existisse no universo de suas referências.

Ao lado direito da tela, um quadrado de luz aparecia na escuridão da casa vizinha e em pouco tempo a sra. Soderson saiu. Mais vizinhos preocupados chegaram do outro lado da rua e tentaram acalmar os novatos.

"Sim, um encontro doméstico", disse Grim. "Parabéns, Warren. Você divide a bolada."

"Agora o telefone toca", disse Claire. E, claro, um segundo depois ele tocou. Claire atendeu e começou a falar com um vizinho dos Delarosa.

Warren estava parado ao lado de Grim, olhando pensativo para a tela. "Agora vão ser informados de que estão presos aqui pelo resto de suas vidas."

"Que tragédia. Não poderia acontecer com pessoas mais bacanas."

"Quem vai fazer isso?"

"Eu", disse Grim sem pensar duas vezes. Embora soubesse que isso acabava com sua chance de dormir esta noite, ele aceitou sem reclamar. Caridade não era seu forte, mas Grim sentiu simpatia pelos Delarosa. Ter que contar aos novatos não era tarefa fácil. Os Delarosa teriam de rever sua percepção do espiritual e do sobrenatural de maneira sutil, porém drástica. Grim, nascido e criado em Black Spring, nunca teve essa experiência, mas a testemunhou o suficiente das laterais do gramado para conhecer seus efeitos traumáticos. Ele era um metodista não praticante e, fora de seu trabalho, não tinha nada a ver com paranormalidade. Entretanto, em algum lugar de seus conceitos indeterminados de todo o *spiritus mundi*, ele simplesmente aceitava o fato de que coisas inexplicáveis acontecem, coisas surpreendentes, mesmo em um mundo que se considerava totalmente esclarecido. Ainda assim, não era essa a coisa mais dolorosa: para muitos recém-chegados em Black Spring, a irreversibilidade de seu destino, sua *finalidade*, era seu primeiro confronto sinistro com sua própria mortalidade. As pessoas resistiam desesperadamente à ideia de sua própria morte, olhando para longe o máximo que podiam e evitando o assunto. Mas em Black Spring elas conviviam com a morte. Elas a levavam para dentro de casa e a escondiam do mundo... e, às vezes, colocavam um poste de luz em seu caminho.

Mas os Delarosa... Irreversibilidade e morte não se encaixavam em sua vida cosmopolita de sofisticação descolada e mudanças de carreira pós-menopausa. Black Spring era a pílula de arsênico que haviam acidentalmente descoberto embaixo da língua e mordido antes de saber. Se Robert Grim não tivesse acabado de perder sua aposta, teria sentido pena deles.

Ficaram olhando a tela grande enquanto os Delarosa eram levados pelos seus vizinhos à casa da sra. Soderson. Claire desligou e disse: "Eles estão em boas mãos. Prometi ter uma equipe pronta em dez minutos. Quem vai?".

"Eu", disse Grim. "Eles são religiosos?"

"Não. Se lembro corretamente, ele era metodista na infância, mas não praticante."

"Então vamos deixar a Igreja fora disso."

"'Teu cajado e teu báculo deverão consolá-los'", recitou Warren solenemente.

"Acha que devia ir, Robert? Depois de nosso último confronto com eles, você provavelmente é a última pessoa que vai acalmá-los."

Não vamos acalmá-los, pensou Grim. *Vamos sacudir seu mundo ainda mais.* "Eles estão muito chocados para perceber isso. Vou levar Pete VanderMeer e Steve Grant. Os dois estão de plantão este mês. Um sociólogo e um médico, frios o bastante para saber como passar a limpo essa situação. Ah, e uma de suas esposas para Bammy. Isso deve funcionar." Vestiu seu paletó e acrescentou: "Você vai tirá-los da cama quando ligar, anjinho".

Ele deixou Warren e Claire para trás no centro de controle e se preparou para uma longa noite.

6

"O nome dela é Katherine van Wyler, mas a maioria de nós a chama de Bruxa de Black Rock", disse Pete VanderMeer. Deu uma tragada longa em seu cigarro e caiu em silêncio pensativo.

Estavam na recepção da Pousada Point to Point, sentados em poltronas de couro vintage que tinham cheiro de coisa velha. A mesinha de café no meio estava atulhada de copos meio cheios, garrafas de vidro e garrafas térmicas. Depois de preparar um quarto para os Delarosa, a dona do hotel foi para a cama, deixando o bar do hotel mal-iluminado para seus hóspedes. Pete VanderMeer e Grim estavam bebendo cerveja; Steve, café. Jocelyn estava tomando uns golinhos de chá de camomila numa caneca fumegante, assim como Bammy Delarosa — mas não antes de Grim fazer com que ela bebesse uma dose de vodca. O marido dela não precisava desse incentivo: já estava na terceira dose. Ainda não estava totalmente bêbado, mas a caminho. *Provavelmente uma boa ideia*, pensou Steve.

Burt e Bammy Delarosa estavam longe de ser os esnobes arrogantes que Grim havia descrito. Steve descobriu que até gostava deles, até onde era possível julgá-los naquele momento. Agora que o choque inicial havia passado, eles eram capazes de encarar a situação com um pouco mais de leveza. Isso não queria dizer que tivessem aceitado tudo. Estavam entorpecidos, o mesmo entorpecimento que os agentes funerários exploram com tanta inteligência quando questões práticas têm de ser discutidas com os entes queridos. Amanhã, ou durante o fim de semana, na pior das hipóteses, a realidade os atingiria com força e, quando acontecesse, estariam bem melhor sabendo o que enfrentariam. De qualquer maneira, agora tinham a chance de fazer a descoberta confinados em segurança no hotel. Não havia nada no mundo que pudesse ter convencido os Delarosa a voltar para sua casa abandonada e escura... onde *ela* estava.

Grim tinha ido apanhar Pete, Jocelyn e Steve no seu Dodge Ram, e os novos vizinhos os haviam cumprimentado, educadamente mas de mãos trêmulas, no lobby. Steve estava cansado e zonzo; ele e Jocelyn estavam dormindo havia quase duas horas quando o telefone tocou. Mas agora que o café havia assentado em seu estômago, sua mente estava finalmente começando a clarear.

"Katherine van Wyler", disse Burt Delarosa, inseguro.

"Sim", disse Pete. "Ela morava no Abismo do Filósofo, no bosque atrás de onde Steve, Jocelyn, minha mulher e eu vivemos hoje. Foi em Black Spring que ela foi sentenciada à morte por bruxaria em 1664 — embora naquela época a região não se chamasse Black Spring; era uma colônia de caçadores holandeses conhecida como New Beeck — e é aqui em Black Spring que ela permaneceu desde então."

Atrás deles um bloco de madeira crepitou na lareira, e Bammy deu um pulo para o alto como um boneco de mola que salta de dentro de uma caixa. A coitada estava tão nervosa quanto um cervo, Steve reparou, e sua boca tinha rugas fundas de tensão.

"Em Highland Falls, Fort Montgomery, e, claro, no Point, todos sabem que as colinas e bosques ao redor daqui estão assombrados. Não precisam nem saber os detalhes. Você pode sentir isso porque está no ar, como o cheiro de ozônio depois uma tempestade elétrica. Mas a bruxa é um problema de Black Spring, e infelizmente não podemos fazer nada a não ser manter a coisa assim."

Ele tomou um gole da cerveja. Os Delarosa olharam desconsolados para as próprias bebidas e não conseguiam reunir força para erguer os copos.

"Pouco ou nada se sabe a respeito da vida dela, o que só faz aumentar o mistério. Deve ter vindo para cá num dos navios da Companhia

Holandesa das Índias Ocidentais, e, por volta de 1647, Nova Amsterdã era uma cidade portuária bem fervilhante. Na época, os entrepostos que subiam o rio Hudson, onde eles negociavam com os índios, eram muito primitivos, e as histórias circulavam na base do boca a boca. Muitas se perderam com o tempo. Katherine pode ter sido pastora, ou quem sabe parteira. O papel das mulheres no Novo Mundo era aumentar a comunidade."

"Tendo filhos", explicou Jocelyn.

"Isso. Eles estavam semeando uma nova civilização, entendem? Os povoados que os holandeses fundaram ficavam principalmente ao longo das margens protegidas dos rios. Mas as florestas a oeste estavam cheias de caça, e os munsee caçavam no que hoje é conhecido como Floresta de Black Rock. Foi onde os holandeses estabeleceram New Beeck. Eles se deram bem com os índios. Faziam comércio com eles. Eram os ingleses que lhes davam arrepios. A Nova Inglaterra estava bem nos calcanhares deles e ansiosa para acrescentar a Nova Holanda ao seu território. Bem, foi exatamente isto o que aconteceu no ano seguinte: os ingleses anexaram as povoações holandesas sem derramar uma única gota de sangue. Foram eles quem finalmente afastaram os munsee... mas muitos argumentam que os munsee deixaram a área de livre e espontânea vontade, e foram para o norte porque, a essa altura, Black Spring já estava amaldiçoada."

"Desculpe, mas o que exatamente isso quer dizer?", perguntou Burt.

"Enfeitiçada", disse Robert Grim, com sua costumeira falta de sutileza. "Azedada. Condenada."

"Pelo menos era o que acreditavam na época", presumiu Bammy.

"Sim, é uma maneira de se dizer", debochou Grim, mas em seguida afundou-se na cadeira diante do olhar venenoso de Pete VanderMeer. Os Delarosa olharam um para o outro e franziram as testas. Em outras circunstâncias, poderia ter sido quase cômico ver como estavam perfeitamente sincronizados.

"Agora, o que vocês têm de entender é que a superstição estava engastada no fundo da psique humana", continuou Pete. "Estamos falando de pessoas que precisaram se virar num mundo completamente estranho numa época em que não havia absolutamente nenhuma segurança. Na Europa, eles tiveram seu quinhão de pragas epidêmicas, colheitas fracassadas, fome e foras da lei, e o Novo Mundo estava cheio de feras selvagens desconhecidas, nativos e demônios. Ninguém sabia que espécie de forças sobrenaturais assombravam as cercanias selvagens a oeste das povoações. Uma situação bem desagradável. Sem ciência, as pessoas tinham de confiar em histórias da carochinha e presságios. Tinham medo de Deus Todo-Poderoso e morriam de medo do Diabo. Isso deixou uma marca inconfundível nas florestas ao redor — é só pensar no nome da colina atrás da nossa casa."

"Monte Misery?", perguntou Burt. "Nós subimos uma trilha lá esta semana. Um lugar lindo. Dava para ver o Hudson do alto."

"É uma bela caminhada. Hoje em dia completamente inócua, contanto que você fique na trilha. Mas aqueles presságios... Vocês têm de encará-los como uma forma primitiva de meteorologia, só que eles não estavam prevendo tempo, mas os desastres. Vocês conhecem o julgamento das bruxas de Salem, claro, que ocorreram cerca de vinte a trinta anos depois na colônia da Baía de Massachusetts. Eles foram precedidos de uma colheita fracassada, uma epidemia de varíola e a constante ameaça de ataque de tribos nativas. As correlações só foram feitas depois, mas isso não importa. Dali em diante, o medo passou a desempenhar um papel enorme no fluxo de rumores que precediam as tragédias. As pessoas viam os sinais em todo lugar. Abortos espontâneos, fenômenos naturais estranhos, rápida putrefação da carne, pássaros enormes..." Pete sorriu. "Os holandeses eram um pouco mais pé no chão que os puritanos, mas em 1653 um pássaro enorme pousou na cruz da igreja do porto, em Nova Amsterdã, durante todos os dias ao pôr do sol por três semanas, causando um grande alvoroço. Diziam que ele era maior que um ganso, de cor cinza, e se alimentava de cadáveres. Hoje, claro, você imaginaria que era um urubu — eles costumavam aparecer como errantes por estas bandas de vez em quando. Mas como os colonos saberiam? Então, em pouco tempo, essa multidão se junta e faz toda espécie de previsão com base no aparecimento do pássaro. O conselho da cidade manda matar a tiros o coitado, mas é tarde demais: no ano seguinte, a população foi devastada por varíola. Então puseram a culpa no pássaro."

Jocelyn lembrou de uma coisa. "Steve, conte a eles a história daquele médico e das crianças. Não sei se Pete conhece."

"Não conheço."

"Um colega meu na New York Med me contou o seguinte", começou Steve. "Antes dessa mesma epidemia de 1654, um médico de Nova Amsterdã chamado Frederick Verhulst estudou o comportamento de crianças que brincavam de 'enterro'. As crianças cavavam buracos fora das muralhas do forte e carregavam caixotes de frutas para colocar nas pequenas covas, caminhando em procissão. Seus pais achavam que elas estavam possuídas, e a brincadeira foi vista como um mau presságio."

"Graças a Deus agora temos o Nintendo Wii", disse Pete. Todos riram, até mesmo os Delarosa, embora Bammy só conseguisse dar um sorriso fraco.

"Existem muitas histórias assim", disse Steve. "Algumas bem nojentas. Durante aquele período foram encontrados corpos com tijolos enfiados entre suas mandíbulas. Durante a Epidemia de Febre Amarela de Boston de 1693, túmulos coletivos eram reabertos com frequência para enterrar os que haviam morrido recentemente, e às vezes os coveiros encontravam corpos inchados que tinham sangue correndo das bocas, com as mortalhas mastigadas na região da face. Era como se a pessoa morta tivesse tentado sair da mortalha a dentadas e voltado à vida para beber sangue. Hoje sabemos que corpos em decomposição incham um bocado devido a gases. Órgãos que apodrecem forçam fluidos a sair pela boca e a mortalha é comida pelas bactérias que eles contêm. Mas na época era apresentado como fato científico que os 'comedores de mortalha' eram os mortos-vivos, que se alimentavam dos vivos e espalhavam maldições junto com a febre, para que mais mortos voltassem a viver. Então os ministros da Igreja enfiavam tijolos em suas bocas para que eles morressem de fome."

Um profundo silêncio recaiu, quebrado somente pelo crepitar das chamas. Então Burt disse: "Sabe, em algumas cidades os moradores na verdade embelezam o lugar. Falam aos novos residentes sobre como a área é bonita — lugares bons para comer, coisas assim...".

Grim recuperou o fôlego e se engasgou com a cerveja. Desta vez todo mundo riu, até mesmo Bammy. Jocelyn deu palmadas nas costas de Grim até ele se controlar. Steve pensou que era um bom sinal que Burt estivesse sendo capaz de fazer piadas. Isso queria dizer que não estava tão sacudido por tudo que estava ouvindo naquela noite, e as coisas não estavam entrando por uma orelha e saindo pela outra — contanto que não derrubasse aquela garrafa inteira de vodca Stoli.

"Tudo bem", disse Pete quando todos terminaram de gargalhar. "Os profetas do apocalipse contribuíram para a insegurança e o medo que domina as pessoas quando calamidades estranhas acontecem. Crianças nascem cegas, estranhos rastros de animais na lama, luzes no céu noturno... Quando as pessoas começam a acreditar em presságios, há uma grande ruptura na maneira como elas pensam e vivem. Que coisa terrível nos aguarda? Esse é o terreno fértil onde o medo de Katherine van Wyler se enraizou."

"Então eles pensaram que fosse uma bruxa", disse Burt.

"Isso mesmo." Seu cigarro havia queimado no cinzeiro, e ele começou a enrolar um novo. "Era aquela história de caça às bruxas de sempre, mas havia duas diferenças. Não com relação à causa: ela era uma mulher solteira vivendo sozinha na floresta, então todo mundo a olhava com desprezo. Por volta de 1664, ela devia ter uns bons trinta anos de idade, pois era a mãe de duas crianças pequenas, um menino e uma menina. Quem era o pai e por que não estava com eles, não sabemos. Começou a correr o boato de que Katherine havia copulado com índios. Somamos isso ao fato de que ela abandonara a Igreja, e não demorou muito tempo para os dedos começarem a apontar na direção dela. Diziam que estava envolvida com práticas pagãs. A questão de como exatamente eram essas práticas se tornou a matéria de um rumor que repercutiu incrivelmente."

"Adoração ao Diabo?", perguntou Burt.

"Sodomia. Bestialidade. Canibalismo. E, sim, tudo obra do Diabo."

"Jesus."

"Essa parte vem a seguir. Então estamos em outubro de 1664, quando o filho de nove anos de Katherine morre de varíola. Testemunhas afirmam que a viram, vestida em roupas de luto, enterrando o corpo dele na floresta. Mas, alguns dias depois, o povo da cidadezinha viu o garoto caminhando pelas ruas de New Beeck como se Katherine o tivesse erguido dos mortos, como Jesus fez com Lázaro. Vou te contar, eles se cagaram todos. Se trazer os mortos de volta à vida não é a prova definitiva de que você está mexendo com coisa que não devia, eu não sei mais o que é, por isso Katherine van Wyler foi sentenciada à morte por bruxaria. Depois de ser torturada, ela confessou, mas até aí todos confessavam. Meu Deus, depois da roda e do afogamento, você confessava que tinha voado de um telhado para o outro montado numa vassoura. As coisas que fizeram com ela foram horríveis. De qualquer maneira, ela foi forçada a matar a coisa terrível que era seu filho ressuscitado, e fazer isso com as próprias mãos. Se ela não obedecesse, os juízes matariam não só garoto, mas a garota também."

"Isso é terrível!", gritou Bammy. "Ela teve de escolher entre seus filhos?"

Pete deu de ombros. "Naquela época, eles não eram também exatamente bonzinhos. Soprava um vento muito frio do Velho Mundo. Acusações e condenações de bruxaria eram a ordem do dia. Katherine não teve escolha, então matou o próprio filho para salvar a vida da filha, e depois disso foi sentenciada à forca como ato de misericórdia. Mas eles próprios não a enforcaram: ela foi forçada a pular por vontade própria, para simbolizar a redenção. E, quando morreu, seu corpo foi atirado em um dos poços da bruxa, na floresta, para os animais selvagens. Era assim que normalmente acontecia. Ou isso, ou ambas seriam queimadas na estaca. Inocentes, claro."

"Que horrível", murmurou Bammy, e depois estremeceu.

"Só que nesse caso ela não era tão inocente assim", disse Grim. Os Delarosa olharam para ele.

"É, isso nós não sabemos", disse Pete apressadamente. "Não sabemos se ela era culpada dos crimes pelos quais foi condenada. Mesmo em Black Spring, é um pouco demais chegar a essas suposições. O que sabemos é o seguinte: os colonos acreditavam que ela erguera o filho dos mortos... e isso para eles bastava. Olhando para trás, era possível, até mesmo provável, que ao longo de sua vida ela possuísse certos poderes, mas não havia indicação de que tivesse realizado milagres ou usado seu dom para machucar alguém. O mais provável é que sua morte violenta, precedida por horrível tortura e sendo forçada a matar seu próprio filho, tenha feito dela o que é hoje. Mas são conjecturas. No mundo do ocultismo, não temos realmente muito material de referência, você sabe."

"Ótimo", disse Burt Delarosa. Tomou mais uma dose de sua vodca. "Então vocês têm seu próprio fantasma da aldeia." Deu uma risada aguda, como se estivesse surpreso de ouvir a si mesmo dizer essas palavras, e levantou seu copo vazio para Grim. "Isso é incrível. Então você estava me dizendo a verdade quando me ligou, seu filho da puta. Achei que fosse sacanagem. Bem... claro que pensei que você estava me sacaneando."

"Do que você está falando?", perguntou Bammy, espantada.

"Do dia em que ele e a mulher tentaram nos subornar. Aquela noite em que ligou para o meu celular e tentou de novo, com uma história ridícula sobre a Bruxa Malvada do Oeste. Não falei nada porque estava chocado com o ponto a que eles haviam chegado com aquilo, importunando a gente, e eu não queria aborrecer você. E... bom, você sabe o que achávamos deles, meu amor."

"Desculpe", admitiu Grim, sem nenhuma ironia visível.

"Você a chamou de fantasma da aldeia", disse Pete, "o que não é inteiramente correto, mas chega perto. Você não parece ter muito problema para aceitar a realidade de uma coisa muito peculiar circulando pelo seu quarto. Por que não chamaram a polícia quando a viram? É a primeira coisa que a maioria das pessoas faz quando encontra um intruso. Ou talvez uma ambulância, devido ao estado dela?"

Os Delarosa trocaram olhares desajeitados, e não sabiam o que dizer. Uma súbita sensação de déjà-vu percorreu Steve, como acontecia quando precisavam dar as notícias ao pessoal mais novo. Isso ocorria umas duas vezes por ano, se tivessem sorte, e normalmente numa hora mais civilizada. Mas a hora não tinha nada a ver com o que ele estava sentindo. Aquilo acontecera dezoito anos atrás, com o mesmo Pete VanderMeer, na época bem mais jovem, e ainda trabalhando no Departamento de Sociologia da Universidade de Nova York; talvez menos proficiente ao contar histórias, mas com a mesma calma elaborada na voz. O que Steve lembrava, principalmente, era do medo deles e da sua insegurança. *Estávamos ouvindo uma história sobre presságios e bruxas, mas em momento nenhum deixamos de acreditar nele. Não... depois do que tínhamos visto.*

Finalmente, foi Bammy quem falou. "A gente simplesmente *sentiu* que ela... bem, que ela não era uma intrusa. Uma olhada nela e não havia como negar isso. Ela parecia uma coisa *ruim*." Virou-se para o marido. "Posso contar como aconteceu?"

Burt pareceu querer dizer alguma coisa, mas acenou com a mão. "Pode."

"Nós ainda não tínhamos ido dormir. Nós estávamos... ocupados um com o outro." Um rubor elegante apareceu em sua face, e tanto Steve como Grim morderam a língua. Em todos os seus anos de médico, Steve não achava ter ouvido uma descrição mais puritana do ato, ou uma mais adequada para a pessoa que a tinha enunciado. "Virei de costas e subitamente lá estava ela, aos pés da cama. Eu a vi atrás de Burt. E essa foi a coisa pavorosa. Primeiro ela não estava lá, depois estava, e olhava para mim. Só que não tinha olhos. Só fios pretos esfiapados, e me olhou com eles. Gostaria que ela não tivesse feito isso."

"Ouvi minha mulher gritar", disse Burt, a voz neutra e sem tom, "e ela saiu debaixo de mim como se estivesse sendo eletrocutada. Então eu também a vi. E *eu* gritei. Acho que não gritava tanto assim desde que tive de pular num buraco no gelo durante um trote nos calouros em Jamaica Bay, mas dessa vez gritei. Foi como Bammy falou: não havia absolutamente nenhuma dúvida na minha cabeça de que ela era uma espécie de aparição, um pesadelo — só que era um pesadelo real, e nós dois estávamos compartilhando aquilo. Bammy puxou o lençol e saiu correndo com ele do quarto. Eu fui atrás, mas, quando cheguei até a porta, me virei. Queria ver se ela desaparecia ao piscar os olhos, como pesadelos costumam fazer. Mas ela ainda estava lá. E... eu voltei."

"Mas por quê?", perguntou Bammy, chocada.

Ele deu de ombros. "Você sabe. Havia uma mulher mutilada no nosso quarto. Toda acorrentada. Queria ver se podia fazer alguma coisa por ela, eu acho."

"Alguma coisa aconteceu?", quis saber Grim.

A princípio Burt não disse nada, e Steve viu a mão de Bammy enrijecer ao redor da mão do marido. "Não", disse ele finalmente. "Ela apenas ficou lá, parada. Fiquei com medo e fui atrás da minha mulher."

Grim e Steve trocaram olhares. Pete também viu a mentira, mas decidiu que não era relevante, pelo menos não agora. "Certo. Então vocês dois tiveram a sensação de que ela não era humana."

"Como é que não tem mais gente sabendo disso?", perguntou Burt. "Quero dizer, se realmente há um fantasma assombrando a sua cidade — e isso não é algo que estou pronto para aceitar até ter estudado a respeito, com cuidado —, isto é, digamos que seja verdade. Isso viraria a ciência de cabeça para baixo. Vocês já a captaram em vídeo?"

"Temos mais de quarenta mil horas de filme no nosso arquivo digital", disse Grim. "Temos câmeras em toda a cidade. Não reparou? Nós guardamos o material digital por dez anos, mas depois nos desfazemos dele. Depois de um tempo fica chato."

Mais uma vez, os Delarosa olharam fixamente para ele. "Acho que não estou entendendo", disse Burt devagar.

"O que ele está tentando dizer", disse Pete, "é que estamos fazendo tudo que podemos para garantir que isso *não seja* conhecido amplamente. Na verdade, nossas vidas dependem disso." Olhou cada um deles bem nos olhos, primeiro para Burt, depois Bammy. Steve sentiu um profundo respeito pelo fato de ele não ter virado as costas ao pronunciar as palavras. "Sabem, a história de Katherine não termina com a morte dela. Numa manhã de inverno em 1665, quatro meses depois de seu enforcamento, um grupo liderado pelo próprio intendente Peter Stuyvesant foi até as colinas para ver o que havia acontecido com os trapeiros e encontrou New Beeck completamente deserta. Estalactites de gelo pendiam dos telhados e tudo estava coberto por um espesso cobertor de neve. O mais estranho era que a neve não estava fresca. Devia haver rastros por todo o lugar, mas não havia. Era como se o povo da vila tivesse sumido no ar no decorrer de uma noite fatídica. Eles nunca mais foram vistos. Os holandeses suspeitaram de uma maldição e passaram a evitar a cidade fantasma e as colinas ao redor, onde sentiam que o 'mau-olhado' estava em cima deles. Em junho daquele ano, Stuyvesant voltou para a Holanda. A maioria dos colonos originais partiu, e os eventos caíram em esquecimento. A única documentação histórica oficial sobre o desaparecimento só apareceu mais de quarenta anos depois, em 1708, nos anais da República Holandesa[1], que incluem um breve relato da lenda. Temos esse documento em nosso arquivo. Ele atribui o êxodo de New Beeck às dificuldades econômicas causadas pela Segunda Guerra Anglo-Holandesa e à anexação de Nova York, e supõe que os colonos haviam sido mortos numa batalha entre tribos indígenas."

"Então era folclore local", resmungou Burt.

"Só que há quem diga que os índios já haviam abandonado a área no outono anterior", disse Jocelyn, "bem no meio da estação de caça. Reza a lenda que eles tinham medo, pois achavam que a floresta que um dia tomaram para si tinha sido 'contaminada'. Fosse o que fosse, por que os índios simplesmente deixariam para trás um comércio lucrativo com os colonos, e por que isso aconteceu logo depois que os trapeiros deixaram o corpo de Katherine na floresta?"

"Exatamente", disse Pete. "E tem mais, porque o que aconteceu em 1713 *está* documentado. Em abril daquele ano, os colonos ingleses se mudaram para a cidade, e a rebatizaram como Black Spring. Depois de uma semana, três pessoas cometeram suicídio. Bethia Kelly, uma parteira, matou oito crianças antes que a prendessem."

"Você está inventando isso."

"Quem me dera. Quando vieram prendê-la, Bethia declarou que uma mulher tinha saído da floresta e lhe sussurrado para fazer uma

---

[1] Dutch Republica, ou A República das Sete Províncias Unidas dos Países Baixos, foi um agrupamento de sete províncias do norte da Europa — Frísia, Groningen, Holanda, Güeldres, Overijssel, Utrecht e Zelândia — dissolvido em 1795. [NE]

escolha entre as crianças. Ela disse que não podia escolher, então matou todas. No arquivo, há uma breve menção do folclore local que tem a ver com o mau-olhado e estranhos fenômenos que aconteceram no Monte Misery, supostamente ligados a uma bruxa. Um mês depois, um grupo de anciãos da Igreja entrou na floresta. Ao voltarem, afirmaram ter expulsado uma mulher possuída costurando seus olhos, sua boca e acorrentado seu corpo. No mesmo ano, todos eles morreram, embora não se saiba sob quais circunstâncias. Eles foram parcialmente bem-sucedidos. Acabaram com o mau-olhado dela."

"Mas ela nunca foi embora", disse Bammy, com uma expressão de horror profundo no rosto.

"Não, e esse é mais ou menos o problema", concordou Pete. "Ela nunca foi embora. Até hoje, Katherine van Wyler caminha pelas ruas de Black Spring, noite e dia... e aparece em nossas casas."

Ninguém falou nada, então Grim se encarregou da tarefa. "Não estamos falando daquela espécie antiga de fantasma que só é vista por alguma criança autista irritante e negligenciada na qual ninguém acredita, mas que sempre acaba tendo razão no final. A Bruxa de Black Rock está sempre aqui. E ela não é nenhuma espécie benigna de espectro nem eco do passado, como naqueles filmes pornô adolescentes de terror. Ela nos confronta com sua presença como um pitbull colado na cerca. Amordaçada, sem se mexer um centímetro. Mas, se você enfiar o dedo pelas barras, ela não fica checando se você está gordinho o suficiente. Ela arranca logo."

Burt se levantou. Quase agarrou a garrafa de Stoli, mas mudou de ideia. Subitamente, pareceu totalmente sóbrio, apesar da considerável quantidade de álcool que corria por suas veias. "Supondo que tudo isso seja verdade... o *quê* ela quer? O que essa maldita bruxa quer de vocês, pelo amor de Deus?"

"Supomos que ela queira vingança", disse Pete com amargura. "Se é isso que a está motivando, sua morte libertou um poder que busca vingança contra as pessoas que a fizeram cometer esses atos terríveis. E, muito embora trezentos anos tenham se passado, essas pessoas somos nós, o povo de Black Spring."

"Mas, quero dizer, *como* é que você sabe? Alguém tentou conversar com ela? Ou, sei lá, exorcizá-la?"

"Talvez ela só queira ser ouvida...", disse Bammy, apoiando o marido.

"Já tentamos de tudo", disse Grim. "Tábuas Ouija estão fora de questão — não mexam com essas porras, vão matar vocês. Merdinha pagã de fadinhas simplesmente não funciona com ela. Já tentamos isso tudo antes. Tivemos exorcistas do Vaticano que concluíram que se tratava de uma herege, então não poderiam nos ajudar. Naturalmente, a verdade é que aqueles viadinhos ficaram apavorados com o que encontraram aqui. Padres, xamãs, bruxas "brancas", comandos militares, o Exército... tudo leva a situações muito infelizes. No passado, tentaram decapitá-la e atear-lhe fogo, mas ela simplesmente desaparece assim que a fumaça começa subir por sua saia. Agora temos o Decreto de Emergência, que proíbe estritamente esse tipo de operação, porque sempre termina em morte. Gente inocente de Black Spring subitamente cai no minuto em que outra pessoa tenta feri-la. Costurá-la fez dela, em grande parte, uma criatura inofensiva — só Deus sabe como conseguiram *isso* —, mas, se o que estiver acontecendo aqui vazar, as pessoas inevitavelmente vão querer abrir os olhos e a boca de Katherine. A humanidade já provou inúmeras vezes que tem uma tendência a atravessar barreiras que não deveria. E temos toda a razão para acreditar que se seus olhos se abrirem e ela começar a pronunciar seus feitiços, todos vamos morrer. É por isso que nós a mantemos fora das vistas. Ela não quer ser compreendida — ela *não deve ser* compreendida. Katherine é uma bomba-relógio paranormal."

"Desculpe, mas não acredito nisso", disse Burt.

Pete tomou um gole de cerveja e colocou o copo em cima da mesa. "Sr. Delarosa, quando sua esposa correu para fora e você voltou para seu quarto, ouviu ela sussurrar?"

A voz dele hesitou. "Eu... eu ouvi uma coisa, acho. O canto da boca da mulher se moveu. Mal dava para ver. Eu queria ouvir se ela estava dizendo alguma coisa."

"E o que você ouviu?"

"Ela sussurrou."

"E, por favor, me desculpe, mas houve algum momento em que você pensou em suicídio?"

Bammy deu um grito, um gritinho abafado, e derrubou sua xícara de chá vazia, que descansava no braço de sua poltrona de couro. A xícara caiu no chão e quebrou em três pedaços. Jocelyn rapidamente se curvou para catar os cacos. Bammy tentou abrir a boca para dizer alguma coisa, mas então viu o rosto do seu marido, e seu lábio inferior começou a tremer.

"Você pensou, não foi?", perguntou Pete. "Você a ouviu sussurrando, e começou a brincar com a ideia de se machucar. É assim que ela pega você. Faz as pessoas se matarem, assim como ela própria foi forçada a fazer."

"Burt?", perguntou Bammy, a voz trêmula. "Como assim, Burt?"

Burt tentou falar mas não conseguiu, e pigarreou. Seu rosto estava branco. "Fiquei sozinho com ela por apenas alguns segundos. Eu não disse nada. Tive medo de que se fizesse qualquer ruído ela levantasse a cabeça. Não queria que ela olhasse, sabe o que eu quero dizer? Mesmo que fosse cega, eu não queria que olhasse para mim. E aí eu a ouvi sussurrar. Fui para a sala e queria bater meu crânio na moldura da porta." Bammy se encolheu, como se alguém tivesse lhe dado um soco, e fechou a boca com as mãos. "Juro por Deus, na minha cabeça, eu estava agarrando a moldura da porta e esmagando a testa contra ela três vezes até esmagá-la. E então... então você gritou, meu amor. Isso me despertou, e eu corri atrás de você. Não fiz isso porque você gritou."

"Pare", gemeu Bammy, agarrando seu marido. "Isso não é verdade, é? Não quero ouvir mais isso, Burt. Por favor."

"Calma", falou Jocelyn baixinho. "Vocês estão seguros. A coisa não continuou por tempo suficiente para a 'sugestão' ter efeito duradouro."

Burt abraçou sua mulher, que chorava, e se virou para Pete, e pela primeira vez Steve viu como ele parecia doente e cansado... e viu que ele *acreditava*. "Quem mais sabe disso?", ele perguntou com dificuldade.

"O pessoal do Point, descendo direto a estrada. Mas apenas uma pequena e altamente confidencial divisão, que vai até o topo. Estou falando de uma divisão tão pequena que não está sob a supervisão de uma comissão, para evitar o risco de vazamentos."

"Ah, qual é!"

"Acho que nem mesmo o presidente sabe a respeito. Costumavam saber — ah, eles sabiam, sim. Desde bem lá para trás, de George Washington a Abraham Lincoln, eles deviam saber o que estava acontecendo aqui, porque temos conhecimento, pelos nossos arquivos, que eles visitaram Black Spring. Em 1802, a Academia Militar dos Estados Unidos foi estabelecida em West Point para nos ajudar a encobrir a situação. Não precisa acreditar em mim, mas deve ter sido no final da Guerra Civil que o Point foi considerado de confiança o suficiente para receber autoridade exclusiva sobre Black Spring. Provavelmente sob ordens do bom e velho Abe. A questão é simplesmente delicada demais. Mais tarde, quando a região ficou mais desenvolvida e o risco de vazamentos aumentou, tivemos de nos organizar. Viramos profissionais. E assim nasceu a HEX."

"O que é HEX?"

"Somos nós. Somos os Caça-Fantasmas. Escondemos a bruxa à vista de todos."

Burt o olhou com visível dificuldade. "O que significa esse nome?"

"Ah, é só um velho acrônimo que pegou. Ninguém sabe de verdade. O que importa é o que fazemos. Lá no Point eles nos deixam cuidar das nossas vidas, mas nós escrevemos relatórios para deixá-los felizes, para termos algo em que nos apoiar caso precisemos fechar as estradas ou pedir um favor da Reserva do Estado. De que outra forma podiam ter conseguido manter tudo em sigilo? Você pode montar as ilusões que quiser, mas isso custa dinheiro — e sigilo completo. O Point foi criado para preservar o status quo, porque eles não têm a menor ideia do que fazer com essa confusão, a não ser manter tudo em segredo do público em geral e dos serviços de inteligência estrangeiros. Não há controle — essa é uma mentira deslavada. Na verdade, eles estão se cagando nas calças. Se pudessem, colocariam uma cerca enorme ao nosso redor e transformariam a área numa reserva desabitada, mas então o sangue de três mil pessoas estaria nas mãos deles, tantas quanto morreram no Onze de Setembro. Então decidiram por uma política de contenção. Até que uma solução seja encontrada — seja lá que diabos isso signifique —, a vida vai seguir como de costume. Nós recebemos subsídios para ficar de boca fechada, através de um recurso quase impossível de se rastrear no Tesouro do Estado."

"É uma questão de imagem", disse Pete. "Se você tem uma verruga no pescoço, você usa colarinho alto."

"Meu Deus", resmungou Burt Delarosa. "Alguém já tentou abrir os olhos dela?"

"Uma vez", disse Pete, depois de um longo silêncio. "Embora nem sequer tenham chegado aos olhos dela. Isso aconteceu em 1967, por iniciativa da Unidade de Inteligência Militar do Point. Fazia tanto tempo que nada acontecia que as pessoas começaram a duvidar de que ela realmente fosse uma ameaça. Até na cidade se falava que as pessoas só queriam entendê-la e, você sabe, *dar* alguma coisa a ela. Foi como

Bammy falou: talvez só quisesse ser ouvida. A experiência foi gravada em filme. Robert, talvez você possa mostrar a eles."

Grim tirou seu MacBook da maleta e o abriu. "Nós usamos esse fragmento para dar ao pessoal novo uma ideia de como a situação é séria. Percepção, formação de imagem, essa coisa toda. Mas deixe eu avisar vocês: foi uma péssima avaliação da parte de todo mundo. As imagens são muito loucas. Do tipo de loucura que normalmente censuram no noticiário das seis da tarde, se é que você me entende."

"Não sei se quero ver isso", disse Bammy, enxugando as lágrimas.

"Tudo bem, meu amor", disse Burt. "Não precisa ver se não quiser." Ele se espremeu, nervoso, e olhou para Pete a fim de pedir confirmação. Pete concordou com a cabeça. Grim colocou o MacBook no colo e apertou PLAY.

+++

As imagens de fato *são* chocantes, sem dúvida. São autênticas imagens em Super-8 digitalizadas dos anos 1960, e, diferentemente das imagens da GoPro de Tyler, invocam aquela sensação de filme nostálgico que nem mesmo os filtros do Instagram conseguem, a não ser uma leve aproximação. Steve se pega tendo uma preferência instintiva por esse estilo, muito embora as cores estejam mais esmaecidas; seu filho mais velho diria que estavam datadas. Não que Steve esteja olhando para o filme agora; ele está sentado do outro lado do saguão, abraçado a Jocelyn, olhando para os rostos de Burt e Bammy Delarosa. Mas ele sabe o que as imagens mostram. Todo mundo em Black Spring sabe. Todos foram doutrinados com elas, a maioria desde a mais tenra infância. Steve se opõe ferozmente a mostrar o fragmento às crianças da quinta série da Escola Fundamental de Black Rock, de forma que, na vez de Tyler, e depois na de Matt, ele tentou ligar para dizer que estavam doentes. Mas as multas eram simplesmente altas demais. Em Black Spring, você tem que obedecer ao Decreto de Emergência.

Ele ainda se lembra daquelas ocasiões como se fosse ontem: todos os pais estavam lá, e foi horrível. Para muitas crianças, ver aquelas imagens marca o ponto no qual elas se tornam adultas, e isso acontece cedo demais.

O cenário é o consultório de um clínico geral, em forma de quadrado, com Katherine van Wyler numa cadeira no meio. Eles conseguiram forçá-la a se sentar usando um agarrador de laço de arame, um instrumento usado normalmente para conter cães raivosos. Um oficial do Point vestindo paletó de tweed está parado em pé à distância, o laço de seu agarrador ainda ao redor do pescoço da mulher. Outros dois estão atrás dela, de prontidão, munidos com os laços.

Mas parece que ela não está planejando ir a lugar algum.

A Bruxa de Black Rock não se mexe.

Há três outros homens na sala: dois médicos de Black Spring e o cameraman, que oferece comentários sem parar, numa voz grave tipo Walter Cronkite. Os médicos não dizem nada. Você não precisa olhar muito de perto para ver o suor em suas testas. Mais nervosos que eles, impossível. Estão ajoelhados diante da bruxa, deslocando o peso de um pé para o outro para achar uma posição confortável enquanto tentam não tocar nela. Um deles segura um par de tesouras e um cortador de pontos. "O doutor McGee vai agora remover o primeiro fio de sua boca", diz a voz de documentário jornalístico, e você pode ouvir seu medo e sua insegurança.

Grim, Burt e Bammy (que não quer ver, mas vê mesmo assim) veem o doutor McGee puxar de lado, com cuidado, a carne trêmula e seca no canto esquerdo da boca da bruxa com suas tesouras e esticar o ponto mais distante. Ele passa a lâmina da faca ao longo do ponto, que arrebenta como um elástico. O doutor recua e muda de posição. Limpa o suor de sua testa. Katherine não se mexe. O fio preto curvo está despontando do canto de sua boca, justo como é hoje. Podemos ver o canto da sua boca tremendo de forma inconfundível. O doutor McGee torna a se curvar e uma expressão de surpresa aparece em seu rosto. O outro médico também se aproxima. Os oficiais do Point não conseguem ouvi-la sussurrar; não percebem que daquele momento em diante estão sob o domínio *dela*. "Este foi o primeiro ponto", diz a voz que não é a de Walter Cronkite. McGee volta a enxugar a testa e levanta as tesouras, mas sua mão cai no meio do caminho. Ele volta a se curvar. "Está tudo bem... doutor McGee?", pergunta a voz de noticiário. O doutor McGee responde subitamente, erguendo o cortador de pontos, e, com uma velocidade de agulha de máquina de costura Singer, mergulhando-o no próprio rosto várias vezes sem parar.

Nos segundos seguintes, tudo acontece ao mesmo tempo. O caos está completo. É possível ouvir um uivo de arrepiar os pelos. A câmera é derrubada, forçando o tripé contra a parede, e então passamos a ver a sala de uma perspectiva nauseante. A bruxa não está mais em sua cadeira, mas de pé agora, num canto do consultório. Só conseguimos ver a parte inferior do seu corpo; o resto está cortado pelo ângulo de câmera. O agarrador caiu no chão. O doutor McGee está deitado, esparramado numa grande poça de sangue, seu corpo se contorcendo em convulsões. Também vemos de perto as pernas do segundo médico deitado — pelo menos supomos que sejam as pernas do segundo médico. Os oficiais estão gritando e fugindo da cena. Parece que Bammy Delarosa quer fazer a mesma coisa; ela está segurando as mãos diante do rosto e hiperventilando. Seu marido parece muito chocado para perceber que está assistindo a acontecimentos reais.

"Essa", disse Robert Grim, "foi a última vez que os serviços de inteligência queimaram os dedos com a bruxa."

Ele clica command+Q e a tela fica escura.

+++

"Cinco pessoas morreram", continuou Pete. "Os dois médicos cometeram suicídio ali mesmo, mas em outras partes de Black Spring três pessoas idosas caíram mortas na rua, todas ao mesmo tempo. Necropsias revelaram que todas tiveram hemorragias cerebrais agudas. Supõe-se que a hora da morte delas coincidiu exatamente com o corte do primeiro ponto."

Silêncio no bar do hotel. Steve deu uma olhada de relance em seu telefone e percebeu que agora já eram três e quinze da madrugada. Bammy estava nos braços de Burt, tremendo e chorando, e os outros olharam desconfortáveis para os próprios pés. "Eu não quero voltar para aquela casa, Burt", chorou Bammy. "Nunca mais quero voltar para lá."

"Calma, calma", disse Burt com a voz rouca. "Não vai precisar." Ele se virou para Grim. "Vou dizer uma coisa a você, estamos os dois muito perturbados. Agradeço mesmo que tenha reservado esse quarto de hotel para nós, mas acho que eu e minha esposa não queremos ficar nem mais um minuto em Black Spring. Temos muitas perguntas, mas elas podem esperar. Se minha mulher tiver condição de dirigir, vamos ficar com amigos em Manhattan esta noite. Se não for possível, vamos pegar um táxi e ficar num motel em Newburgh."

"Eu não acho que...", tentou interromper Pete, mas Burt não deixou que ele dissesse mais uma palavra.

"Amanhã vou ligar para um corretor. Eu... lamento que vocês tenham de viver com isso, mas... não é para nós. Vamos nos mudar."

"Receio que isso não irá acontecer", disse Pete com suavidade. Agora, Steve percebeu, nem mesmo Pete tinha a coragem de olhar na cara deles.

Finalmente, Burt perguntou: "O que você quer dizer com isso?".

"Antes, você disse o 'seu' fantasma de aldeia, a 'sua' bruxa. Lamento ter de lhes dizer isto, mas receio que, a começar por esta noite, o problema também é de vocês. Ela não vai deixá-los partir. Vocês vivem em Black Spring agora. Isso quer dizer que a maldição também recaiu sobre vocês."

O silêncio que se seguiu só pôde ser quebrado por Robert Grim: "Bem-vindos ao lar". Seu rosto assumiu um sorriso mórbido. "Temos várias feirinhas excelentes na cidade."

7

Tyler voltou para casa do serviço comunitário na tarde seguinte encharcado de chuva, o rosto tenso. Steve estava na mesa da sala de jantar lendo um artigo na *New Yorker*, mas precisou recomeçar duas vezes porque a mente não parava de vagar. Só chegaram em casa às quinze para as seis da manhã, ele e Jocelyn zonzos e exaustos. Cochilaram e acordaram subitamente tomando uma xícara de chá na cozinha, até que, para sua grande frustração, Steve começou a enxergar os contornos da floresta atrás da casa quando o primeiro sinal da aurora tocou o céu a leste. Decidiu não ir se deitar com Jocelyn e passar direto para o café — precisava se levantar para trabalhar às sete.

Naquela tarde, depois das aulas, ele voltou para seu escritório no centro de pesquisas para ver uma pilha de resultados de provas de doutorado, mas, quando deu por si, estava olhando para os riscos de chuva que desciam pela janela. Seus pensamentos vagaram para a conversa com os Delarosa.

"Não sei o que está passando na sua cabeça", disse sua assistente graduada, Laura Frazier, ao passar em seu escritório para arquivar um monte de formulários, "mas aceite meu conselho: vá para casa e durma um pouco. Você está com cara de quem precisa."

Steve deu um sorriso zonzo a ela. "Dormi bem pouco. Minha esposa está doente." Ele ficou chocado com a naturalidade com que a mentira passou por seus lábios. Deus, que ótimo mentiroso ele havia se tornado depois de dezoito anos. *Parte da identidade de Black Spring*, teria dito Pete VanderMeer.

"Você vai ficar doente se não se cuidar. Não estou brincando."

"Eu estou parecendo um caco, não estou?", perguntou ele, e subitamente o grito de desespero de Burt Delarosa passou pela sua cabeça: *por que vocês não se esforçaram mais para nos manter longe daqui, seus filhos da puta?*

Agora Jocelyn estava na cama lá em cima e Matt fazendo seu trabalho de casa. Tyler deu um "oi" seco para seu pai e subiu para pendurar as roupas molhadas. Steve pôde ver que havia algo incomodando seu filho. Sabia que teriam de conversar, mas não era só isso. Não dava para perguntar a Tyler logo de cara; era preciso esperar até ele procurar ajuda. Aquela vulnerabilidade de menino era uma das características que Steve admirava nele.

E, como era de se esperar, aí está ele, disse a si mesmo quando Tyler desceu, quinze minutos mais tarde. Mas não desviou a atenção do artigo que estava lendo; não queria dar a ele a impressão de que estava esperando que esse momento chegasse.

"Mamãe me disse que vocês ficaram até muito tarde com o pessoal novo", disse Tyler com leveza forçada. Sentou-se na outra ponta da mesa da sala de jantar. "Nem me fale", disse Steve. "Acabamos virando a noite."

"Como foi?"

"Uma loucura, como de costume. Mas eles vão superar, de algum modo. Como foi o serviço comunitário?"

Tyler ficou vermelho e deu um sorriso culpado. "Então você sabe."

"A cidade inteira sabe", disse ele, mas deu uma piscadela para o filho e o puxou um pouco mais para perto. Tyler estava visivelmente aliviado. "Vocês são umas figuras. Robert Grim me mostrou as imagens ontem à noite. É o seu relatório mais sensacional até agora, devo dizer."

"Nem brinca. A gente ficou chocado. E, honestamente, senti um pouco de vergonha por ter feito aquilo com ela. Quero dizer, nós esperávamos alguma coisa, mas isso não... não que ela fosse cair de bunda..."

Steve sorriu, mas continuou, com mais seriedade. "Espero que vocês compreendam que todos tiveram uma sorte incrível. Um só erro e vocês não estariam apanhando papéis no parque agora, mas lá naquela ilha."

"Robert está do nosso lado, sabia?"

"Robert talvez sim, mas o Conselho não. Você mesmo disse que não sabia o que esperar. Ela poderia ter dado a volta no poste de luz; em vez disso, trombou nele e caiu. Deus sabe o que mais poderia ter acontecido. Se dependesse do Conselho, vocês todos estariam em Doodletown agora."

Tyler deu de ombros, um gesto que deixou Steve um pouco incomodado. "Você faz alguma ideia de com o que está mexendo?", perguntou ele. "Suas boas intenções não tornam você invulnerável, você sabe. E não estou nem sequer falando *dela*. O Conselho não tem grande consideração por pessoas como Jaydon Holst. A ideia foi dele?"

"Não, foi de nós todos", disse Tyler com olhos que não hesitaram. Era outra coisa que Steve admirava nele: Tyler nunca deixava os outros levarem a culpa por seu próprio comportamento.

O problema não tinha sido exatamente que tivessem pregado uma peça e gravado tudo em vídeo: isso era brincadeira de moleque. Em termos de criação de crianças, Steve e Jocelyn sempre tiveram ideias progressistas, apesar das restrições do Decreto de Emergência. A única coisa que fazia a situação na cidade ser gerenciável — e sustentável, como alguns afirmavam — era que Black Spring era uma comuna doutrinada. O povo vivia de acordo com regras restritas, porque acreditava nessas regras e as aceitava sem questionar. As crianças se encharcavam dos mandamentos do Decreto de Emergência junto com o leite materno: Não te associarás à bruxa. Não deverás dizer uma só palavra sobre ela para pessoas de fora. Deverás obedecer ao regulamento para visitantes. E o pecado mortal: Não deverás jamais, sob circunstância alguma, abrir os olhos da bruxa. Essas eram regras criadas pelo medo, e Steve sabia que o medo invariavelmente levava à violência. Ele já tinha visto muitos rostinhos neutros e pálidos com olhos roxos e lábios inchados no playground da Escola Fundamental de Black Rock anos antes, rostos de crianças que deram com a língua nos dentes para amigos ou primos de fora da cidade e haviam sido espancados até a total "reprogramação", de acordo com o exemplo de seus pais.

Steve e Jocelyn desaprovavam esses métodos. Eles haviam escolhido criar seus filhos com harmonia e simbiose bem fundamentadas, com muito espaço para pensamento independente mas sem perder de vista a realidade de seu destino. Como resultado, os dois haviam se tornado garotos sensíveis e de bom coração, garotos que inspiravam confiança de que nunca se meteriam em uma confusão.

Mas essa confiança é uma ilusão, pensou Steve. *Durante anos você acha que tem tudo sob controle, então alguém menciona a palavra "Doodletown" e você vê a desfaçatez com que Tyler dá de ombros.*

"Quando foi a última vez que você visitou o bunker?", perguntou Steve.

"Sexta série, eu acho. A srta. Richardson nos levou lá."

"Será que não é hora de voltarmos para dar outra olhada, então? Lembrar de como é por dentro?"

Tyler deixou os ombros caírem. O Centro de Detenção de Doodletown era um bunker privado na sombria Ilha de Iona, no Hudson, a quase dez quilômetros fora da cidade e na sombra da ponte de Bear Mountain. Parte do currículo especialmente adaptado da Escola Fundamental de Black Rock ditava que todos os alunos deviam fazer uma excursão de conscientização.

"As paredes e os pisos são acolchoados", disse Tyler.

"Exatamente, e por uma boa razão. Três semanas de confinamento solitário em uma daquelas celas vai deixar você louco. Você sentirá tanta angústia que vai implorar de joelhos para que o deixem voltar a Black Spring. E a essa altura você ainda está se perguntando para que servem as paredes acolchoadas, até o meio da terceira semana, quando começar a surtar e ter pensamentos suicidas. Você vai ficar sob supervisão para evitar que realmente *faça* isso, mas tem de *vivenciar* a sensação. Entendeu o que estou dizendo?"

"Pai, eu sei como é", suspirou Tyler.

"Não sabe, não", disse Steve, e uma mão fria se fechou em suas entranhas quando a lembrança de tanto tempo atrás, na viagem à Tailândia, voltou diante de seus olhos, quando ele se encontrou com o lençol nas mãos, olhando seus próprios pés pendurados... quão próxima a intenção havia chegado perto da realidade? "A questão é esta: você não sabe, e esse é exatamente o problema."

Doodletown se baseava na ideia de que, se os condenados tivessem experimentado a influência da bruxa diretamente, estariam conscientes do perigo que apresentavam para si mesmos e aos outros habitantes da cidade. Embora Steve se opusesse ferozmente a essa forma de sanção por uma questão de princípio, ela provou ser extremamente efetiva: a taxa de recaída era quase zero.

"Você sabe quantos direitos humanos básicos eles violam com Doodletown?", comentou Tyler.

"Podem até violar, mas não estamos lidando com um ditador aqui. Katherine é um mal sobrenatural. Isso invalida todas as normas e faz da segurança nossa primeira, segunda *e* terceira preocupação."

"Você fala como se apoiasse isso."

"Claro que não apoio. Mas já notei que bando de puritanos filhos da puta a maioria das pessoas aqui em Black Spring é? Não importa se eu apoio isso ou não; *eles* apoiam. E eu gostaria de ver você tentar refutar os argumentos deles. O que mais podemos fazer?"

"Sair do armário", disse Tyler muito sério.

Steve ergueu as sobrancelhas. "E como exatamente você faria isso? Uma parada de orgulho descendo a Deep Hollow Road?"

"Ha-ha. Sério, em *True Blood* os vampiros saem do armário. Se você sair da obscuridade e tiver provas científicas, então ninguém vai poder impedir isso, sendo bruxa ou não. É a única coisa que *não* foi tentada até agora."

"Tyler... *True Blood* é uma série de tv!"

"E daí? A mídia inspira a realidade. Veja a Primavera Árabe. Tudo começou quando *uma* pessoa teve um sonho e colocou no Facebook. Dois meses depois, toda a Praça Tahrir estava abarrotada. Foi uma rede social que tirou a bunda das pessoas da cadeira. Mesmo que você viva no Irã, a liberdade está apenas a dois cliques de mouse de distância. Por que não em Black Spring?"

"Tyler...", gaguejou Steve, mas o garoto estava acelerado e não era possível contê-lo.

"Não sou o único que pensa assim. Todos os garotos sentem a mesma coisa. Eu apenas sou o único que tem coragem o bastante para abrir a boca. Estamos cansados de viver na Idade Média. Queremos internet livre e queremos nossa privacidade. Nosso Facebook e as mensagens de WhatsApp são todas censuradas pela hex como se a gente vivesse em Moscou, caralho, e às vezes as mensagens nem chegam. Não dá nem pra acessar o Twitter daqui. Você faz alguma ideia de como somos incrivelmente atrasados? Sua geração pode ser doutrinada, mas *nós* queremos mudança."

Steve olhou para seu filho sem conseguir conter a admiração. "A maior parte das pessoas da cidade não dá a mínima para a sua internet. Encaram-na como um grande vazamento no labirinto delas.

Não deixe ninguém ficar sabendo dessa sua ideia ou vão tirar ainda mais de você."

"Que tentem", debochou Tyler.

"E como você planeja fazer isso? Mandar um e-mail para o *New York Times* com aquele seu clipezinho dela dando de cara no poste?"

Tyler soltou um gemido de desprezo infinito. "Nós mandaríamos a *National Geographic* ou o *Discovery Channel* fazer um documentário, bem preparado e com o maior sigilo. Seria a sensação da mídia, claro. A cidade vai ficar repleta de jornalistas e cientistas do mundo inteiro. Tudo se resume a uma boa preparação. Se formos claros logo de saída sobre como isso é sério, e como é importante manter os olhos e a boca dela fechados, nada pode dar errado."

"Tyler... O Exército teria de interferir! Estaríamos tão assoberbados pela imprensa e pelos curiosos mórbidos que eles teriam de colocar a cidade em quarentena. Talvez dissessem que estavam fazendo isso para nossa própria segurança; mas não, estariam fazendo isso para impedir um levante popular. Você pode prever um ditador, uma bruxa não. Você não deixaria a eles outra opção além de nos isolar do resto do mundo. E acha que não tem liberdade agora?"

Tyler hesitou apenas de leve. "Talvez no começo. Mas pense só. Com todas essas câmeras nas divisas, teríamos a plataforma perfeita para contar nossa história! A simpatia seria imensa. E talvez até achássemos uma solução para todo o problema! Deixe que o mundo se vire com isso. Quero dizer, não somos a primeira maldita cidade da história com uma maldição sobre nossa cabeça."

Steve estava perplexo. Aquele não era apenas um pensamento de passagem. Tyler parecia absolutamente convencido. Mas é impossível. Ele se lembrou de uma das muitas perguntas que Burt Delarosa havia disparado na noite anterior em seu momento de desabafo: *como é possível que algo tão grande assim tenha sido mantido em segredo por tanto tempo?* Isso era sempre o que mais intrigava os recém-chegados. A resposta de Steve tinha sido um sumário perfeito da impossibilidade dos ideais de Tyler: *tudo se resume ao nosso desejo de sobreviver. Se a notícia correr, quase certamente resultará em nossa morte. Cada vez que Forasteiros vêm aqui, sejam oficiais militares, sejam cientistas do oculto, seu medo e sua descrença andam lado a lado com sua curiosidade para abrir os olhos dela. É como um desejo que toma conta deles. Se não resultava num desastre como em 1967, acabava requerendo muita propina para fazer com que eles fossem embora. É por isso que fazemos tudo que podemos para ocultá-la. Erguemos paredes ao redor dela ou colocamos uma tela dobrável na sua frente se ela aparece em restaurantes ou no supermercado. Ano passado mesmo, perto da Páscoa, ela apareceu num dos corredores do Market & Deli e decidiu ficar lá por três dias. Foi preciso colocar um gigantesco coelhinho da Páscoa oco em cima dela, como uma capa protetora de tábua de passar tamanho gigante. O Point repreendeu Grim por isso, mas eles lá não entendem como você tem de ser prático. Nós bloqueamos as ruas por onde ela passa, plantamos arbustos ao redor dela se estiver parada perto de uma das trilhas na floresta... tudo que estiver ao nosso alcance. Eis aqui o maior truque: nós nos vangloriamos dela. Do jeito que fazem em Roswell com seus óvnis. Você não viu a estátua de cores vivas de uma bruxa velha torta com uma vassoura na frente do Sue's Highland Diner? Ela se parece mais com a Bruxa Malvada do Oeste de O Mágico de Oz do que com Katherine, mas você entendeu. Ao lado dela tem uma placa de madeira de boas-vindas que diz* BLACK SPRING, CASA DA BRUXA DE BLACK ROCK. *O Sue's Highland Diner organiza umas excursões especiais da bruxa na floresta. De tempos em tempos, alguns grupos se dispõem a ir, em sua maior parte aposentados ou crianças em excursões locais da escola, e podem posar para uma foto com a bruxa: uma atriz da cidade. Eu sei, parece um pouco brega e provinciano. Mas é o disfarce perfeito. Nós não podemos garantir que ela nunca será vista. Esta é uma área bem turística, com muita gente que faz trilha e pessoas que gostam de admirar a vista. Sempre que alguém de fora a vê por acaso — o que é raro, graças ao bom trabalho de Robert Grim —, fazemos uma turnê improvisada a partir do Sue's onde tanto os participantes como a bruxa são atores de Black Spring, para explicar o que acharam que tinham visto. Caso encerrado.*

A ideia de Tyler de "sair do armário" era contrária à alma puritana da cidade. Era uma ideia idealista e rebelde, e numa comunidade como Black Spring, governada pelo medo, a rebelião era uma coisa perigosa. O último grama de idealismo seria sacrificado no altar da segurança. E Steve faria qualquer coisa para evitar que Tyler acabasse nesse altar.

"Escute", disse ele, "eu tenho muito orgulho de você. Você está defendendo seus ideais. Mas nove entre cada dez pessoas de Black Spring querem manter as coisas do jeito que estão, porque têm medo das consequências. Uma proposta assim não teria chance no Conselho. Por que você quer tentar lutar uma batalha perdida?"

Tyler se remexeu, desconfortável. "Não sei. Questão de princípio. Eu quero uma vida. Não quero passar o resto dos meus dias aqui no mato. Você quer?" Ele pareceu estar trabalhando sua coragem, e depois acrescentou, de uma vez só: "E eu quero ser honesto com a Laurie".

Ah, então essa é a questão, pensou Steve. A questão era o amor. Sentiu uma pontada de remorso: Tyler realmente merecia coisa melhor do que Black Spring. Subitamente lhe ocorreu que, quando seu filho fazia esse olhar preocupado, tinha uma semelhança chocante com a mãe.

"Pai, se eu quiser contar a Laurie, você me apoia?"

"Você sabe que isso é impossível."

"Eu sei, mas estou cansado de mentir para ela. Você acha que ela nunca pergunta por que quase nunca permitimos que ela durma aqui? Ela acha que vocês são televangelistas."

Steve reprimiu a vontade de rir — a questão era séria demais para isso. Laurie era um bom par para Tyler, inteligente e ousada, o tipo de garota que quase não usava maquiagem, mas era naturalmente atraente. Tyler a levou para conhecer a casa pela primeira vez sete, oito meses atrás. "Vocês dois estão mesmo sérios?"

"Eu a amo."

Steve suspirou. "Eu avisei a você sobre isso quando começou a namorar. Laurie é mais do que bem-vinda aqui. Você pode passar todas as suas horas de visita com ela, eu não ligo. Mas não podemos deixar que as visitas dela passem do toque de recolher. Se descobrirem isso, nos dariam uma multa tão alta que teríamos de vender os cavalos. Você devia ficar contente por Matt lhe dar as horas dele de vez em quando."

"Eu sei, mas é por isso que eu pensei, se ela soubesse..."

"Você sabe que isso nunca acontecerá. Não é a mesma coisa que dizer à sua namorada que você é vegetariano ou bissexual ou algo assim. Você está lidando com toda a cidade."

"Eu não seria o primeiro, você sabe", bufou Tyler. Ele pulou da mesa. "Você realmente acha que existe alguém aqui que ainda não contou pro seu melhor amigo de fora da cidade?"

"Claro que sim. Mas são as mesmas pessoas que fariam um escândalo se descobrissem que os vizinhos fazem a mesma coisa. Elas diriam: *eu* posso julgar se meus amigos são de confiança, mas meus vizinhos não."

"Você sabe o quanto isso parece hipócrita?"

"Bem-vindo ao planeta Terra. Você..."

"*Bem-vindo a Black Spring!*", gritou Tyler subitamente — gritou *mesmo*, e Steve recuou, alarmado. Percebeu como esse assunto era sensível para seu filho. Tinha de pisar com cuidado para explicar a Tyler que, em sua raiva, ele estava deixando de ver algo tão óbvio como um elefante na sala.

"Você não pode contar a Laurie, Tyler. E acredite: *você não quer fazer isso com ela*. O risco é grande demais. Você não sabe como ela reagirá ou a quem contará. Você não pode botar esse fardo nas costas dela."

"Mas então você está falando que eu jamais vou poder ser honesto com ela. Depois das provas finais no ano que vem, Laurie quer passar seis meses na Europa e perguntou se eu gostaria de ir com ela. O que é que eu digo? 'Prefiro ficar em casa com a minha Família Addams?'"

"Tyler, me desculpe, mas é isso que vai acontecer se você sair com garotas de fora. Laurie quer ir para a faculdade, ela quer viajar — quem pode culpá-la? Eu sei que não é justo, mas você não pode sair deste lugar. Pode estudar na cidade se quiser passar quatro horas num trem todos os dias, mas quanto tempo você acha que seria capaz de manter isso? Ou ela?"

Os lábios de Tyler tremeram de desespero. "Então o que você está tentando me dizer? Que é melhor eu terminar com ela?"

"De jeito nenhum. Mas você é tão jovem. Não deveria se amarrar..."

"Eu amo essa garota, e não vou deixar esta cidade de merda se meter entre a gente!"

"Então qual é a alternativa?", perguntou Steve. Tentou pôr a mão no braço de Tyler, mas o garoto o repeliu com força. "Você sabe que a única maneira de dizer a ela seria se ela se mudasse para Black Spring — ou, deixe eu refazer a frase, *depois* que ela se mudasse para Black Spring. Vou repetir: você quer fazer isso com Laurie? Você estaria decidindo como seria o resto da vida dela. Será que ela seria capaz de perdoar você?"

"Você decidiu isso por mim e por Matt", sibilou Tyler, fechando os olhos com força.

Ele se arrependeu imediatamente de suas palavras, claro, agora que era tarde demais. Mas Steve sentiu a sombra escurecer seu rosto. Era como esfregar sal na sua ferida mais profunda: o fato de que, por causa de sua infeliz decisão de ir para Black Spring, ele havia condenado as vidas de seus filhos, desde o berço. Steve olhou para Tyler, virou a cara, e se sentou.

"Isso não é justo", disse ele baixinho. A agitação na sua voz era suplantada pela dor. "O que nós deveríamos ter feito? Abortar vocês?"

"Desculpe", murmurou Tyler, desconfortável, mas em sua mente Steve ouvia o lamento de Burt Delarosa mais uma vez: *por que vocês não se esforçaram mais para nos manter longe daqui, seus filhos da puta?* Ele chegou a chorar, o rosto molhado de lágrimas, e também não seriam suas últimas lágrimas, Steve sabia. Eram as mesmas lágrimas que ele próprio havia derramado dezoito anos antes. *Eu lamento muito mesmo*, dissera para Burt. *O certo seria selar Black Spring hermeticamente e deixar a maldição morrer com o último de nós. Claro, nossa taxa de ocupação de lojas é mais baixa do que em qualquer outra parte do Hudson, e há casas onde as luzes acendem e apagam por intermédio de temporizadores para que pareçam habitadas. Robert Grim trabalha duro com o corretor de imóveis para manter as pessoas longe. Mas o Conselho, liderado pelo bom e velho Colton Mathers, está se dedicando bastante a manter a cidade sã e resistindo aos problemas inevitáveis da idade. Permitir um fluxo de gente nova é o menor dos males, dizem. É um sacrifício, mas a vida aqui no mato não é assim tão ruim. Ok, temos uns pequenos inconvenientes, como não sermos capazes de tirar férias longas, ou termos de registrar horas de visita (para evitar um Código Vermelho, você sabe); e algumas restrições on-line também; e, ah, sim, é melhor vocês se acomodarem bem porque não vão mais sair daqui... Mas a vida é muito boa, se vocês seguirem as regras. E vamos encarar os fatos: não podemos organizar toda a nossa política e assuntos da comunidade em torno de um fenômeno sobrenatural, certo? No fim, sempre existe esperança. Esperança de que, de alguma forma, de um jeito ou de outro, a situação acabe... se resolvendo sozinha.*

"Escute", disse Steve, incrivelmente cansado. "Eu tive de passar uma hora inteira preocupadíssimo ontem à noite, tentando explicar àquele pessoal novo por que em nome de Deus não impedimos que eles comprassem aquela casa. A política da cidade me dá nos nervos, e em Robert Grim também. É uma *péssima* política. Se você realmente ama Laurie, não faça isso com ela. *Não há* alternativa."

"Haverá se sairmos do armário", insistiu Tyler teimosamente.

"No ano que vem você chega à maioridade legal. Aí você poderá submeter propostas ao Conselho até não aguentar mais, eu não dou a mínima, e recrutar quanta gente quiser. Se tiver um bom plano, estou preparado para votar a favor. Mas, até lá, não faça nada de ilegal e, definitivamente, não faça nada de imbecil sem consultar o Conselho.

Chega de mexer com a bruxa, nada de vídeos no YouTube, nada de ideias malucas. Fui claro?"

Tyler resmungou.

"Você não está escondendo alguma coisa de mim, está? Eu realmente espero que não."

"Não", disse Tyler, impassível, depois de uma breve hesitação.

Steve deu uma rápida olhada em Tyler, investigando. "Tem certeza absoluta?"

"Eu disse não, não disse?" Ele deu um pulo, irritado — os dois estavam cansados e zangados. "Caramba, pai, do que você tem tanto medo?"

Steve suspirou. "Da última vez em que alguém quis ir a público com isso foi em 1932, durante a Grande Depressão. Alguns trabalhadores perderam seus empregos. Eles ameaçaram dar com a língua nos dentes a menos que ganhassem um emprego, já que, naturalmente, não havia oportunidades de tentar achar emprego em outro lugar. A cidade fez uma votação para dar um exemplo a outros chantagistas. Eles foram açoitados publicamente e mortos por um pelotão de fuzilamento na praça da cidade."

"Pai... estamos em 2012."

"Sim, e eles não vão mais usar um pelotão de fuzilamento. Mas castigos físicos ainda constam no Decreto de Emergência, e você seria um idiota se subestimasse o que eles são capazes de fazer quando se sentem acuados."

Tyler ficou em silêncio por muito tempo. Por fim, balançou lentamente a cabeça. "Não dá pra acreditar nisso. A gente provavelmente já tá fodido mesmo, mas esse é um nível novo para se estar fodido."

"Citando: Bem-vindo a Black Spring", disse Steve.

THOMAS OLDE HEUVELT
HEX

8

Griselda Holst, dona do Griselda's Butchery & Delicacies, corria pelas ruas molhadas de chuva da Upper Mineral Valley, a parte rica da cidade. Ela estava curvada e agarrando uma sacolinha branca de encontro ao peito, e o poncho que vestia tinha um capuz de plástico do qual seus cabelos prematuramente grisalhos despontavam em tufos que pingavam. Se o capuz fosse vermelho, ela poderia ter sido confundida com a garotinha daquele outro conto de fadas... O do lobo, não o da bruxa.

Havia sangue em seu lábio, mas ela não reparou. Se o povo da cidade a tivesse visto correndo assim, mal a teria reconhecido, pois os frequentadores do Griselda's sabiam que ela era uma mulher forte — um tanto triste, talvez marcada pela vida, mas muito respeitada. Para muitos, o Griselda's Butchery & Delicacies servia como ponto de encontro local, mais ainda que a Taverna do Homem Calado no outro canto da praça. No Homem Calado, eles bebiam para esquecer. No Griselda's, estavam sóbrios, com as memórias escritas em rugas em todos aqueles seus rostos. Talvez isso acontecesse porque Griselda tinha um rosto igual ao deles. Sempre escolhiam as mesas de sua loja para contar novamente o último mexerico da cidade sobre um prato de alguma coisa com carne. As pessoas conheciam o seu passado. Elas nunca o mencionavam, como se as marcas visíveis dos socos e a maquiagem que ela usava para cobrir os hematomas tivessem todos sido gestos de amor. Nunca mencionavam o marido dela, o verdadeiro açougueiro Jim Holst, que não conseguiu lidar com Black Spring e desapareceu sem deixar vestígios sete anos antes — a não ser talvez por um relato anônimo em um jornal encontrado numa sarjeta de Boston: *Homem desconhecido se atira na frente do trem*. Todos sabiam, mas ninguém quebrou sua conspiração silenciosa.

Da parte de Griselda, ela sabia que a maioria de seus clientes fiéis secretamente sentia falta de Jim, apesar do sofrimento dela, mas não admitiriam isso nem diante de um tribunal da Inquisição. O Jim's Butchery & Delicacies tinha feito fama por causa de seu patê de peito de ganso, uma iguaria que o próprio Jim havia criado e fazia fresquinha todos os dias. Comparado com aquela charcutaria refinada, o patê Holst avinagrado de Griselda parecia mais um queijo pulverizado. Entretanto, as pessoas o compravam há uns bons sete anos, e Griselda continuava fazendo para eles. Observe um típico ritual de simpatia tácita de Black Spring: apertam a mão dela, fazem carinho em seu rosto, mas cai a noite e o patê Holst de Griselda é colocado sem nem mesmo ser aberto na lata de lixo, e todos pensam: *Será que ela está chorando? Ou ela realmente é tão forte como deixa transparecer?*

Mas enquanto Griselda subia a colina e passava pelas luxuosas fazendas na Upper Mineral Valley, ligeira e arredia, não parecia nem um pouco uma mulher forte. Ela parecia uma exilada. Era provocada e xingada, cuspiam nela e abusavam dela.

E aí, piranha suja. Que tal abrir as pernas de novo?

Ouvia isso de Arthur Roth, que não sabia o nome dela — pelo menos não sabia mais —, quando ela se afastava da cela que ficava embaixo da igreja Crystal Meth.

Vai se foder, sua piranha doente!

E isso de seu próprio filho Jaydon, meia hora antes.

E, depois de cada palavra cruel, dizia a si mesma que elas não mais a lembravam das mãos cheias de calos de Jim puxando os bicos de seus seios arroxeados, que os punhos dele não provocavam mais nenhuma dor, que ela não podia mais sentir o cheiro do seu hálito nojento com cheiro de vodca e patê de peito de ganso.

Não gosta disso, Griselda? Não foi por isso que se casou comigo?

Griselda parou em um pomar, no acostamento da estrada, e ficou vasculhando a encosta da colina. Lá não havia ninguém para vê-la.

Todo mundo estava em casa vendo o noticiário local ou *Law & Order*, com o aquecimento ligado pela primeira vez no outono. Mesmo com seu corpanzil, ela rapidamente pulou a cerca e saiu passando pelo pomar e pela encosta do campo cada vez mais íngreme, até chegar à beira da floresta. O chão estava ensopado e ela escorregou duas vezes, ralando as mãos. Ao chegar do outro lado, sem fôlego, subiu atrapalhada a colina coberta de árvores e finalmente conseguiu relaxar um pouco. Não havia trilhas nem câmeras em todo o caminho de subida até o Ackerman's Corner.

Na floresta, o ar estava pesado com o cheiro de umidade e mofo das folhas, provocado pela água da chuva que pingava através da folhagem espessa. Outra pessoa talvez pudesse ter achado peculiar que não fosse possível ouvir nem pássaros nem grilos e que não houvesse insetos, mas não Griselda — não em Black Spring. Ela tropeçou em um galho, ofegante, e com dores queimando logo abaixo de suas costelas. Finalmente, ela chegou a um leito de rio seco, escavado na pedra preta em eras anteriores pela água do derretimento de geleiras. O leito do rio era atravessado por uma árvore caída onde fazia uma curva fechada para a esquerda, e foi lá que ela parou.

Embaixo do tronco caído estava Katherine.

Ela estava envolta em sombras, e seu vestido disforme e encharcado de chuva colava em seu corpo emaciado, fazendo com que parecesse ainda menor e mais frágil do que já era. Griselda não era uma mulher alta, mas era pelo menos ainda uns trinta centímetros mais alta que a bruxa, anormalmente delicada, quase como uma criança. Griselda supôs que as pessoas não cresciam muito naquela época. A bruxa não se movia. A água da chuva que vazava pelo seu lenço saturado se acumulava entre os fios em suas pálpebras murchas e pingava por suas bochechas dos pedaços arrancados de carne. Ela parecia estar chorando.

"Oi, Katherine", disse Griselda, envergonhada. Olhou para o chão. "Eu queria trazer um guarda-chuva pra você, mas a chuva não a está incomodando agora, está?"

A mulher dos olhos costurados não se mexeu.

Griselda caiu no chão, aos pés de Katherine, e se sentou de costas para ela, gemendo por causa da dor nas juntas. Ela não se incomodava em ficar molhada e suja; apenas tinha de parar um minuto para respirar. Sabia bem que não devia olhar para a bruxa quando falava com ela, assim como não olhamos na cara de um animal selvagem quando entramos em seu território. A bruxa assomava sobre Griselda como um ídolo. O sussurro do canto de sua boca era pouco mais que um suspiro. E embora Griselda estivesse tão perto da bruxa que o cheiro pesado e antigo fosse demais para ela, a chuva e a floresta afogavam seus sussurros e não havia nada na terra que pudesse fazê-la chegar ainda mais perto... ou tocá-la.

Griselda retirou um saco de papel da sacola, e dali puxou um prato de papel com uma fatia do patê sólido que ela fazia em cima. Colocou tudo no chão, em frente aos pés ossudos e sujos de terra de Katherine. A água da chuva pingava da bainha de seu vestido em cima do patê, então Griselda afastou um pouquinho o prato. Ainda caía um pingo ou outro das árvores acima, mas pelo menos não estavam sendo poluídos pelo vestido.

Griselda olhou ao redor. Estavam sozinhas.

"Eu trouxe uma fatia extra grossa para você", ela começou. "Porque quero pedir desculpas pelo que Jaydon fez, Katherine. Com aqueles *amigos* que ele tem. Você sabe o que eu quero dizer. Eles envergonharam você."

A mulher dos olhos costurados não se mexeu.

Subitamente, Griselda começou a desabafar. "O que fizeram com você foi terrível. Que truque horrível. Você se machucou, querida? Eu disse poucas e boas pra ele, pode confiar. E ele não vai escapar fácil dessa. Vou fazer ele pagar pelos seus pecados, está me ouvindo? Eu estou tão apavorada, tão apavorada! Ele ficou quieto um tempo — meu garoto Jaydon, quero dizer —, mas tudo mudou agora. Simplesmente não consigo mais falar com ele. Ele não quer falar comigo, nem mesmo sobre seus jogos de beisebol ou as garotas com quem ele sai, ou as coisas das quais ele gosta. Eu me sinto tão indefesa! Consigo lidar com a raiva; faço isso o tempo todo. Já tive meu quinhão de raiva, como você sabe. Mas com essa indiferença dele eu não consigo. Às vezes, me pergunto se estou fazendo tudo errado, mas não sei se deveria pegar mais pesado ou ficar mais tranquila com ele. Você sabe pelo que ele passou. Não foi fácil. E aí acontece uma coisa dessas..."

Uma poça de água da chuva começou lentamente a se formar ao redor do patê no prato aos pés da bruxa. Griselda não viu. Continuou: "Ah, querida, não me leve a mal, eles desrespeitaram você, mas diz ele que a ideia foi de outro. Jaydon se deixa influenciar tão facilmente pelos amigos. Foi provavelmente aquele menino muçulmano com o qual ele sai, aquele *Buran*. Aposto que foi ele — é simplesmente o tipo de coisa que o povo dele faria, certo? E o Jaydon? Jaydon pode ser complicado, mas nunca quer fazer o mal. Se você pudesse ver como ele ajuda na loja... No fundo, ele é só uma criança frágil".

Mas então ela ouviu a voz dele vociferando em sua mente, tão alta e repentina que ela levou um susto e começou a olhar ao redor: "*Vai se foder, piranha doente!*".

Embora todo mundo em Black Spring parecesse saber o que havia acontecido, Griselda não ouviu nada a respeito até aquela manhã, quando os primeiros clientes boquirrotos entraram no açougue. Era como se metade da cidade tivesse ido dar uma olhadinha na expressão bestificada do rosto da mulher do açougueiro, e, à medida que corria a notícia de que ela não sabia, ainda mais gente aparecia para vê-la. Aquela tal de Schaeffer, que casou com o cirurgião rico só por causa do você-sabe-o-quê, chegou a voltar duas vezes com a desculpa de que tinha esquecido de pegar uma fatia de patê Holst. A sra. Schaeffer nunca tinha comprado nenhum patê Holst.

Houve quem mostrasse sinais de indignação, mas a maioria parecia ter achado isso um tanto divertido. Griselda estava chocada. Ela havia acabado de decidir que contataria Colton Mathers, chefe do Conselho — Conselho no qual, como cidadã proeminente e respeitada, ela também tinha lugar —, quando o próprio Mathers ligou para ela, bem no meio do movimento do meio-dia. Griselda foi para os fundos, deixando seus clientes na sala de almoço e no balcão, loucos de curiosidade.

O velho conselheiro estava lívido. Ele repudiava Grim por ter chegado a um acordo com os garotos e passado por cima do Conselho. Para evitar uma revolta geral, a única opção deles tinha sido dar aos garotos um aviso oficial, embora o bom homem tivesse realçado de modo bem direto que assumir uma abordagem mais pesada em nome da autoridade paterna serviria bem a Jaydon. Griselda estremeceu quando Colton Mathers disse: "Acredite ou não, a cidade na verdade parece *aprovar* esses moleques e seu truquezinho".

Depois disso, ela ficou apavorada. O medo se enroscou ao redor de seu estômago no decorrer da tarde, como se uma grande e inevitável calamidade se aproximasse como um trem expresso. Ela não tinha medo do que estava reservado para Jaydon, tampouco temia pela imagem da loja. Como todo o pessoal da cidade, Griselda vivia no medo constante do mau-olhado de Katherine van Wyler e no dia em que se voltaria contra ela. Mas embora todos soubessem que a maldição tinha sido fatal para o marido mal-humorado de Griselda, ninguém sabia que, desde o dia em que ela se libertou dele, Griselda na verdade tinha sido *grata* a Katherine. Seu medo se convertera numa determinação amarga de se libertar também do mal da bruxa. E foi assim que, por sete longos anos, no mais profundo segredo e sob a penalidade de sofrer algo bem pior que Doodletown, Griselda tinha oferecido presentes e coisinhas a Katherine, varrendo a calçada onde ela estaria caminhando no dia seguinte. Ela havia confiado à bruxa todos os segredos e as histórias que conseguira apanhar na cidade, as fofocas mais saborosas que por acaso ela ouvia no açougue, e apontava o dedo para os culpados, na esperança de cair nas boas graças de Katherine, de modo que ela e Jaydon fossem poupados caso o pior acontecesse. Ela endireitava o lenço de cabeça de Katherine quando o vento forte o deslocava (com uma vareta comprida, claro) e rearranjava suas correntes de ferro se parecesse lhe provocar desconforto. Ela moldou a bruxa como se fosse uma deusa que venerava, acreditando cada vez menos nas velhas lendas e cada vez mais na própria bruxa. Griselda faria tudo para ela, tudo a não ser a única coisa que não podia... Tudo menos abrir seus olhos.

"Mas", disse ela certa vez, confidencialmente, à bruxa, "eu sei que um dia alguém chegará e *fará* esse serviço, srta. van Wyler." Isso foi antes de ela se sentir íntima a ponto de chamá-la pelo nome. "Eu espero que nesse dia consiga se lembrar de que sempre fui boa para você."

Só que agora tudo que Griselda tinha construído com tanta dedicação ao longo de sete anos podia ter sido desfeito por Jaydon de uma só tacada.

Era por isso que precisava mostrar claramente de que lado estava. Ela havia esperado por Jaydon na cozinha e, mesmo antes que ele entrasse, deu-lhe um tapa na cara com as costas da mão. Jaydon gritou e cambaleou contra o balcão. O tapa reverberou como um tiro e encheu a cozinha de uma tensão explosiva. Nunca antes havia batido em sangue do seu sangue; os punhos de Jim haviam feito isso o bastante para os dois. Mas agora ela não tinha escolha: não havia como voltar atrás.

"O que você estava pensando?", perguntou ela numa voz gélida de raiva. "O que *diabos* você estava pensando? Você tem merda no lugar do cérebro?"

"Mas que porra é essa, mãe?"

Griselda levantou a mão mais uma vez e então foi sua palma que atingiu o rosto de Jaydon. Ele balançou os braços e tentou recuar, mas esbarrou no balcão novamente. Griselda sentiu o calor subir por seu rosto, o mesmo calor que sentia quando Jim se aproximava dela com aquele olhar esgazeado e os punhos erguidos. Mas assim que viu aquele jovem forte se encolher, percebeu que o tinha exatamente como queria: emboscado.

"Como é que você nos coloca em perigo assim? Você achou que eu não ia descobrir? A cidade inteira sabe. Como você pode ser tão burro?"

"O que que é isso?"

"Cale essa sua boca grande!"

Jaydon estava espantado de verdade. "Meu Deus, relaxa, já cuidamos de tudo. O Grim mandou a gente recolher lixo no parque, o que, fala sério, é uma imbecilidade porque eles pagam os assistentes do parque para fazer tudo de novo. Mas tá de boa."

"Não me interessa o que ele esteja mandando vocês fazerem. Agora você está lidando comigo."

"Como se você fosse importante." Jaydon tinha hesitado, mas agora estava se recuperando, e seu rosto assumiu a expressão de desafio que ela tanto odiava. "O Conselho disse..."

"Não estamos falando do Conselho", cuspiu Griselda. "Isso é entre nós dois, não está entendendo?" Ela olhou ao redor, nervosa, e abaixou a voz. "E se algum dia ela abrir os olhos; já parou pra pensar nisso? Acha que ela vai poupar você se fizer pouco caso dela? Você faz alguma ideia no que está nos metendo?"

Para a sua grande decepção, Jaydon começou a rir, não de prazer, mas de um tipo condescendente de pena. "Sério, mãe. Você tem problemas."

Ele estava para sair da cozinha, mas Griselda o agarrou pela gola da camiseta — precisou esticar a mão para cima para fazer isso — e o jogou de novo contra o balcão. "Você não vai a lugar algum, mocinho."

"Não encosta em mim", gritou Jaydon, soltando-se com um safanão.

"Você sabe o que aconteceu com seu pai! Quer acabar assim?" Isso deu certo; Griselda viu o rosto do garoto congelar. Apesar do fato de que o homem havia repetidamente espancado seu filho até ele ficar roxo, Jason teria ido até o inferno pelo pai — Griselda não faz ideia de como Jim havia merecido aquele respeito. Apesar de Jaydon ter hoje dezenove anos e seu pai estar morto há sete, o sentimento não havia diminuído. "Foi isso o que eu quis dizer", disse ela. "Eu estou me esforçando tanto por nós. Acha que está ajudando fazendo ela de boba?"

Os olhos de Jaydon irradiavam nojo, desprezo e ódio. Ela tentou não registrar o ódio, mas ele estava ali, como óleo numa poça de água parada. "Se ela abrir os olhos", disse ele, "vamos todos morrer."

Ele deu as costas e Griselda o agarrou novamente, agora implorando: "Isso não precisa acontecer, não está vendo? Vou garantir que a gente não morra; você e eu não, Jaydon. Escute..."

Ele girou nos calcanhares. "Vai se foder, sua piranha doente!"

PAFF!

Sem que ela se desse conta, sua mão bateu de novo, mais forte do que nunca desta vez. Um segundo depois, uma dor branca explodiu em sua cabeça e ela foi derrubada, caindo para trás no piso de linóleo da cozinha. Seu lábio inferior estava latejando e ela conseguia sentir o gosto metálico do sangue. Levou um tempo para perceber o que havia acontecido.

Jaydon estava em cima dela, na porta, olhando para baixo, o punho fechado na mão esquerda e a boca semiaberta. "Eu mandei não tocar em mim", disse ele baixinho. Pressionou com força a palma da mão no maxilar. "Você não é melhor que ele, merda."

Então ele foi embora, e o que doeu mais não foram suas palavras, não foi seu punho, mas a expressão que Griselda vira em seus olhos. Através de sua dor, ela viu um balanço de playground: o balanço que em outra vida, em outro lugar, ela poderia ter empurrado para ele. Eles teriam dado risada, os dois.

Mesmo assim, de algum modo, ela se recuperou, como havia feito por toda a sua vida, e agora estava lá, na floresta. Ela se sentia enjoada, fraca. Refletida na água da chuva que empoçava no leito do rio, Griselda viu um rosto que não reconheceu: bochechas de pele emaciada, bolsas embaixo dos olhos, lábios rachados e inchados.

A mulher de olhos costurados não se mexeu.

A oferenda estava aos seus pés, intocada.

"Me diga o que fazer, Katherine. Me diga; me dê um sinal para eu consertar as coisas. Eu nunca te peço nada, e você sabe que sempre fui boa pra você. Então nos poupe, por favor, quando chegar seu dia. Deixe que sejamos saudáveis. Livrai-nos da dor da doença, do pecado, do seu olho. Não pode ser tão má quanto dizem, certo?"

Meio distraída, ela inclinou o prato de papel e deixou a água da chuva escorrer. Então enfiou o dedo no patê, escavou um bom pedaço e o colocou na boca sem pensar.

"Já não fui castigada o bastante? Veja o meu rosto. Eu pareço dez anos mais velha do que sou. Não estou dizendo que é culpa sua, mas é a situação que leva a você. Minha artrite está piorando, isso para não mencionar as cicatrizes no corpo."

Sua deusa assomava sobre ela, imóvel. Griselda pegou mais um pouco de patê com o dedo e lambeu bem devagar.

"Você levou meu marido, e ele já foi tarde. Você sabe que estou grata por ter tirado ele de mim, mesmo com a dor que isso causou. Não é o fato de que ele foi embora que é doloroso, mas a lembrança de quando ele ainda estava lá. Mas a vida continua, como você bem sabe. Você volta a se erguer. Há momentos em que isso é tolerável, mas a coisa nunca vai embora de verdade. É uma marca que carrego comigo. E eu carrego por você, como o fardo que puseram sobre você. Eu sei como se sente, Katherine. Eu sei como é. E por isso estou lhe pedindo só esta coisa: não leve meu garoto, e não me leve. Por favor, não me peça isso."

E, enquanto Griselda continuava a oferecer suas súplicas, acabou por comer toda a fatia de patê encharcada de chuva. Ela gostava menos do gosto da carne que da estrutura do fígado, que grudava nas palavras no céu de sua boca e as tornava pesadas para que pudessem assim cair de seus lábios.

Ela estava tão perdida em sua oração que nem sequer reparou que a bruxa virou a cabeça em sua direção.

"Preciso ir agora", disse Griselda. "Já vai ficar escuro. Não que eu não quisesse ficar com você um pouco mais, mas as pessoas vão reparar se eu descer as ruas depois de escurecer." Na verdade, ficar sozinha com a bruxa depois do cair da noite era a última coisa que Griselda queria, e a noite caía rapidamente na floresta. "Arthur Roth, na Crystal Meth, não mudou nada. Eu fui vê-lo antes de chegar aqui. Colton Mathers quer que eu passe a dar somente meia ração para ele, então agora só trago comida dia sim, dia não. Seus ossos estão começando a aparecer. Acho que querem se livrar dele, mas parece tão desumano fazer isso assim. Não é comportamento de gente civilizada, é? Tenho certeza de que ele está na agenda para a próxima reunião do Conselho, mas ficaria surpresa se eles tomarem alguma decisão real desta vez."

Arthur Roth fora um problema no Conselho de Black Spring por anos: um ex-dono de loja de ferragens e alcoólatra depressivo que perdeu sua casa em setembro de 2007 e a cabeça dois meses depois. Desde então, tinha ameaçado revelar o segredo da cidade falando abertamente o que estava acontecendo em Black Spring. As quatro vezes em que o sentenciaram a Doodletown só haviam tornado sua insanidade mais persistente. Mesmo assim, o Conselho não ousou colocá-lo em um sanatório fora da cidade, por medo da suspeita que ele poderia provocar antes de se matar. Quanto a cuidar do problema eles mesmos... Ninguém havia de fato pronunciado as palavras. Afinal, eram todos pessoas civilizadas ali em Black Spring.

Griselda fez pressão com o dedo indicador nos últimos fragmentos de patê e lambeu. "Será que você não poderia talvez fazer uma visitinha a ele um dia desses?", perguntou ela. "Desculpe perturbar você com isso, sei que não gosta de igreja e tal, mas quem sabe só uma exceção? Ele está lá embaixo, nas celas. Sério, seria tão mais fácil..." Ela virou a cabeça, envergonhada, e deu uma olhadinha rápida para a bruxa pela primeira vez naquela noite. "Talvez você pudesse sussurrar alguma coisa no ouvido dele."

Subitamente, Katherine se curvou sobre ela. Griselda estremeceu com um espasmo violento provocado pelo frio súbito, e caiu para trás, com um grito, parando no leito do rio lamacento quase da mesma maneira que havia caído no linóleo da cozinha mais cedo. O medo tomou conta dela em ondas cinzentas e se misturou com a chuva enquanto ela se forçava a olhar para aquele rosto mutilado, os pontos na pele morta como um zíper preto sobre olhos cegos, e ela foi se arrastando para trás, agarrando a lama com as mãos diante de sua própria morte...

E parou.

A mulher dos olhos costurados não havia se movido nem um pouco.

Griselda se apoiou nos cotovelos e ficou escutando seu coração bater de modo errático nas têmporas. Começou a sentir tontura, como se estivesse flutuando. Katherine van Wyler ainda estava parada, em pé, mais acima no leito do rio, um ídolo escuro, pingando, envolto por correntes na última luz do dia mortiço. Por um momento, Griselda teve medo de desmaiar, mas pensar em acordar na escuridão, nos domínios de sua deusa, lhe deu força suficiente para se virar, levantar cambaleante e sair correndo, sem sequer dizer adeus.

A oferenda, na forma de um prato de papel encharcado de chuva e totalmente lambido, foi deixada caída no leito do rio. Muito mais tarde naquela noite, ao se mover, a Bruxa de Black Rock pisou acidentalmente no prato.

9

Nas três semanas após o teste do poste, os garotos do *Abra Seus Olhos: Pregações do Ninho da Bruxa* fizeram um grande progresso em sua missão de coletar tantas provas científicas que poderiam tornar Black Spring não apenas *mainstream*, mas também viralizá-la imediatamente. Ao longo daquelas três semanas, o abismo entre Tyler Grant e Jaydon Holst também ficou dolorosamente evidente. Ele sempre existiu, claro — Jaydon havia sido imprevisível desde a infância, e perigoso —, mas isso tinha ficado adormecido, como um fóssil subterrâneo agora finalmente exposto pelas inevitáveis reviravoltas do destino.

O que deu início a tudo foi a mensagem de 15 de outubro no site:

> Próximo passo: o #testedosussurro
> *Postado por Tyler Grant às 13:29*

O teste do sussurro não foi a primeira experiência depois de Tyler bater de frente com o pai por conta de Laurie. Aquela tinha sido sua briga mais feroz em décadas — na verdade, ele não conseguia se lembrar de nenhuma briga mais violenta. Tyler e Steve quase nunca brigavam, assim como Matt e Jocelyn raramente o faziam. Isso tudo os havia abalado tão profundamente que afetara também os outros membros da família. Na tarde seguinte, Tyler foi ajudar seu pai e Matt no estábulo, e quando passou a Steve um fardo de feno trocaram um olhar que assinalava o fim da distância entre eles. Esse problema em particular havia sido deixado para trás, mas a pressão no peito de Tyler permaneceu. Ele não fora capaz de contar ao pai sobre todos os seus planos, é claro, mas sentia muita dor por Steve não ter aprovado as coisas que ele *havia* contado.

Nos dias que se seguiram, evitou os pais sempre que possível. Assim que o serviço comunitário acabou, começou a ficar mais longe de casa depois da escola, comendo na casa de Laurie ou com amigos em Newburgh. Passava as tardes andando sem rumo pela cidade ou se conectando no wi-fi grátis do Starbucks para trabalhar no site. Até agora, ele sempre havia feito isso do conforto de seu quarto com o wi-fi desconectado enquanto seus pais dormiam, depois colocava on-line de novo no dia seguinte, fora da vigilância da HEX, na escola, mas agora sentia que precisava ser ainda mais cuidadoso. Talvez fosse paranoia, mas estava fora de seu controle. Laurie havia perguntado o que estava acontecendo e Tyler inadvertidamente a afastou, criando uma tensão entre os dois. Ele descobriu que não sentia muito entusiasmo em conversar com ela também, algo que costumava fazer bem, e bastante. A coisa não parecia certa; a mentira os separava como um muro.

E, ao fim do dia, correndo de volta para casa, subindo a estrada tortuosa entre as casas grandes de Cornwall em sua bicicleta Diamondback Joker, Tyler pensou no que o aguardava ao final do túnel de árvores. Ele estava ficando cada vez mais consciente de que desceria essa estrada escura pelo resto de sua vida. Talvez as pessoas atrás daquelas janelas o estivessem vendo passar, um saudável rapaz norte-americano no caminho de casa depois de um longo dia. Um garoto em um país livre, quase acabando a escola, que abriria as asas e iria atrás de seus sonhos. E ninguém, ninguém sabia o que estava acontecendo a apenas algumas milhas estrada abaixo. Ninguém sabia que esse garoto permaneceria na escuridão para sempre.

Mais do que tudo, isso provava que alguma coisa tinha de mudar. Tyler não queria ser esse garoto.

Os resultados da experiência com o Ray-Ban levantaram novas perguntas, como todos os problemas científicos. Tyler tinha feito o upload do filme para o site, sem edição, a fim de evitar futuras acusações de fraude, mas, como introdução, ele também editara um vídeo curto no estilo de TylerFlow95. Aqui vamos nós...

+++

Vemos um grupo de garotos cercando a Bruxa de Black Rock a uma distância segura no beco atrás do Market & Deli. Tyler colocou como trilha do vídeo a música "Brooklyn's Finest", de Jay-Z e Notorious B.I.G., e sobrepôs às imagens uma camada grunge preta e branca, de modo que a coisa toda parecesse mais um vídeo de hip-hop. Usando um dos paus de agarrar de Grim do serviço comunitário, eles colocam os Ray-Bans de Burak sob o lenço de cabeça da bruxa. Os óculos balançam na ponte do nariz dela, ligeiramente tortos, e só mais um empurrãozinho e pela primeira vez em trezentos e cinquenta anos Katherine van Wyler está usando um acessório caro da moda para combinar com suas correntes de ferro. *"Who's my bitch now?",* diz Burak no rap, e os garotos começam a pular e a dançar break enquanto Jay-Z e B.I.G. nos asseguram: *"Take that witcha, hit ya, back split ya...".*

Naturalmente, há muitas das piadas costumeiras, mas vamos pular para a tomada na qual Katherine está recuando mais ainda no beco atrás do supermercado e os garotos correm atrás dela. Assim que eles viram a esquina, a bruxa some, mas aí os garotos encontram aquilo que estavam realmente procurando: os Ray-Bans de Burak. Ou o que restou deles. Gritos surpresos e empolgados enquanto a câmera sacode e dá zoom no asfalto, e Tyler diz: "Cuidado, não toque neles...".

Os Ray-Bans parecem ter derretido — não há outra maneira de descrever o que aconteceu. Uma das lentes está rachada; a outra, torta como plástico amolecido depois de ter sido aquecido. O vidro está seguro no lugar por uma armação de plástico queimado, derretido e cheio de bolhas, um braço da armação despontando dos restos como uma antena. Ainda é possível ver o logotipo Ray-Ban. E há mais uma coisa: uma crosta de uma substância preta em camadas que claramente foi pingada *sobre* a armação e não faz parte da estrutura original. Tinha a textura de material de isolamento que se expande de uma rachadura numa parede. "Meu Deus, o que é isso?", pergunta alguém. "Caramba, como fede!", grita outro. Vemos Tyler enfiando sua mão em um saco para congelados e apanhando os óculos. "Ainda estão quentes...", diz ele, sem fôlego. Os óculos grudam no asfalto e fazem um barulho de estalo quando se soltam. Então Tyler segura a evidência diante da cameraman e declara: "Este é um momento histórico".

A próxima tomada é um gabinete numa sala de aula de química: *James I. O'Neill High School, Highland Falls*, diz a legenda. Lawrence VanderMeer e Tyler, o cameraman, estão atentos a cada palavra do assistente de laboratório. Ele é um sujeito bem-vestido, de cabelos grisalhos, com dedos manchados de tabaco, e está examinando os restos do Ray-Ban em um microscópio. "Então você não sabe mesmo?", repete Tyler, empolgado, porque era exatamente pelo que ele estava torcendo, mas ainda visivelmente decepcionado, como se tivesse realmente... Bem, esperado *alguma coisa*. O assistente de laboratório desliga a luz e diz bruscamente: "Não faço a menor ideia do que seja isso. Está muito queimado para identificar. Pelo cheiro, provavelmente contém um pouco de enxofre, mas a estrutura parece mais orgânica. Mas, cara... *que diabos* vocês fizeram com esses óculos? Para derreter vidro, você precisa de uma temperatura de mil e quatrocentos graus. Mas o braço de plástico ainda está intacto, estão vendo? E isso é impossível. Porque se os óculos tivessem esfriado assim tão rápido, a segunda lente também teria rachado".

> OMG, 1400 graus! Será possível que a Bruxa de Black Rock use tanta energia para se manifestar que alcance temperaturas tão elevadas? Será algum novo e desconhecido fenômeno sobrenatural? E essa gosma queimada? Enxofre, mas com uma estrutura orgânica, disse o sr. Mason, da O'Neill High. Naturalmente, não podemos contar a ele nossa teoria, mas — rufem os tambores, por favor — será que podemos ter encontrado a primeira evidência tangível da existência de **ECTOPLASMA???**
>
> Para os incultos entre nós: "ectoplasma" é um termo cunhado pelo fisiologista francês Charles Richet para uma substância que pode ser exteriorizada ou projetada por um médium ou por energia espiritual (diz a Wikipédia). Todos nós já vimos fotos de médiuns dando uma viajada e vomitando essas nuvens nojentas de purê de batata. Normalmente, os médiuns eram fraudes e aquela nojeira era mesmo purê de batata, motivo exato pelo qual a existência do ectoplasma não

foi reconhecida pela Ciência. Mas, mesmo assim, o ectoplasma tem sido ligado a fantasmas desde que o primeiro fantasma foi visto. Ainda hoje, quando aquela garota com milk-shake na garganta aparece no filme *O Grito*, ela aparece como uma nuvem fofinha no canto superior do quarto. E, em *A Bruxa de Blair*, tem uma "geleia azul" cobrindo toda a mochila do hippie analfabeto na véspera de a bruxa pegar ele.

Quero dizer, não queremos chegar a conclusões precipitadas, mas, puta merda!, isso é empolgante! Requer uma investigação científica completa. Nós, do site *Abra Seus Olhos*, vamos armazenar cuidadosamente a prova nos nossos arquivos para a National Geographic pegar. Pessoal da NG: vocês podem pegar de graça na casa do Tyler, em troca de um novo par de óculos de sol ("Ray-Ban", diz Burak, "de preferência o tipo rb8029K Aviator Ultra, edição limitada.").

+++

Contra todas as expectativas, eles quase estragaram o teste do sussurro. Isso aconteceu porque a oportunidade surgiu de modo mais ou menos acidental, antes que fossem capazes de pesar as opções discutidas exaustivamente. Olhando em retrospecto, Tyler deduziu que, mesmo com tempo suficiente, ainda teria sido um risco enorme. Mas às vezes a ciência acontecia na cratera de um vulcão em erupção e você não podia fazer nada a respeito.

Naquela tarde de domingo, Tyler havia decidido sair para um passeio com Lawrence e Fletcher na floresta atrás da casa deles. As árvores lançavam cores flamejantes sobre as trilhas encharcadas e reluziam com um brilho extraordinário na expectativa da chegada do fim do mês, quando se desvaneceriam e soltariam suas folhas. Quando a trilha fez uma curva fechada para a esquerda e subiu a colina até o mirante, os rapazes seguiram instintivamente o Riacho do Filósofo, fora do alcance das câmeras escondidas que filmavam todo o sistema de trilhas do Monte Misery para os monitores da HEX.

Lawrence e Tyler estavam passeando devagar, discutindo casualmente os detalhes práticos do teste do sussurro, quando a guia entre eles e Fletcher subitamente se esticou, e o border collie começou a rosnar, as orelhas em pé.

Tyler enrolou a guia duas vezes ao redor do pulso e se segurou.

À distância, ouviram vozes empolgadas e alguma coisa se mexendo na folhagem. Fletcher começou a latir de forma terrível. Tyler e Lawrence trocaram olhares assustados e saíram correndo atrás de Fletcher até o lugar onde havia uma divisão no leito de rio encharcado, com o riacho fazendo uma bifurcação e as encostas ao redor ficando mais estreitas. Avistou Burak, Jaydon e Justin na margem esquerda, com a Bruxa de Black Rock entre eles. Estavam cutucando seu corpo com galhos compridos. Quando ouviram o cão, Burak e Justin olharam para trás e levantaram as mãos, com largos sorrisos.

"Putz", resmungou Tyler. "Calma, Fletcher. Deita!" Ele puxou a guia e a entregou a Lawrence. "Segura, e não deixa ele se aproximar, ou ele vai surtar."

Lawrence concordou com um aceno de cabeça e Tyler correu para os outros. "Mas que diabos você tá fazendo? Para com isso!"

"Ora, se não é nosso destemido líder." Justin deu uma gargalhada. "Estamos fazendo uma pesquisa científica, provando que ela é feita de matéria sólida."

"E é mesmo. Olha só", disse Jaydon, e com grosseria desnecessária cutucou a bruxa no ombro com a ponta de seu bastão. Katherine cambaleou e virou a cabeça vagarosamente para o ponto onde havia sido tocada, mas não se moveu.

Tyler ficou enojado. Estavam fazendo pouco da bruxa. Claro, foi *ele* quem teve a ideia do teste do poste, mas aquilo foi só uma brincadeira que deu errado. Tirar onda com a bruxa era simplesmente algo que não se fazia; não era preciso um Decreto de Emergência para entender isso. O que Jaydon estava fazendo chocou Tyler. Jaydon havia embarcado numa encosta escorregadia que iria levá-lo de modo irrevogável para o abismo.

"Para com isso", repetiu Tyler, e empurrou com força o braço de Jaydon, com mais confiança do que sentia de fato.

O olhar de Jaydon gelou e ficou sombrio. Ele baixou o pedaço de pau e girou o corpo: dois anos mais velho e trinta centímetros mais alto que Tyler, e louco por um confronto. Tyler sentiu o coração batendo na garganta, mas não recuou. "Cara, você é doente provocando ela assim. Não quero você fodendo com a nossa pesquisa. Vai estragar nosso disfarce."

"Esse seu cachorro... Quem vai estragar nosso disfarce é ele aí", disse Jaydon. Tyler viu alguma coisa nos olhos dele que não gostou nem um pouco, algo que o apavorou, algo que estava queimando dentro de Jaydon desde o dia em que seu pai tinha ido embora para encontrar uma morte predestinada. Atrás deles, Fletcher tornou a latir enquanto Lawrence, de joelhos, tentava acalmá-lo.

"Nós concordamos que só faríamos experiências juntos, e apenas de maneiras que ajudassem nossa pesquisa. A reunião do Conselho é na semana que vem, e você vai detonar as nossas chances de internet grátis e privacidade se eles virem você botar tudo pra foder desse jeito." Tyler lambeu os lábios nervosamente, e depois decidiu avançar mais um passo. "Segura a onda, ou você sai do site."

"E quem é que fez de você o chefe de repente?", perguntou Jaydon, chegando mais perto.

"Hum... Nós?", interferiu Lawrence, e Tyler fechou os olhos, agradecendo numa prece.

"O site é *dele*", disse Justin com um sorriso bobo.

"É, e o plano é dele também", disse Burak.

Jaydon o encarou com frieza, e Tyler subitamente voltou ao passado. Eles tinham respectivamente dez e doze anos de idade, e estavam ambos no ensino fundamental, Tyler na quinta série e Jaydon na sexta, porque fora reprovado naquele verão. Fazia menos de um ano que o pai de Jaydon havia sumido sem deixar vestígios, mas naquela época Tyler Grant era novo demais para fazer a conexão óbvia. Tudo que ele sabia era que não se dava as costas a Jaydon se soubesse o que era bom para você, porque ele era o tipo de idiota que não tinha problema em passar adiante os socos que levava em casa.

Certo dia, enquanto estavam jogando bola durante o recreio, Katherine apareceu no meio dos alunos no campo atrás da escola. Algumas das crianças ficaram assustadas, mas a srta. Ashton mandou que fossem jogar mais adiante, um pouquinho para a esquerda, e continuassem. "Lembrem-se: corremos para a nossa professora ou os nossos pais assim que a vemos, depois continuamos a fazer o que quer que estivéssemos fazendo, como se nada tivesse acontecido", disse a professora. Andy Pynchot, um garoto sem-vergonha um ano mais velho que Tyler, sugeriu usá-la como trave do gol e foi recompensado com um belo de um cascudo. Quando a srta. Ashton finalmente bateu palmas e as crianças correram para dentro, muito aliviadas, a bola rolou para o lado de fora das linhas, não muito longe da bruxa. Tyler e Jaydon estavam mais próximos, e Tyler estava prestes a pegá-la, mas Jaydon olhou para ele com os mesmos olhos frios de agora, sete anos depois, e o pequeno Tyler ficou apavorado — não com a bruxa, mas com o garoto. Mais tarde, quando foi capaz de entender a situação, imaginou que animais selvagens deviam sentir o mesmo tipo de medo incontrolável quando inalavam pela primeira vez o ar enfumaçado de um incêndio florestal. Então Jaydon fez uma coisa apavorante: correu até a bola, afastou bem a perna e deu um chute na direção da bruxa, atingindo-a como uma marreta. Katherine se dobrou toda e o couro explodiu alto quando a bruxa desapareceu.

Todas essas imagens passaram em disparada pela mente de Tyler nos poucos segundos em que ele e Jaydon ficaram cara a cara na floresta. Sete anos era muito tempo, e desde então eles haviam saído juntos uma vez ou outra. Mas o gosto amargo que o incidente havia deixado em sua boca nunca sumiu, e Tyler nunca esqueceu aquele olhar frio nos olhos de Jaydon. Se um garoto de doze anos tinha sido capaz de chutar uma bola de futebol em cima da bruxa com tanta raiva acumulada, o que esse mesmo rapaz seria capaz de fazer aos dezenove?

Enfim, Jaydon abaixou os ombros. "Não chora, viadinho", sorriu ele.

Tyler relaxou um pouco, mas permaneceu em guarda. "Escuta, não se trata de quem é o chefe. Eu só não quero estragar isso. Não vamos arriscar. Podemos estar livres em breve, então segura a onda, ok?"

"Sem problema. Melhores amigos pra sempre."

Tyler revirou os olhos. "Eles já sabem que ela está aqui?"

"Não", disse Justin. "O aplicativo diz que ela está em algum lugar na Lower South, e não teve nenhum alerta desde então. A gente simplesmente deu de cara com ela aqui."

"Só estávamos de zoação com ela, só isso", disse Burak.

Tyler andou até Lawrence e lançou um olhar gélido a Burak ao passar por ele. Burak viu o olhar, não entendeu e fez cara de magoado. Mas Tyler não podia deixar isso mais claro: obviamente, Jaydon e Justin se rebaixariam a esse ponto, mas esperava mais de Burak. Virou de lado e disse: "Então alguém pode, por favor, mandar uma mensagem? Não estamos tão longe da trilha, e já tem um pessoal fazendo caminhada por aqui".

"Claro", disse Jaydon, e sacou seu iPhone, talvez para mostrar que realmente queria fazer a coisa certa. Tyler estava se curvando para acalmar Fletcher quando Jaydon soltou um grito de surpresa. Tyler levantou a cabeça bruscamente. A bruxa dera um vigoroso passo para a frente e quase esbarrou em Jaydon, que estava ocupado digitando a mensagem de texto. Assustado, ele deu uns passos para trás. A bruxa ficou lá, imóvel, os pontos pretos que fechavam seus olhos e sua boca se destacando como arranhões feitos às pressas em seu rosto branco.

Jaydon esqueceu o telefone na mão e todos ficaram em silêncio. Fletcher parou de latir e passou para um grunhido baixo e bestial. Talvez o perigo estivesse espreitando dentro de Jaydon, mas Katherine possuía um poder muito mais velho e primordial, e com aquele passo ela lembrou a todos que estava no topo da cadeia alimentar. *Alguma coisa vai acontecer aqui, cara,* pensou Tyler. *Uma coisa muito sinistra, eu acho.*

"Ei", disse Jaydon, tímido.

A bruxa o encarava, imóvel.

"Desculpe. O que foi? O que você disse, Katherine?"

Ele inclinou cabeça, apurando o ouvido.

O coração de Tyler bateu tão forte que logo passou a superar tudo ao seu redor. "O que você quer que eu faça?", perguntou Jaydon. "Sério, Katherine? Você quer que eu toque seus peitos?"

Justin e Burak se dobraram de tanto rir. Tyler e Lawrence não riram, mas trocaram olhares, e Tyler pensou: *Por favor, pessoal, parem, vocês tão passando dos limites. Não sacaneiem a bruxa.* Mantendo uma distância segura, Jaydon estendeu as mãos para a frente, com cuidado, e fingiu que estava passando a mão nos seios de Katherine, jogando os quadris para a frente e para trás de modo obsceno.

"Você não tem coragem", disse Burak, provocando.

"Ah, não? Eu comeria ela direitinho", disse Jaydon. Do nada, ele se curvou para a bruxa e gritou no rosto dela: "*Sua puta safada! Você bem que gostaria disso, não é? Piranha sacana! Era assim que você fazia na sua época, né?*".

Fletcher começou a uivar e saltou para a frente tão rápido que Lawrence quase caiu. Tyler agarrou o cachorro pela coleira para ajudar a controlá-lo e gritou: "Jaydon, para com isso!".

Jaydon virou-se para os outros com um sorriso bobo. "Vinte paus", disse ele. "Vinte paus para quem tirar uma foto do peitinho dela. Nua, eu quero dizer. Quero ver como é um peitinho do século dezessete."

"Para com essa merda", disse Tyler. "Isso é muito errado."

"Ah, qual é", gargalhou Jaydon. "Tenho certeza de que ela não se importaria, não é, Katherine? Você não se importa, né?" Ele correu para trás dela e continuou com uma vozinha aguda: "Não, Tyler, eu não me importo nem um pouco! Na verdade, só de falar nisso fiquei molhadinha! Quer ver, Tyler? Quer ver como minha calcinha tá molhada?".

Mais risos. Katherine van Wyler suportava a humilhação em silêncio, aparentemente sem se dar conta. Talvez não houvesse consciência atrás daqueles olhos fechados, cogitou Tyler — pelo menos não uma consciência humana. Mas ele não podia ter certeza. Talvez Katherine estivesse esperando seu momento, como estivera esperando séculos nesse estado adormecido. A própria ideia fazia as entranhas de Tyler se retorcerem.

Jaydon havia voltado para o HEXapp em seu iPhone quando Lawrence disse, com urgência: "Espera. A gente pode gravar ela".

Eles olharam uns para os outros. Tyler levou três segundos para considerar a possibilidade: o silêncio denso da floresta e o fato de que estavam fora do alcance das câmeras criava uma oportunidade que não teriam novamente tão cedo. A empolgação acendeu um clarão brilhante nele, que disse: "Ah, porra. Ok, mas vamos rápido".

Eles usaram a guia de Fletcher. Tyler o soltou e Lawrence levou o cão rio abaixo, segurando-o com firmeza pela coleira. Jaydon entregou seu iPhone e, sem parar para pensar a respeito, Tyler enrolou a guia ao redor do telefone várias vezes e amarrou. Então a amarraram na outra ponta da longa vara que Jaydon havia usado para cutucar a bruxa. De longe, eles ouviram as gargalhadas das crianças. Os garotos olharam ao redor, assustados. O som vinha do sul, mas era transportado de maneira estranha por baixo do teto de folhas. Tratava-se provavelmente de gente fazendo trilha. Apuraram os ouvidos por um momento mas não ouviram mais nada.

"Vamos, depressa", disse Burak, e pegou a vara de Tyler. "Tá gravando?"

Tyler tirou a GoPro do bolso e começou a filmar.

"Ok, domingo, 21 de outubro. Este é o teste do sussurro. Espera..." Ele recuou alguns passos. "Tudo bem. Vai."

Jaydon ligou o gravador de voz de seu iPhone e sussurrou: "Ok, todo mundo quieto...". Burak levantou a haste no ar como uma vara de pescar, e o iPhone balançou para a frente na guia de Fletcher. Avançando com cuidado, ele o colocou diante do rosto da Bruxa de Black Rock. Tyler viu que as mãos de Burak estavam tremendo e que ele estava tendo dificuldade para manter o telefone parado. Então deslocou a vara de pescar para a esquerda e o telefone bateu na bochecha de Katherine com um som abafado de carne, bem na frente do canto de sua boca com os pontos arrebentados.

Por um minuto inteiro, ninguém fez um som sequer. Quando Burak finalmente puxou a vara de pescar e Jaydon arrancou seu iPhone do ar, todos riram, contentes, e bateram palmas para mais um estágio bem-sucedido de sua experiência. Mas o entusiasmo de Tyler estava apenas morno; enquanto os outros compartilhavam de sua empolgação, ele havia desligado a câmera. Foi até Jaydon e todos se curvaram sobre o telefone dele com o respeito apropriado. Na tela, o gravador de voz perguntava se queria dar PLAY no arquivo ou criar uma NOVA GRAVAÇÃO.

"Este é o sussurro mortal de Katherine", disse Jaydon ao sacudir com força o telefone. Seu polegar ficou pairando sobre a tela, como se para demonstrar que ele tinha coragem de tocar o arquivo de som. "Esta pode ser a gravação mais perigosa do mundo. Dá pra matar alguém com isto aqui."

"É, então quem vai se sacrificar?", perguntou Justin. Os outros riram, mas não soaram convincentes. Ninguém tinha vontade de se oferecer como voluntário.

"Ainda não", disse Tyler. "Primeiro vamos encontrar alguém de fora. Depois escutamos, mas num ambiente seguro. Jaydon, pode mandar pra mim por bluetooth? É um sinal que eles não conseguem pegar."

"Claro", disse Jaydon, e começou a mandar o arquivo de som. Tyler o aceitou em seu celular.

"Vai colocar on-line?", perguntou Burak.

"Claro que não. Essa merda é fatal. Nem brinca com isso. Deleta o arquivo assim que acabar de enviar, ok? Não quero nenhum acidente."

Olhou com firmeza para Jaydon, e ele respondeu com um sorriso. Então seus telefones indicaram que o arquivo tinha sido transferido. Jaydon bateu com o polegar na tela algumas vezes e disse: "Ok, foi".

O rosto de Jaydon se iluminou quando ele enfiou o telefone no bolso. Tyler o imaginou estendendo sua mão naquele rosto e não sentindo nada a não ser trevas.

+++

Alguns dias depois, um novo vídeo é lançado no site. Vemos a câmera dar um zoom no iPhone de Tyler, abrindo caminho no meio de um auditório de escola lotado até parar em um bonito e animado garoto de dezessete anos usando boné de beisebol e fones de ouvido. "E aí, cara?", pergunta ele, e Tyler diz: "Ei, Mike, me faz um favor?" Mike sorri para a câmera e diz: "Claro, vamos fingir que você não acabou de me pedir pra eu ouvir o seu clipe de música e eu já não tinha concordado dizer 'E aí, cara?'". Seus amigos morrem de rir e Tyler diz: "Legal. Vamos fazer de novo".

"E aí, cara?", diz Mike, e Tyler devolve: "Ei, Mike, me faz um favor?" Mike sorri: "Claro. Isso é espontâneo o suficiente?". "É, é mesmo", diz Tyler. "Ei, Mike, e aí, cara?" "Ei, Tyler, posso te fazer um favor?"

Todo mundo ri de novo, mas vamos pular para a próxima tomada, onde Mike tira seus fones de ouvido e os troca por dois menores ligados ao iPhone de Tyler. "O Mike aqui, de Highland Falls", diz Tyler, "vai ouvir agora o arquivo sonoro. Pronto, Mike?" Mike faz que sim com o polegar e Tyler dá o PLAY.

No começo, nada acontece. Então Mike faz uma careta e coloca os plugues mais fundo em seus ouvidos, como se tivesse de lutar para ouvir o que está sendo dito. Tyler fica olhando, hipnotizado.

"Mas o que é isso?", pergunta Mike, mas Tyler faz um gesto para que fique quieto e continue ouvindo.

"Então, o que você ouviu?", pergunta ele depois que o arquivo foi totalmente reproduzido, e Mike tira os plugues.

"Só alguns sussurros", diz Mike. Ele parece um pouco agitado.

"Mas o que eles diziam?", insiste Tyler.

"Como é que eu vou saber? Não era inglês. Não era nenhuma língua que eu conheça. Só resmungos. O que é isso, uma dessas mensagens que você toca de trás pra frente e quando entra em seu subconsciente na verdade está dizendo MORRE FILHODAPUTA, VENERE O DEMÔNIO, FILHODAPUTA!?" Ele berra estas últimas palavras, para o divertimento histérico de seus amigos. Tyler diz: "É, algo assim. Mas... o que você *sentiu*?". A expressão no rosto de Mike muda para desprezo e pergunta: "O que eu senti? Cara, o que é que você andou cheirando?".

Tyler vira a câmera para si mesmo e diz: "Teoria confirmada. Cobaia intacta — missão cumprida".

10

O outono fora suave, mas dois dias antes do Halloween ficou frio. O velho termômetro de mercúrio do lado de fora do Homem Calado indicava menos 4ºC, o tipo de friozinho de outono que bate inesperadamente depois de um período de transição relativamente longo de temperaturas mais suaves e afunda direto nos ossos. No dia 31 de outubro, o céu de Black Spring estava cinza-chumbo e prenhe de chuva, que soprava na atmosfera superior, mas nunca caía de verdade.

No começo daquela manhã, no cruzamento fechado da Deep Hollow Road e Lower Reservoir Road, ao longo do canto inferior do cemitério Temple Hill, a Mulher de Palha tinha sido montada: um boneco gigante de juncos que seria incendiado naquela noite durante o festival. As pessoas tinham de escalar escadas altas para enfeitar o boneco com correntes de ferro enegrecido, que eram pescadas das cinzas com atiçadores todos os anos para ser reutilizadas no ano seguinte. O ateliê de costura de Liza Belt doava um cachecol feito sob medida para enrolar na cabeça do boneco, em cujos olhos e bocas fardos de palha eram enfiados. O ritual era mais antigo que os residentes da própria Black Spring e, devido ao seu caráter pagão, contestado ano após ano por Colton Mathers e os conselhos paroquiais, tanto da

Pequena Igreja Metodista como da igreja de St. Mary. E todo ano o Comitê de Todos os Santos triunfava, argumentando que não podiam quebrar a tradição, pois queimar a Mulher de Palha era o ponto alto da Celebração da Bruxa que acontecia anualmente: a cobertura que Black Spring dava a Katherine, às vistas de todos os Forasteiros que acorriam em bando para a cidade vindos de todo o município.

Esse argumento, naturalmente, era uma farsa. A verdade era bem mais primitiva: o ritual em si estava vinculado à alma da comunidade, e ninguém queria acabar com ele. Fosse cristão, judeu, muçulmano ou ateu, todo mundo em Black Spring estava igualmente ansioso para tangenciar, pelo menos uma vez por ano, e de forma legal, a proibição de interagir com Katherine van Wyler. Naquela manhã, o povo trazia presentes de cada canto da cidade, um maior que o outro, e os enfiavam em silêncio na abertura sob a saia gigante da Mulher de Palha. Muitos tocavam nervosamente o boneco enquanto faziam isso, caindo de joelhos por um momento ou fazendo um sinal para afastar o mau-olhado. Alguns levavam comida: as crianças jogavam doces e maçãs entre os juncos empretecidos; pais levavam seus pratos favoritos ou tortas; e havia aqueles que penduravam fieiras de alho nas correntes de ferro. Outros levavam objetos: velas, artesanatos em vime feitos em casa, toalhas extras, sabão, pinças para enrolar cabelo, uma velha máquina de costura Bernette — tudo que pudesse ser sacrificado a Katherine para garantir mais um ano sem catástrofes. Também havia presentes de qualidade mais dúbia: John Blanchard, o criador de ovelhas do Ackerman's Corner, apareceu com um cordeiro morto; uma jovem mãe da cidade insistia em queimar um saco plástico cheio das fraldas sujas de seu bebê recém-nascido; e Griselda Holst doou uma cabeça de novilho, uma iguaria especialmente solicitada ao abatedouro para a ocasião. Esses artefatos seriam provisoriamente escondidos por presentes de natureza mais mundana antes da chegada dos primeiros Forasteiros.

Steve e Jocelyn Grant eram práticos demais para participar desse tipo de idolatria. Eles tinham deixado Matt e Tyler acrescentarem um desenho ou uma cenoura à estaca todos os anos quando eram mais novos e ficavam vendo da multidão a Mulher de Palha ser consumida pelas chamas. Agora os garotos eram velhos demais para ter qualquer tipo de entusiasmo; o ritual havia sido arquivado juntamente a tantos outros costumes da infância. Steve sempre se sentiu um pouco desconfortável com o simbolismo da bruxa em chamas. E, pior que isso, o cheiro da fumaça ficava em suas roupas por dias. Ele só ia à queima da bruxa pela mesma razão pela qual sempre fora fascinado pelas fogueiras natalinas do começo de janeiro em sua juventude: porque todo homem fica hipnotizado por grandes fogueiras, e uma coluna de calor na sua cara era um fim bem-vindo para uma sombria noite de outono.

Mas essa parte ainda estava por vir. Black Spring tinha muito mais a oferecer naquele dia do que apenas o ritual de oferendas.

A cozinha do Griselda's Butchery & Delicacies era uma colmeia de atividades naquela manhã. Griselda contratara seis pessoas extras para fazer com que seus petiscos tradicionais fossem entregues a tempo no quiosque de comida na praça da cidade: salada de batata, pratos de bifes, carne assada no espeto, caldo verde especial de bruxa (sopa de ervilha com almôndegas) servido em uma panela de cobre de verdade, e, claro, grandes pratos do acre patê Holst. Griselda não estava nem um pouco interessada em ganhar dinheiro com o evento, mas qualquer empreendedor local teria sido louco de não lucrar com os dois mil e tantos visitantes locais que o festival atraía.

Afinal, disse ela assim mesmo, era tudo em homenagem a Katherine.

Por volta de três da tarde, quando começou a ficar realmente lotado, as ruas principais de Black Spring foram fechadas e os quiosques com doces e brinquedinhos formaram uma ferradura ao redor da igreja Crystal Meth e do cemitério. Havia fitas das cores laranja e preta penduradas nas árvores e abóboras de Halloween plantadas em estacas abaixo. A praça estava cheia de gente vestida como a Bruxa de Black Rock: algumas com chapéus pontudos e sacudindo cabos de vassoura, outras com os olhos costurados mais tradicionais. As crianças pintavam a cara e faziam a festa no castelinho inflável em frente ao Sue's Highland Diner. Dando gritinhos de prazer, elas começaram a golpear as *piñatas* de bruxa feitas de papel machê penduradas nas árvores e acabaram soterradas por doces, ou se pesavam nas balanças especiais de bruxa montadas na praça da cidade. Se uma criança não pesasse mais que dois patos — o que acontecia de vez em quando —, ela seria declarada bruxa e caçada por um grupo de atores de Black Spring brandindo foices e vestidos em farrapos do século dezessete.

Robert Grim achava essa brincadeira popular um tanto brega. Alguns anos antes, à guisa de experimento, ele havia submetido uma proposta para reintroduzir jogos de tortura medieval, como puxar gansos[1] e queimar gatos (porque todo mundo sabia que cinzas de gato esturricado davam sorte), mas ela foi rejeitada devido à legislação contra abuso animal e péssima moral. O comitê não gostou.

Para Grim, 31 de outubro era tradicionalmente o dia mais corrido e exasperante do ano. Tentar supervisionar a chegada de tantos Forasteiros exigia uma boa dose de empatia e paciência, características que Robert Grim não apresentava em grande quantidade. Na humilde opinião de Grim, o povo do Vale do Hudson tinha péssimos modos, falava muito alto, eram todos espancadores de mulher que bebiam cerveja aos baldes, e, o pior, não tinham o bom senso de tirar toda a vantagem de sua localização geográfica. A leste, eles tinham o Hudson para se afogar coletivamente, e ao sul tinham o Parque Estadual de Bear Mountain, onde poderiam copular sem vergonha alguma com castores e cervos de cauda branca e implementar efetivamente sua própria extinção. Mas até agora ninguém havia agarrado essas oportunidades de ouro. Por esse e outros motivos, depois da rodada obrigatória de inspeções com funcionários do Point, Robert Grim passou o resto do dia em seu posto no centro de controle, que por sua vez significava um dia de sofrimento para seus colegas.

A bruxa — a verdadeira — tinha decidido aparecer no espaço do estacionamento reservado para deficientes, atrás da prefeitura, um pouco depois das onze e meia, e lá ficou. O estacionamento ficava a menos de trezentos metros do centro de todas as atividades, mas era uma locação perfeitamente viável. Grim mandou bloquear com uma cerca a aproximação da Deep Hollow Road. Ele havia criado atrás da prefeitura um canteiro de obras falso, protegido por todos os lados por uma bateria de trabalhadores adequadamente instruídos. A própria Katherine estava fechada em um barracão de ferramentas. No caso improvável de ela se juntar às festividades naquele ano, havia seis possíveis cenários preparados. A última vez que algo assim tinha acontecido foi em 2003, antes de adquirirem o órgão. A bruxa tinha passado toda a comemoração imperiosamente parada na praça da cidade, diante do Sue's. Depois de

---

[1] O puxão de ganso era uma modalidade esportiva em partes da Holanda, Bélgica, Inglaterra e América do Norte entre os séculos XVII e XIX. A atividade envolvia pendurar um ganso vivo pela cabeça em uma corda ou poste na estrada para que o competidor tentasse, em uma galopada, agarrar o pássaro pelo pescoço e puxar sua cabeça. [NE]

um debate acalorado, decidiram montar um outdoor de Black Spring atrás dela e pendurar uma faixa que dizia TIRE SUA FOTO COM A VERDADEIRA BRUXA! Depois que pregaram um broche nela que dizia BEM-VINDOS A BLACK SPRING, ninguém acreditou que ela fosse real. Todas as crianças queriam tirar fotos com a senhora esquisita. Acabou sendo um negócio relativamente seguro e especialmente lucrativo: todos os pais pagaram cinco dólares, com prazer, para tirar uma foto.

Uma série de bebês chorou de dar pena, mas bebês são para isso.

Hoje, entretanto, o festival estava tranquilo. Os inspetores do Point haviam partido, Grim pensou em concreto reforçado, e as pessoas se divertiram, as pessoas realmente se divertiram.

Às quatro e quinze, Tyler Grant e seus amigos se sentaram no abrigo da cerca viva perto da fonte e da estátua da lavadeira de bronze. Comeram algodão-doce e ficaram olhando com inveja silenciosa o grupo de Forasteiros que passava por ali. Jaydon ajudava na barraca de comida de sua mãe naquele dia, mas estava na sua hora de folga e se juntou a eles por um momento.

Lawrence ergueu cinco fósforos. Cada um deles tirou um e todos os revelaram ao mesmo tempo. Burak pegou o que tinha a ponta queimada. Levou alguns segundos para entender a verdade: ele havia sido escolhido para o teste do sussurro. Ficou irritado. "Tá certo. Deixem o turco fazer o trabalho sujo."

Os outros riram, mas não estavam com muita vontade. O riso pareceu nervoso para Tyler — afetado, cheio de alívio de que não haviam sido escolhidos para o teste. Uma rajada fria de vento sacudiu as folhas aos seus pés e o céu plúmbeo pareceu uma cúpula descendo sobre Black Spring. Tyler estremeceu e enfiou a cabeça dentro do colarinho. *Tudo isso vai mudar muito rapidamente agora,* pensou ele.

E mudaria mesmo, mas não da maneira que Tyler estava esperando.

Pouco antes das cinco da tarde, quando Katherine van Wyler estava sussurrando constantemente palavras corrompidas em línguas antigas dentro do barracão de ferramentas atrás da prefeitura, e Fletcher, a quatro quilômetros de distância em seu canil, se mexia incansavelmente em seu sono, Griselda Holst se afastou furtivamente das festividades. Atravessou correndo o cemitério até os fundos da igreja Crystal Meth. Ninguém reparou quando ela abriu a pesada porta de madeira da chancelaria com uma chave-mestra, entrou e trancou do lado de fora o burburinho das comemorações. Mãos nas paredes frias,

Griselda galgou a escadaria em espiral, descendo cada vez mais fundo para dentro do cheiro podre de pedra velha, madeira mofada, água que vazava e doenças humanas. Um frio desagradável emanava das paredes até as articulações de Griselda: nas criptas sob a igreja era sempre inverno, e sempre noite.

Arthur Roth estava caído contra as barras de sua cela, e Griselda percebeu na mesma hora que o homem estava morto. Estava nu, e, à luz das lâmpadas na parede, sua pele havia assumido um tom púrpura e pálido de peixe morto, bem esticada nas costelas emaciadas. Roth jazia deitado sobre seu próprio excremento, uma mão molemente algemada às barras, as veias do braço como cabos de energia expostos.

O coração de Griselda acelerara, mas mesmo assim ela estava extremamente aliviada. Agora que sua provação finalmente havia acabado, ela não teria mais de descer aquela escadaria medonha para lhe dar de comer ou um banho de mangueira, nem ouvir mais sua gargalhada insana ecoando no teto abobadado, como se o espaço abaixo da igreja estivesse apinhado de almas perdidas. Griselda não sentia vergonha, apenas a garoa lenta e infinita que sempre saturava sua mente. Ela não havia deixado de dar comida a ele; tinha apenas seguido as ordens de Mathers. Havia cumprido seu dever de servir Katherine.

Pegou uma vassoura no quarto de despejo e passou o cabo pelas barras, cutucando o corpo de Roth. Ele continuava flácido. Griselda olhou ao redor, tomada de um pânico súbito. Ficou paralisada ao perceber que estava sozinha no escuro, embaixo da igreja, com o corpo morto de Arthur Roth — seu corpo *presumivelmente* morto. O bom senso lhe dizia para se certificar, mas a dúvida fez seus pensamentos voarem loucamente, transformou a razão em tolice e a lógica em sonho. Era a mesma dúvida irracional que tinha sentido anos atrás, os ecos silenciosos depois que Jim batera nela ou forçara seu corpo. Ela tateou à procura do molho de chaves, e esse simples ato a ajudou a se controlar.

Griselda abriu a cela e se ajoelhou, desconfiada, ao lado do corpo frio e faminto, levando um lenço à boca para não sentir o fedor. Não foi ansiedade que ela sentiu ao perceber que o homem ainda estava respirando, mas uma espécie vulnerável de espanto. *Ele ainda está vivo*, pensou ela. E quando Arthur Roth abriu os olhos e sua mão se fechou no pulso dela, como uma armadilha, Griselda não teve sequer tempo de gritar.

Ah, havia gritos, sim: crianças sendo perseguidas por bruxas e pessoas fantasiadas, adolescentes sendo atirados do cavalo de rodeio mecânico, os mais velhos competindo com ferraduras, e todos os seus gritos agudos se elevavam bem alto sobre as ruas de Black Spring, onde a neblina baixa distorcia tudo em sussurros dissonantes. "Sua piranha suja", sussurrou Arthur Roth, com hipotermia e passando fome, mas longe de estar morto. "Eu vou foder com você", sussurrou ele, e então puxou Griselda para si, com as pernas, e beliscou seu seio com força usando a mão livre. Lá em cima, as pessoas dançavam ao som das velhas melodias folk tocadas pelo quarteto de rabeca — Griselda podia ouvir os sons abafados chegando pela ventilação ao calcular suas chances, não importando quanto fossem pequenas. Percebeu que estava fora do tempo, e a mão ansiosa dele, rasgando sua blusa, não podia mais machucá-la; as mãos de Jim não podiam mais machucá-la; ele estava morto e ela sentia cheiro de algodão doce e pipoca, frango assado e salsichas no óleo.

E, às cinco e dez, quando Steve Grant e seu filho mais novo, Matt, passeavam pela multidão e comiam churros fresquinhos em sacos de papel engordurado, e enquanto Griselda Holst agarrava o cabo de vassoura num esforço supremo e o descia vezes sem conta na cabeça ensanguentada de Arthur Roth na cripta abaixo da igreja Crystal Meth, gritando o nome de seu marido a cada golpe, uma coruja anormalmente grande desceu sobre a torre da igreja. Era um pássaro magnífico, e de sua grande altura espiava as multidões com concentração sobre-humana, como se observasse ratos numa armadilha. Pouca gente viu o pássaro no crepúsculo, mas os que o viram afirmariam depois ter ouvido o som de poderosas asas quando ele se afastou, e identificaram a coruja na Cruz de Deus como um presságio de desastre que se aproximava.

11

Matt surpreendeu Steve ao deixar uma oferenda, afinal: quando atravessaram o cruzamento, ele caminhou até a Mulher de Palha, tirou uma flâmula do casaco e a colocou na pira junto com todos os outros presentes. Embora não condenasse a ação de Matt, Steve ficou chocado. Se Matt tivesse jogado os dois churros embaixo da saia dela, teria sido uma brincadeira adolescente impulsiva, mas ele havia trazido o troféu de casa.

"Por que você fez isso?", perguntou ele quando Matt voltou.

"Por nada", disse Matt simplesmente. "Só queria dar uma coisa para a Vovó."

"Mas por que uma das suas flâmulas? Você a ganhou numa competição; é uma recordação pra mais tarde."

Matt deu de ombros. "Esta é das preliminares, quando eu tinha acabado de voltar daquela contusão, lembra? Niké ainda não estava domada e eu cheguei em décimo quarto. Depois chegaram as férias de verão, e aí eu voltei para a escola, e as coisas melhoraram bastante." Ele hesitou e depois acrescentou: "Além do mais, se sacrificar algo que não importa pra você, de que vale?".

Steve olhou surpreso para ele. Ficou imaginando o que havia levado Matt àquela expressão de superstição súbita e tola. Aparentemente, a flâmula simbolizava a crise a que Matt havia chegado um ano e meio atrás; queimando-a, ele encerraria suas questões e afastaria um azar semelhante para o futuro. Steve entendeu e, estritamente falando, não deveria ter se surpreendido por tal superstição ter aparecido em sua própria família, considerando onde viviam. Ele só nunca havia notado isso antes.

"Mas *tem de* valer alguma coisa?", finalmente perguntou, erguendo as sobrancelhas.

E Matt o surpreendeu de novo, dizendo: "Isso importa?".

Não, pensou Steve. *Não importa, desde que signifique algo para você. As pessoas acham esperança, consolo ou confiança ao fazer o sinal da cruz ou não andar embaixo de escada, assim como você encontra esperança e confiança oferecendo uma flâmula para a bruxa. A magia existe nas mentes daqueles que acreditam nela, não em sua verdadeira influência sobre a realidade. Até mesmo meu filho de treze anos de idade, que precisa aceitar o fato de que a realidade em Black Spring é apenas um pouco diferente do que em outro lugar, parece entender isso. Quem pode afirmar que conhece os próprios filhos?*

A Queima da Bruxa começou às seis da tarde. Os estandes ao redor haviam sido esvaziados e retirados por ordem do Corpo de Bombeiros, e a Pousada Point to Point havia recolhido seu toldo. As pessoas se aglomeravam nas ruas em fileiras infinitas atrás da cerca que havia sido colocada em um amplo círculo ao redor da Mulher de Palha. A plateia se espalhou em pelo menos cinquenta metros em todas as direções para testemunhar o espetáculo. Steve e Matt haviam encontrado um lugar muito bom na Deep Hollow Road. Jocelyn mandou uma mensagem dizendo que estava bem mais atrás. Tinha ido ao mercado com Mary VanderMeer, mas Steve não conseguiu encontrá-las na multidão. Não fazia ideia de onde Tyler estava.

A multidão observou um momento de silêncio e prece. Então o carrasco avançou com um capuz de couro sobre a cabeça, segurando bem alto uma tocha em chamas. Deu um rugido grave — *Dez pontos para desenvolvimento de personagem*, pensou Steve — e colocou fogo no monte de oferendas encharcadas de gasolina aos pés da Mulher de Palha. As chamas lamberam os juncos por alguns segundos, mas num instante subiram em um clarão, e a multidão suspirou assustada. Ao mesmo tempo, o pessoal da rabeca começou a tocar uma melodia animada, e dentro das cercas um grupo de dançarinos folk rodopiava ao redor da bruxa em chamas como druidas.

Durante oito minutos ela queimou, e, no seu auge, as chamas subiram mais altas que os telhados das casas ao redor, estendendo-se como dedos ansiosos. Então a Mulher se inclinou para trás, o rosto voltado para o céu, como se em um último encantamento pagão, e desabou. Fagulhas rodopiaram na fria noite de outubro. Quando o Corpo de Bombeiros finalmente orientou a multidão a se afastar e deixar a pilha de cinzas enegrecidas queimar, suas roupas já fediam a fumaça.

O sistema de som foi acionado e Steve reconheceu a voz de Lucy Everett, uma das colaboradoras regulares da HEX e presidente do Comitê de Todos os Santos: *"Senhoras e senhores, meninos e meninas, com este fantástico espetáculo, nossa comemoração maravilhosa chega ao fim! Para facilitar a limpeza, os bares e restaurantes da praça agora vão fechar. Vocês podem voltar ao estacionamento na Rota 293 seguindo as instruções do Corpo de Bombeiros. Seus ônibus estarão esperando por vocês lá. Tenham um fantástico Halloween e uma viagem segura pra casa, e vemos vocês ano que vem!"*.

Steve escondeu seu sorriso enquanto a multidão de Forasteiros lentamente começava a se dispersar para uma noite de gostosuras ou travessuras e festas de Halloween em Highland Falls, Highland Mills e Fort Montgomery. Era uma distração engenhosa, mas ele detectou a ordem implícita nas entrelinhas. O pretexto do Corpo de Bombeiros para fechar os bares e restaurantes da cidade às seis e meia no dia mais lucrativo do ano... Era como se estivessem dizendo: *Entrem logo nos ônibus e saiam daqui ou vamos soltar os cachorros em vocês.* Mas como Lucy conseguia agir como uma funcionária muito entusiasmada do centro comunitário local, ninguém duvidava de sua integridade, e a multidão fez filas para sair direitinho como foi instruído. Steve sabia que coordenar a despedida era um processo detalhado e organizado meticulosamente pela HEX. As câmeras de vigilância funcionaram o tempo todo; nada podia ser deixado ao acaso. O mercado fechou, o centro da cidade morreu. Por volta de oito da noite, os últimos adolescentes que estivessem aos beijos tiritando de frio na floresta seriam mandados embora, e às nove Black Spring estaria de volta às mãos de Black Spring.

E lá não havia gostosuras ou travessuras.

No caminho para casa, Steve e Matt trombaram em Jocelyn, e Pete com Mary VanderMeer. Em casa, eles encontraram Tyler, Lawrence e Burak, e foi então que Steve ouviu pela primeira vez o boato de que alguma coisa séria havia acontecido. Tyler leu um SMS de Jaydon Holst: "Arthur

Roth mortinho. OMG, todo aquele sangue, que coisa doente!". O jornalista em Tyler absorveu essa informação e foi em frente: "Isso quer dizer que ele viu, certo? Não respondeu desde então, mas talvez a HEX esteja interceptando suas mensagens...". Steve e Pete trocaram olhares, mas evitaram teorizar por enquanto. Ficaram de olho no HEXapp em busca de atualizações, e Steve saiu para levar Fletcher para caminhar.

Às nove e vinte, HEX deu o sinal verde e todos se enfiaram em dois carros para o tradicional encerramento das festividades de Halloween: a reunião pública do Conselho na prefeitura. Apenas Matt ficou em casa, apesar de seus ferozes protestos: a reunião era fechada para qualquer um abaixo de dezesseis anos.

Na lenta procissão de setecentas ou oitocentas pessoas avançando para a checagem de identidade, os boatos corriam soltos. Steve cumprimentou alguns amigos, apertou suas mãos e deu de ombros quando lhe fizeram perguntas. Ficou surpreso ao ver Burt e Bammy Delarosa, escondidos em casacos compridos cinzas, abraçados um ao outro.

"Como estão indo?", perguntou ele.

"Aguentando firme", disse Burt. "Acabamos de chegar da comemoração. Bastante memorável, devo dizer. Então achamos que poderíamos muito bem aproveitar toda a experiência de Black Spring."

Steve sorriu e se inclinou. "Fiquem bem atentos", disse ele com uma voz abafada. Era o conselho mais sincero que podia dar. "As coisas podem ficar muito intensas esta noite, mas não se envolvam demais. Eles sabem que vocês são novatos. Vocês têm muita coisa contra vocês mesmos."

Steve, Jocelyn e Tyler encontraram bancos na sexta fileira a partir do palco, à esquerda do corredor central. Pete e Mary se sentaram ao lado deles; os Delarosa, uma fileira atrás, um pouco para a esquerda. Steve reparou que a placa anunciando empresas locais, que normalmente ficava bem atrás do pódio, havia sido substituída por um placar que dizia VAMOS CONFIAR EM DEUS E UNS NOS OUTROS. Tomado por um cinismo desmedido, ele subitamente se lembrou da conversa acalorada que tivera com Tyler. *Sair do armário?*, pensou ele. *Talvez se a Páscoa e o Halloween caíssem no mesmo dia e Colton Mathers sugerisse uma nova Noite de Santa Valburga.*

Um pouco antes das dez, o burburinho morreu e o prefeito pisou no palco. Ele convidou os membros do Conselho a tomar seus lugares na mesa do painel — apenas seis deles, pois Griselda Holst estava ausente por motivo de doença. Steve tentou chamar a atenção de Pete, mas seu vizinho estava olhando com desprezo para o palco, onde o prefeito estava ajudando Colton Mathers a se sentar atrás do pódio, e onde Robert Grim também havia encontrado um assento. Pete havia confidenciado a Steve, os dois sentados na varanda dos fundos da casa do sociólogo, que em sua humilde opinião a ordem administrativa de Black Spring era a maior pantomima desde que o tribunal de Pôncio Pilatos havia condenado Jesus Cristo.

"Ótimo", disse o prefeito. "Eu gostaria de passar o procedimento para o sr. Mathers, que abrirá a reunião com a tradicional passagem do Salmo 91."

Estava tão quieto no auditório que era possível ouvir um alfinete cair no chão. O velho conselheiro, patriarca da comunidade, começou a falar em um tom monocórdio e solene. O homem transpirava uma estranha espécie de magnetismo; até Steve sabia disso. Era como se estivesse sugando todo o ar existente para fora da sala. Mathers era velho, mas não frágil. Era grande como uma catedral. "Quem habita na proteção do Altíssimo", entoou ele, "pernoita à sombra do Todo-Poderoso. É ele quem te livra do laço do caçador que se ocupa em destruir. Não temerás o terror da noite nem a flecha que voa de dia, nem a peste que caminha na treva, nem a epidemia que devasta ao meio-dia. Mil cairão ao teu lado e dez mil à tua direita, mas não chegará a ti. Basta que olhes com teus olhos, para ver a recompensa dos ímpios. Senhoras e senhores, é meu dever informar a todos que Arthur Roth, detido sob a Pequena Igreja Metodista por ter violado repetidamente o Decreto de Emergência de Black Spring, faleceu mais cedo hoje de um ataque cardíaco. Deus o tenha em paz."

Houve um momento de silêncio carregado, depois uma ovação frenética da multidão. As pessoas começaram a aplaudir. Outras olharam ao redor com rostos contorcidos e inseguros. "O porco finalmente morreu!", alguém gritou, e várias pessoas riram. Pete se curvou para Steve e sussurrou: "Ele está mentindo descaradamente".

"Certo", disse o prefeito. "Que este seja o primeiro item da agenda. Como o caso do sr. Roth é uma questão da cidade e sempre o tratamos como tal, sinto que seria bom continuar a considerá-lo uma questão da cidade. Até onde sabemos, Arthur Roth não tem família nem parentes, nem dentro nem fora de nossa comunidade. Devido às suas incansáveis ameaças de subverter o cotidiano das coisas aqui em Black Spring, fomos forçados a aprovar uma regra — democraticamente, claro — de afastá-lo da sociedade. Infelizmente, sua suposta meningite jamais foi curada. A questão agora é o que fazer com o corpo."

"Queimem o filho da puta!", gritou alguém.

"Isso, vamos oferecer ele à Mulher de Palha!"

Mais gargalhadas no recinto.

"Ora, não podemos simplesmente sair por aí queimando os outros, podemos?", disse o prefeito, pontuando suas palavras com o tipo de gargalhada pomposa reservada a funcionários do governo depois de contar uma piada não muito boa que está condenada a ter uma morte dolorosa. Mas o pessoal da plateia não ligava. No brilho das luzes dependuradas das vigas do teto, elas pareciam febris e agressivas, como concidadãos obcecados de tempos idos. Steve viu Robert Grim olhar para a audiência com profundo asco e subitamente foi tomado por um horror semelhante.

Em um momento de impulso, Steve se levantou e perguntou: "Ele foi visto por um médico?".

Os murmúrios pararam e o prefeito olhou para ele, estranhando a pergunta, claramente desacorçoado. Steve sentiu os olhares de centenas de pessoas da cidade se concentrarem nele e pigarreou: "Quero dizer, eu estava apenas me perguntando se a morte dele foi registrada oficialmente num atestado de óbito".

"Ah, ele está morto, isso mesmo, eu posso garantir", disse o prefeito.

Não é a mesma coisa, pensou Steve. "Eu entendi, mas apenas um médico pode determinar a causa da morte com alguma certeza. Ouvi de uma pessoa diretamente envolvida que ele morreu de maneira bastante sangrenta." Um suspiro desconcertado se elevou da plateia, o que deu a Steve a autoconfiança necessária para continuar. "Como médico, não vejo como seria consistente com uma parada cardíaca. A pessoa diretamente envolvida é Jaydon Holst, filho de um membro do Conselho, Griselda Holst, que recebeu a tarefa de cuidar de Roth. E que hoje, no dia da morte dele, parece estar doente. Dado o fato de que esta é uma questão da cidade, tenho certeza de que o senhor não vai se importar de nos contar exatamente o que aconteceu, certo?"

Um murmúrio de aprovação. Tyler olhou para seu pai com algo próximo à idolatria; Steve percebeu e ficou comovido. Enquanto isso, no palco, o prefeito estava olhando para Colton Mathers em busca de ajuda.

Mathers escolheu as palavras com cuidado: "A sra. Holst foi quem de fato o encontrou morto em sua cela. Ela está muito abalada, e por isso não está conosco esta noite, e acho que ninguém pode culpá-la por isso. O sr. Roth tinha se despido e infligido sérios ferimentos a si mesmo em vários lugares, mas não entrarei em detalhes. A sra. Holst entrou em pânico e primeiro ligou para seu filho, depois para mim. Quando cheguei, determinei que uma combinação de perda de sangue e hipotermia havia levado a uma parada cardíaca, que resultou em morte".

Um óbvio exemplo de charlatanismo, pensou Steve. Ele também havia juntado as peças e chegado a um cenário semelhante, só que o dele diferia do relato de Mathers em uma questão significativa: se Griselda Holst havia acabado de encontrar Roth morto, não fazia sentido ela ligar para seu filho primeiro. Griselda era uma mulher forte, endurecida por sua história triste de violência doméstica, e era difícil para Steve imaginá-la entrando em pânico. Se ela estivesse pensando racionalmente, teria ligado para Mathers e nunca envolvido seu filho. Mas foi exatamente *isso* que ela fez, e por *isso* ela havia entrado em pânico. Alguma outra coisa devia ter acontecido lá.

E, além do mais, se Roth teve hipotermia, em que condições vocês o estavam mantendo prisioneiro da Casa de Deus?

As mãos de Steve ficaram úmidas e pegajosas, e ele notou o gosto amargo da dúvida em sua boca. Ainda estava de pé quando a verdade lhe ocorreu. A maioria do pessoal da cidade que olhava para ele de suas cadeiras vivia sob pressão constante, com um medo terrível do que estava lá fora, nas ruas. *Até que ponto eles irão?*, pensou Steve. *O que serão capazes de fazer se a pressão aumentar demais?* Mas talvez os rumores fossem verdade e eles tivessem *mesmo* feito Roth passar fome. Talvez as coisas tenham ficado ruins de outro jeito hoje, mesmo antes de se atingir um estágio desses. E isso importava? Ainda era uma questão de Black Spring, e as consequências eram as mesmas.

Não, insistia uma parte teimosa e idealista dele. *Ainda temos dignidade humana. Isso permanece intacto, ainda que tudo ao nosso redor desabe.*

"Só acho que ele merece uma necropsia adequada, como todo mundo. É só isso", disse Steve, e se sentou. Jocelyn agarrou sua mão e a apertou com suavidade.

"Anotado", disse o prefeito. "O problema é que não podemos declarar Arthur Roth legalmente morto porque ele não existe mais legalmente. Isso apenas levantaria uma série de perguntas. O Conselho aprovou uma resolução — seis a favor e um contra — de enterrá-lo anonimamente e sem honra, sem lápide e fora do terreno do cemitério." Uma explosão de aplausos exultantes. "Porém, como cabe a uma comunidade democrática, eu gostaria de botar isso em votação por meio de..."

"O doutor Grant tem razão", gritou Pete VanderMeer repentinamente, se levantando. O prefeito franziu a testa, mas, apesar do poder de seu ofício, não teve autoridade para abafar a interrupção. "O senhor está realmente nos pedindo, em nome da democracia, para votar pelo sumiço de um cadáver para que todos possamos lavar as mãos inocentemente? Isso não é democracia, isso é um tribunal popular."

"Que diferença faz?", disse um homem de aspecto soturno do outro lado do corredor. "Precisamos nos livrar dele de um jeito ou de outro. E ele não merece coisa melhor."

"Mas é uma farsa!", disse Pete. "Qual é, pessoal, não somos bárbaros, somos? Se tomarmos esse caminho, estaremos a um passo de distância de uma turba de linchamento."

"Então o que você quer fazer com ele?", gritou o homem do outro lado do corredor, em desprezo. "Entregá-lo às autoridades?"

"Não", disse Pete. "Mas pelo menos vamos deixar um médico elaborar um atestado de óbito oficial. Roth era um ser humano, pelo amor de Deus."

Ouviu-se um som de trovão por toda a prefeitura. Todo mundo se encolheu e virou a cabeça para a frente. Colton Mathers havia batido com força no pódio com um antigo martelinho de madeira, e seus olhos faiscavam.

"Nesta... casa... ninguém usará o nome de Deus em vão", falou Mathers com toda a autoridade que o prefeito não teve. "O Decreto de Emergência diz: o que acontece em Black Spring fica em Black Spring."

"Não é isso o que diz o Decreto de Emergência, isso é o que Katherine diz", resmungou Pete ao se sentar, mas ninguém o ouviu, exceto Steve e talvez sua esposa Mary.

"Mas vamos demonstrar que nosso processo de tomada de decisões é de fato democrático e que todo mundo aqui é ouvido colocando a moção desses dois cavalheiros para votar."

Steve soltou um palavrão baixinho. Mathers sabia que a teimosia puritana prevaleceria sobre o bom senso, e ele tinha até conseguido dar à questão um toque de justiça. Pete também percebeu isso e ficou quieto. Uma imagem grotesca surgiu na mente de Steve: Colton

Mathers e Griselda Holst enrolando o corpo de Arthur Roth numa sacola de plástico fechada com fita isolante e o arrastando Monte Misery acima em uma maca improvisada com cabos de vassoura para levá-lo ao seu lugar de repouso final, anônimo e desonrado.

O velho conselheiro não demonstrou emoção alguma ao ceder o pódio de volta ao prefeito: "Bem, a questão é: vamos dar reconhecimento oficial a Arthur Roth pedindo que um médico dê um atestado de óbito? Quem estiver a favor levante a mão direita".

Era preciso admitir: algumas mãos foram levantadas, mas Steve não precisou se virar para ver que eram poucas — um número ínfimo, de fato. De todos os membros do Conselho, apenas Grim levantara a mão, irritado.

"Me parece um caso resolvido, então a moção é rejeitada. Se ninguém mais tiver alguma objeção", o prefeito deu um olhar rápido pelo salão, como formalidade, "eu gostaria agora de trazer uma proposta de moção ao conselho: dar um enterro sem honras a Arthur Roth, sem lápide e fora do cemitério. Todos a favor levantem a mão direita."

Com um farfalhar alto de roupas e estalar de articulações de cotovelo, as mãos subiram. Alguns pescoços se viraram, triunfantes, para o aglomerado na fileira seis, que permaneceu sentado de braços cruzados. Steve não retribuiu seus olhares, mas olhou para trás e seus olhos encontraram os de Burt e Bammy Delarosa, que pareciam absolutamente chocados.

"A moção passou", disse Colton Mathers, batendo o martelinho novamente com um estrondo alto.

+++

"Que bom que você nunca montou um consultório na cidade", disse Jocelyn. "Ou teria perdido metade dos pacientes esta noite." Estavam deitados na cama, ouvindo o vento rápido e feroz. As temperaturas haviam caído abaixo do ponto de congelamento.

"São um bando de fanáticos religiosos medievais", disse Steve. "Não precisam de um clínico geral. Precisam de um cirurgião-barbeiro."

"Mas são os fanáticos religiosos com os quais temos de conviver, Steve."

Ele rolou na direção dela, bocejando, e disse: "A maioria deles bem que podia precisar de um pouquinho de sangria. Eu me ofereço com alegria para o trabalho".

Jocelyn começou a rir de modo incontrolável e o beijou. "Mas você deixou alguém orgulhoso esta noite", disse ela, depois de se afastar. Steve ergueu as sobrancelhas e ela continuou: "Tyler. Eu vi como ele olhava pra você. Ele realmente admirou o seu jeito de defender seus ideais, doutor. Acho que vocês dois precisavam disso depois da confusão com a Laurie".

Espero que sim, pensou Steve. *Talvez isso melhore as coisas por um tempo, mas não vai afastar suas preocupações. Ele acabou de ficar cara a cara com o fato de que a situação nunca vai mudar. O show de marionetes que ele viu esta noite apenas confirma isso. E vai de encontro a tudo no qual acredita.* Eles fizeram amor e adormeceram abraçados. Steve sonhou que Katherine van Wyler aparecia no quarto deles, um monólito negro entre as sombras, só que seus olhos estavam abertos e reluzindo de maneira demoníaca. Assim que ele estava suficientemente acordado para perceber o que tinha visto, logo se sentou e chutou os cobertores para longe. Jocelyn estava dormindo profundamente ao seu lado na cama. Steve sentiu os olhos se arregalarem e seu torso se cobrir de um suor frio.

Claro que Katherine não estava ali, mas ele saiu da cama e foi até o patamar assim mesmo. Katherine havia aparecido no quarto do casal duas vezes durante o casamento deles com Black Spring. Na primeira vez, antes de Matt nascer, ela estava parada na janela da sacada à noite, como se estivesse olhando para fora. Steve e Jocelyn tinham ficado na cama, paralisados, observando como quem observa animais mortais de uma cabine de observação da vida selvagem. A segunda vez tinha sido poucos anos antes, quando ela ficou do lado da cama deles por três dias e três noites. Jocelyn insistiu para que dormissem no sofá.

Steve checou toda a casa, incluindo o andar de baixo e a garagem. Acendeu todas as luzes — se desse um encontrão com ela no escuro, sabia que gritaria. Checou todas as portas. Isso era inútil, mas ainda o fazia se sentir mais confortável. A casa estava silenciosa e deserta. Só Fletcher estava ali, olhando curiosamente para ele de sua cesta e gemendo baixinho.

Meu Deus, volte para a cama, disse ele a si mesmo. Tremia de frio, assustado por suas próprias ilusões.

Mesmo assim precisou conter um grito quando o vento soprou um galho contra a janela, e, sem pensar duas vezes, mergulhou na cama. Steve mordeu o lábio ao pensar na própria imbecilidade e num instante adormeceu.

12

Tyler desceu às oito e quinze da manhã seguinte. Os outros membros da família já estavam à mesa do café, Matt com olheiras e um livro de História aberto ao lado, Jocelyn ainda de roupão. O cheiro de pães quentinhos no forno geralmente fazia sua boca se encher de água, mas hoje isso o deixava frio. Puxou uma cadeira sem dizer uma só palavra e começou a mastigar uma bolacha com apatia.

"Uau, alguém teve uma boa noite de sono...", comentou Matt.

"Para com isso, seu babaca", disse Tyler de volta.

Jocelyn colocou a faca no prato e disse: "Ei, o que é isso, pessoal...".

"Eu só perguntei como ele dormiu", protestou Matt. "Não fica tão irritadinho, cara. Poxa..."

"Uma grande família feliz", disse Steve. "Rápido, gente, ou vão perder o ônibus."

"Hoje é Dia de Desenvolvimento da Equipe", disse Tyler. "Eu esqueci de dizer."

"Fala sério!", exclamou Matt. "Como é que *você* deu tanta sorte?"

"É pro ensino médio, não pro fundamental." A mentira saiu antes que ele pudesse evitar. Até aquele momento, não tinha percebido que planejava faltar à aula. Isso o perturbou, ser capaz de mentir com tanta facilidade para seu pai, especialmente porque não se sentia nem um pouco culpado a respeito. Claro que ninguém falava tudo para os pais, mas uma coisa essencial havia mudado na relação desde que ele rejeitara a única pergunta importante do seu pai: *Você não está escondendo alguma coisa de mim, está? Eu realmente espero que não.*

Com isso, ele havia partido em uma direção da qual não conseguiria mais escapar facilmente.

"Ótimo. Então você pode levar o cachorro pra passear", disse Steve.

Tyler deu de ombros e tirou outro biscoito do pacote. Matt abraçou Jocelyn e foi para o ponto de ônibus. Quando a porta dos fundos bateu, Jocelyn resmungou, mas não foi atrás dele. Em vez disso, se serviu de mais uma xícara de café. Tudo estava bem: a merda era a mesma, só mudava o dia. De repente, Tyler sentiu vontade de vomitar. Pôs o biscoito de lado. O suor começou a brotar de seus poros, e o estômago começou a sofrer espasmos.

Você não está escondendo alguma coisa de mim, está? Eu realmente espero que não.

Nada estava bem. Os eventos de ontem apertavam suas entranhas como um alicate. Quando a reunião começou e Jaydon ainda não havia dado sinal de vida nem aparecido pessoalmente, Tyler ficou furioso. Precisavam dele para bolar sua reclamação sobre privacidade e políticas de internet, já que ele era o único do grupo maior de idade. Tyler entendia que a situação era diferente agora que alguém havia morrido, mas pelo menos Jaydon podia ter respondido aos seus zilhões de aplicativos para que os outros pudessem ter bolado um plano B.

Tyler sempre sentira que tudo que estava fazendo para o *Abra Seus Olhos* se baseava no senso comum. Mas será que havia algum senso comum na sensação desesperada e estilhaçada que havia tomado conta dele depois da sombria abertura da reunião do Conselho e o voto sobre Arthur Roth? Num instante, sua moral já tinha ido para o saco. Será que ele realmente acreditava que as mesmas pessoas que haviam gritado *Queimem o filho da puta!* e *Vamos oferecer ele à Mulher de Palha!* estariam dispostas a dar um veredicto positivo a algo tão idiota como o direito de usar o Twitter e o Facebook? Era ridículo. Pela primeira vez, Tyler percebeu que forças maiores estavam em jogo ali.

Não terás medo do terror à noite; nem da pestilência que caminha nas trevas.

Mas ele tinha medo, *sim*. E toda vez ele se perguntava se tentar mudar aquelas forças era uma boa ideia. Ele pensava em Jaydon na floresta, espetando a bruxa com seu bastão, e em algo que havia lhe ocorrido naquele mesmo instante: *Alguma coisa vai acontecer aqui, cara. Alguma coisa muito assustadora, eu acho.*

Chega de mexer com a bruxa, nada de vídeos no YouTube, nada de ideias malucas.

Eles não vão mais usar um pelotão de fuzilamento. Mas castigos físicos ainda constam no Decreto de Emergência.

A gente provavelmente já tá fodido mesmo, mas esse é um nível novo para se estar fodido.

Bem-vindo a Black Spring.

"Você está bem?", perguntou Steve, sua testa franzida. "Você parece febril, talvez um pouco caído."

Tyler piscou. "Eu tô bem", disse ele, e lutou para colocar um sorriso no rosto. "Acho que ainda não acordei mesmo."

Saiu da mesa, correu os últimos passos até o banheiro e se dobrou sobre a privada, mas não saiu nada. Tyler jogou água no rosto e olhou para si no espelho, os olhos injetados. *Deixa isso pra lá*, pensou ele. *Deixa todo mundo ir pro inferno. Não é da sua conta.*

Mas era. E se ele não abrisse a boca, quem o faria?

De volta ao seu quarto, ele ligou o rádio e colocou o volume no máximo quando reconheceu uma canção do Train. A música comovente animou seu espírito um pouco. Mandou uma mensagem para Lawrence, perguntando se estava no ônibus, e Lawrence respondeu que seu pai tinha pegado leve com ele depois da reunião de ontem à noite e ligou para dizer que estava doente, então se encontraram às nove e meia nos pedregulhos na frente de suas casas. Fletcher pulou em Lawrence, balançando a cauda e deixando rastros de lama em sua jaqueta.

"Ei, calma, garoto!", disse ele. Deu palmadinhas na cabeça do cachorro e Fletcher latiu. Tyler sugeriu que fossem para a floresta, mas Lawrence disse: "Você não soube? A bruxa está na casa do Burak".

"Burak?"

"É, foi o que o HEXapp disse esta manhã. Não tive notícias do Burak, mas geralmente os pais dele deixam ele de folga depois de reuniões do Conselho."

Decidiram andar naquela direção. A família Şayer vivia no Lower South perto do lago Popolopen, em uma casa na Morris Avenue.

Os pais de Burak eram turcos e estavam entre o pequeno grupo de muçulmanos praticantes em Black Spring. Tyler sempre ficou intrigado sobre como isso influenciaria a atitude deles com relação à bruxa, mas Burak apenas dava de ombros se alguém lhe perguntasse a respeito. Até onde Tyler sabia, o próprio Burak não ia até a mesquita em Newburgh, o que não impedia Jaydon de encher o saco dele com piadas de natureza politicamente incorreta.

Eles tinham acabado de chegar à praça da cidade, onde as atividades de limpeza do festival estavam a toda. Um dos trabalhadores da cidade estava lavando a grande mancha preta de cinzas do cruzamento com uma mangueira de alta pressão quando Tyler recebeu uma mensagem de Burak:

Jaydon tah aki, viajando. Pf vem rápido!

Correram o último quilômetro até a casa de Burak com Fletcher na correia, e Tyler se sentiu mal, à beira de perder o controle.

"Esse cara vai acabar indo longe demais um dia desses", disse Lawrence ofegando.

Vai, deixa ele sozinho. Não se mete, pensou Tyler. Mas não era verdade, e se as coisas saíssem do controle ele era em parte responsável.

O carro dos Şayer não estava lá, o que significava que os pais de Burak não estavam em casa. Eles cruzaram o gramado e deram a volta para o quintal, usando a correia de Fletcher para amarrá-lo em uma das árvores. Evidentemente, o cão ainda não havia notado que a bruxa estava por perto, porque começou a cheirar com força a cerca viva. Tyler tentou a porta dos fundos. Estava aberta.

"Olá?", chamou ele. Lawrence o seguiu pela cozinha quando a cortina de contas que dava para a sala de estar se abriu com um barulho. Era Burak. Seus olhos pareciam loucos, à beira do pânico.

"Tyler, você precisa..."

Mas então Lawrence viu, e sua voz saiu como um soluço. "Ah, não, que merda..."

Era um pesadelo surrealista. A sala de estar atrás de Burak tremeluzia na semiobscuridade pois as cortinas estavam fechadas e pesadas com um aroma de especiaria, da maneira que você poderia imaginar que seria o cheiro da neblina nas *Mil e Uma Noites*. Tyler viu imediatamente de onde vinha o cheiro: longos bastões de incenso queimavam na mesinha de café e no lintel da lareira. E ao lado deles estava Katherine. Normalmente não havia símbolos religiosos explícitos na casa dos Şayer, mas agora incontáveis amuletos estavam pendurados ao redor da bruxa como olhos azuis de pavão, amarrados a fios que estavam presos no teto. Em uma repetição macabra do episódio da semana passada na floresta, Jaydon estava parado, em pé, diante de Katherine, com um bastão nas mãos, só que agora havia um estilete colado com fita adesiva na ponta. Jaydon utilizara o estilete para cortar os trapos do vestido da bruxa, que estavam pendurados como uma ponte levadiça para expor o seio direito roxo e pálido de Katherine van Wyler.

Um clarão de luz branca brilhante surgiu quando Jaydon tirou uma foto com seu iPhone. O flash revelou tudo, mais do que Tyler jamais quis ver, queimando em sua retina a imagem aterradora do mamilo preto de Katherine na curva suave e morta de seu seio. Não era sexy, como poderia ser algum seio estranho ou exótico. Era repulsivo, obsceno. E mais: Jaydon não havia cortado com cuidado. A pele da bruxa tinha arranhões. Uma gota de sangue escuro escorria lentamente de um deles.

Aquela única gota de sangue, aquele mamilo preto na câmera de Jaydon, aqueles olhos azuis lacrimosos entre as costuras eram o que Tyler jamais esqueceria.

"Lawrence... Tyler", disse Jaydon erguendo as sobrancelhas. "Tomara que não tenham vindo estragar a minha festa, ou os dois podem dar o fora daqui, porra."

"Que porra é essa que você tá fazendo?", gaguejou Tyler. Ele estava preso ao chão. Puta merda. Justo agora, quando precisava manter a cabeça limpa, tudo estava escapando. Aquilo era demais para ele. Aquilo era irreal.

"Que merda você tava pensando, mostrando minha mensagem privada pra aquele seu velho babaca, que teve de compartilhar tudo com esta cidade de merda?" Jaydon praticamente gritou estas últimas palavras, e os perdigotos reluziam em seus lábios. O bastão com o estilete tremia em suas mãos.

"Você devia ter mantido contato!", gritou Lawrence. "A gente ligou e mandou mensagem pra você a noite toda! E onde é que você tava?"

"Talvez eu tivesse alguma merda mais importante na cabeça do que seus testes de bosta. Mathers hoje meteu em mim com as bolas e tudo! E só porque esse viado aí não conseguiu ficar na dele."

"Cara, só quero que você vá embora daqui, agora...", disse Burak, com cara de desesperado. "Se meus pais descobrirem o que você fez na nossa casa, eles vão me matar."

"Você é doente", disse Tyler baixinho, seu olhar ainda preso ao seio encardido e repulsivo da bruxa. "Você está brincando com a vida de todos. Se o Conselho descobrir isso, você vai ter coisa muito pior que Doodletown pela frente." Meteu a mão no bolso da jaqueta e tirou a GoPro, mas assim que Jaydon viu a câmera pulou em Tyler com seu estilete. Ele gritou e recuou, esbarrando em Lawrence.

"Não, senhor", disse Jaydon, e seu olhar fez Tyler botar a GoPro de volta no bolso. Jaydon tinha perdido a cabeça. Completamente. "O único que vai filmar ou tirar fotos aqui hoje sou eu. As melhores fotos da história da humanidade, porra. O peitinho de um fantasma." Ele urrou de tanto gargalhar. "Vou mandar pro Justin e pro Burak, porque provavelmente é o primeiro peitinho que o Maomé aqui já viu e eu sei que ele vai querer voltar pro quarto mais tarde pra bater punheta pensando nele. Mas se alguém abrir a boca vou contar tudo a eles sobre o site e os seus testes. Vou arrastar vocês todos comigo."

"Tira essa merda desse estilete da minha cara!", gritou Tyler.

"Como quiser, meu camarada", disse Jaydon e, em um movimento fluido, se virou e atingiu brutalmente Katherine com o estilete. A lâmina tinha apenas uma polegada de comprimento, mas sumiu completamente no seio flácido. O corpo da bruxa pulou para trás e estremeceu, como se tivesse recebido um choque elétrico. Suas mãos magras se fecharam convulsivamente. Quando Jaydon retirou a lâmina, um jato de sangue esguichou, sujando todo o chão.

"Mas que merda!"

"Olha só o que você fez!" Burak deu um grito agudo, apontando para o carpete. "Meu pai vai me matar!"

Lawrence se virou e tropeçou para trás, o rosto cheio de lágrimas. A bruxa estava pendurada para a frente em suas correntes, o que expunha o seio ainda mais. A ferida havia aberto seu mamilo e o sangue formava manchas pretas em seu vestido. *Vai, some daqui*, pensou Tyler. *Some logo antes que a coisa piore...*

Ele tentou controlar a voz, mas saiu trêmula mesmo assim. "Cara, isso é doentio — isso é abusivo. Você não pode fazer isso com ela..."

"E quem liga pra isso? Ela é um fantasma, porra! Se ela aparecer em algum outro lugar depois vai estar novinha em folha."

"Mas você não pode humilhar ela assim. Ela vai..."

"Essa piranha matou o meu pai!", berrou Jaydon, brandindo seu estilete ferozmente. Tyler voltou a se encolher. "Essa piranha estuprou a minha mãe! Não me diga o que fazer, porque ela fez por merecer!"

"Jesus", disse Tyler, levantando as duas mãos no ar. "Escuta, não sei o que aconteceu ontem, mas vamos conversar. Não há nada que a gente não possa resolver juntos, certo, pessoal?"

Virou-se para Burak e Lawrence em busca de ajuda. Burak entendeu o que ele estava tentando fazer. "Sim, ele tem razão. Basta ter calma."

"Não tenta me acalmar, porra. A gente vem sendo bonzinho pra ela há muito tempo. O plano mudou. Não vamos mais a público."

"Como assim?", perguntou Tyler, mas sabia muito bem o que Jaydon queria dizer. Alguma coisa em Jaydon havia mudado, uma coisa que havia começado muito tempo atrás e atingira seu clímax ontem. E na raiz de tudo isso estava a bruxa. Jaydon não queria mais ficar tapando buracos, não queria mais entender ninguém. Se fossem a público e as autoridades tomassem alguma providência, não seria mais possível para ele... Ah, meu Deus. Se vingar. *Que diabos aconteceu lá embaixo da igreja? O que deu nele? E por que a maldita bruxa ainda está aqui?*

"Quero dizer que o site não existe mais", disse Jaydon, estreitando os olhos. "De hoje em diante quem manda aqui sou eu. Vamos fazer as coisas do meu jeito. E eu falo sério. Se alguém aqui abrir a boca, vou mostrar todos os vídeos, todos os relatórios, todas as mensagens. Vocês todos vão pra Doodletown. Não se esqueçam que a minha mãe é da junta disciplinar, e acreditem em mim, eles devem muito a ela. Ela vai se certificar de que vão acreditar em mim, não em vocês."

Com um estrondo, ele jogou o bastão em um canto, se afastou dos outros e saiu correndo pela cozinha pra fora da casa. O restante ficou lá, nas nuvens de incenso de cheiro enjoativo, abalados, como se tivessem acabado de ser atingidos por um furacão. Ninguém disse nada. Depois de uns instantes, Tyler se virou para a bruxa, trêmulo.

"Como ela está?", perguntou Burak desanimado.

"Não sei, cara." Ela ainda não tinha se movido. Estava simplesmente ali, se curvando o mais que as correntes permitiam, seu seio sangrando sobre o tapete. Um dos amuletos azuis agora pendia de encontro ao seu lenço de cabeça. Katherine fechou os dedos em... dor? Desespero? De qualquer maneira, estavam tremendo. Até que ponto ela estava ciente da humilhação? Tyler honestamente não sabia.

A humanidade da bruxa era um mistério que ninguém havia até agora decifrado, bem como sua decisão de aparecer onde quisesse. Era isso que a fazia tão assustadora.

"Katherine?", perguntou Lawrence. Ele se aproximou dela com cuidado, os lábios trêmulos. "Me perdoe, Katherine. Isso nunca deveria ter acontecido. Foi Jaydon; foi ele quem fez isso. Nós nunca quisemos..."

"Cara..." Tyler pôs a mão no braço dele.

Lawrence deu de ombros e enxugou as lágrimas. "Não sei o que fazer."

"E por que todos esses amuletos?", perguntou Tyler a Burak.

"Eles são os *nazar boncuğu* — protegem você do mau-olhado. Quando minha mãe desceu esta manhã e *ela* estava aqui, pendurou esse show de horrores ao redor de Katherine, e agora eles foram à mesquita pra rezar que a bruxa fosse embora. Caralho, provavelmente eu mesmo deveria estar rezando pra ela ir embora também, porque se eles voltarem pra casa e ela ainda estiver aqui, e eles a virem assim..."

"Você tem um lençol velho ou coisa parecida? É só dizer aos seus pais que não consegue suportar o jeito com que ela olha pra você, então você a cobriu com um lençol."

"Ela é cega."

"Você entendeu o que eu quis dizer. Eles nunca checariam ali embaixo. Mas precisamos tirar o sangue do carpete. Talvez a gente possa... Tem vassoura aí? Talvez a gente possa endireitar ela com cuidado. Pra ela deixar de escorrer."

"Ah, porra, eu não vou tocar nela."

"E quanto ao site?", perguntou Lawrence. "O cara surtou mesmo. Ele falou como se fosse mesmo fazer aquilo."

"A gente continua sem ele", disse Tyler ferozmente.

"Não sei não...", disse Burak.

"O quê? Vai deixar ele ameaçar você?"

Burak balançou a cabeça, cheio de dúvidas. "Ontem eu fui escolhido pra fazer o teste do sussurro, e hoje ela aparece aqui em casa. Isso tem que significar alguma coisa, certo?"

"Não quer dizer porra nenhuma", disse Tyler, mas ele simpatizou com a ansiedade de Burak. "Escuta, você não precisa fazer o teste, se não quiser. Eu faço. Num ambiente controlado, com vocês ao meu redor. Nada pode dar errado. Não é como se você fosse se matar de cara. Você precisa medir a coisa adequadamente. Tem muita gente que já ouviu a bruxa sussurrar e ainda tá por aí pra contar a história."

"Não sei não, Tyler", tornou a dizer Burak. "Não acho que foi coincidência. Acho que ela tá tentando mandar a gente parar. Suas experiências, ir a público... Ela não quer que a gente faça isso. Desculpa, cara."

"Mas..."

Antes que Tyler pudesse imaginar o que dizer — ele realmente estava sem saber como agir —, tudo caiu no abismo. A cortina de contas foi empurrada com violência para o lado e Jaydon entrou, agarrando a coleira de Fletcher. Ele tinha saído, avistado o cão no pátio e mudou de ideia. Talvez quisesse ir às forras com Tyler; talvez simplesmente tivesse visto uma oportunidade com a bruxa ali perto. Fossem quais fossem seus motivos, ele teve a ideia fatal de jogar Fletcher em cima dela. Tyler não sabia se o cachorro normalmente a detectava pelo cheiro ou se era algo mais primitivo, mas o incenso deve ter desviado sua atenção. Agora que ele a via, seu ganido baixo aumentou até se tornar um uivo selvagem que encheu a pequena sala de estar dos Şayer, e o cão começou a dar patadas no ar como um pitbull.

"Jaydon, não!", gritou Tyler. Ele tentou pular entre Fletcher e a bruxa, mas Jaydon provocou o border collie puxando sua coleira e Fletcher ficou surdo para seu dono. Arreganhou os lábios, mostrando os dentes. Latia ferozmente, louco de raiva; e então Jaydon o soltou.

Fletcher escorregou no chão. Por um momento, Tyler pensou que o tinha apanhado, os dedos agarrando seu pelo. Mas então o cão chegou ao tapete e suas pernas ganharam tração. Com um horrível resfolegar gutural — mais alto que o latido, mais selvagem que um grunhido —, ele se atirou sobre Katherine. Suas poderosas mandíbulas se fecharam no braço direito dela. O corpo da bruxa, pendendo para a esquerda, agora sacudia para a direita, e por um momento Fletcher ficou pendurado pelo braço acorrentado dela, balançando a cabeça, furioso, rasgando pele e tendões. Um segundo depois, com um uivo e um grito, o cão saiu voando pela sala e bateu contra a parede.

Naquele momento de choque e espanto absolutos, Tyler percebeu um choque hipersensitivo em seus nervos, uma descarga elétrica que parecia sair *de fora* de seu corpo. Todos os seus pelos se arrepiaram. A adrenalina inundou suas veias. Seu terror parecia realmente aguçar sua consciência a um ponto extremo, e mesmo antes de se virar ele pôde notar que a bruxa tinha desaparecido em uma nuvem de fumaça... e que estivera tão perto que deve ter sido *ela* o que ele sentiu no momento em que Katherine desapareceu.

Os amuletos azuis balançavam como pêndulos enlouquecidos.

Gemendo, Tyler se abaixou ao lado de Fletcher. O cachorro estava deitado de lado, gemendo e respirando rápido demais, passando, grogue, a pata dianteira no focinho, como se o tivesse acidentalmente enfiado em um ninho de vespas. Tyler pegou sua cabeça cuidadosamente nos braços e o acariciou. Fletcher lambeu suas mãos, e Tyler, que normalmente o teria afastado, o deixou fazer isso.

Jaydon hesitou na porta. "Ele está..."

"*Vai se foder!*", gritou Tyler, saltando em cima dele. Jaydon deu um pulo para trás e torceu a boca até não restar nada dos lábios a não ser pele branca e rugas. Ele ficou ali por alguns segundos e depois saiu correndo.

+++

Lawrence ficou com Burak para ajudá-lo a limpar a sala. Quando Tyler saiu da casa, o frio do começo de novembro o atingiu com mais força do que antes. Afundou-se em seus ossos e se fundiu com o frio interior que se agarrava a ele depois de ter testemunhado a crueldade de Jaydon. Deixou Fletcher beber do riacho que passava pela praça da cidade. O cão, sedento, mergulhou o focinho na água e bebeu em goles sôfregos. A essa altura, Tyler já estava doente de preocupação. Não havia ferimentos visíveis, nenhuma marca de queimadura nem cortes na língua de Fletcher ou no céu de sua boca, mas o cão estava visivelmente abalado. Ele andava nervoso atrás de Tyler, cabeça abaixada quase até o chão, o rabo entre as pernas. Cada pássaro que alçava voo o fazia olhar ao redor com olhos arregalados, e quando um carro deu a volta na esquina ele pulou numa cerca viva gemendo. As tentativas de Tyler para acalmá-lo não pareciam ajudar.

Ao chegar em casa, levou Fletcher para cima e o colocou na banheira, onde o ensaboou bem devagar, com xampu para cachorros, e o enxaguou com água quente. Fletcher, que detestava água e costumava precisar de várias repreensões por encharcar tanto o banheiro quanto seu dono, submeteu-se quietinho ao tratamento. Tyler ficou aliviado por Steve e Jocelyn terem ido trabalhar, poupando-lhe da necessidade de se explicar. Ele não fazia ideia do que teria dito.

Houve apenas um breve contato, disse a si mesmo. *Claro, ele está perturbado, mas talvez não seja assim tão ruim. Não há porque esperar o pior.*

Mas quando Fletcher entrou em sua cesta e Tyler lhe ofereceu seu biscoito favorito da latinha no armário de cozinha, o cachorro apenas farejou e olhou para Tyler com olhos grandes e tristes.

Durante toda a tarde, Tyler se sentiu mal, como se estivesse constantemente à beira de uma enxaqueca que nunca chegava. Ele checou o HEXapp de modo quase compulsivo. Às duas da tarde, o aplicativo relatava que Katherine estava parada na vitrine da Clough's Used Books, mas não dava mais detalhes. Aparentemente, todos os vestígios do incidente haviam sido apagados... Pelo menos *nela*. Porque, por volta das quatro da tarde, logo antes de seus pais chegarem em casa e quando o próprio Tyler deveria estar na aula de espanhol, Fletcher começou a se tremer.

"Qual o problema, garoto?", sussurrou Tyler, o nariz enterrado no pelo do cão, sentindo o cheiro tão familiar para ele ao longo dos anos. "Já acabou. Fica tranquilo agora."

Mas Fletcher gemeu baixinho e Tyler sentiu o bolo no estômago inchar, como se uma tempestade estivesse no ar, uma tempestade que não podia ser evitada.

Fletcher não comeu naquela noite. Em vez disso, ficou deitado em silêncio no Limbo de Jocelyn. Matt e a mãe ficaram vendo *American Idol*, Steve estava envolvido com uma revista e Tyler navegava sem destino em seu laptop. Fletcher não dormiu. Ficou farejando de vez em quando e olhava de modo desanimado ao longe. Quando a TV produzia um ruído alto, ele começava a grunhir baixinho.

"O que houve com esse cão?", perguntou Jocelyn. "Ele está tenso como uma mola. Está me dando nos nervos."

"Ah, fala sério, não me diga que a Vovó voltou", brincou Matt. Tyler teve medo de levantar a cabeça de seu laptop.

Naquela noite, ele ficou bem acordado, olhando para o teto. Não conseguia tirar da cabeça as imagens daquele olhar assassino nos olhos de Jaydon; o mamilo exposto e lacerado de Katherine; Fletcher se lançando pela sala. Até onde sabia, era a primeira vez que tinha visto a bruxa se defender por si mesma e não apenas ocupar espaço em um canto passivamente. E como estava a situação agora? Qual seria a consequência dos eventos pelos quais *ele* era em parte responsável?

Forças maiores estavam em jogo ali.

Esse é um nível novo para se estar fodido.

Ele demorou muito para conseguir dormir, totalmente exausto. E, quando finalmente conseguiu, sonhou com corujas, grandes corujas com asas sedosas e olhos dourados que caçavam na noite.

+++

Na manhã seguinte, sexta-feira, Fletcher entrou na cozinha gemendo e balançando a cauda. Tyler olhou para ele com olhos arregalados, como se não conseguisse acreditar no que via. Jocelyn tinha o dia de folga, então pensou que ela pudesse ficar de olho nele. Mas quando Fletcher realmente começou a mordiscar um pouco a comida, Tyler se permitiu um vislumbre de esperança... Uma esperança de que talvez as coisas não estivessem assim tão ruins, afinal.

Às duas da tarde, Jocelyn saiu para comprar comida. Ela ia trancar o cão em seu canil, relatou depois — quando todos eles, em um estado cada vez maior de desespero, estavam tentando reconstruir os eventos do dia, enquanto Tyler ficava de boca fechada, entorpecido. Mas Fletcher fez uma coisa que nunca tinha feito antes: rosnou para Jocelyn. Então ela o repreendeu e ele finalmente se deixou ser levado para seu canil, a cabeça pendendo culpada entre as patas da frente. Jocelyn foi para a cidade e não pensou mais no cão, pelo menos não até Tyler chegar em casa da escola, às vinte para as cinco, e reparar que a porta da casinha de Fletcher estava entreaberta e o canil vazio.

Embora estivesse escurecendo, Steve e Tyler saíram para a floresta atrás da sua casa armados com lanternas, e Matt saiu de bicicleta pela vizinhança e ao longo da Deep Hollow Road, assoviando e chamando.

"Fletcher pode ter vontade própria, mas nunca vai muito longe, e ele conhece a floresta como se fosse seu quintal", disse Steve, confiante. "Se ele estiver lá, vamos encontrá-lo."

"E se a gente não encontrar?", perguntou Tyler. A escuridão que se aproximava escondia o medo que aparecia em seu rosto pálido e nos lábios trêmulos, e na nova e poderosa sensação de culpa que invadia seu coração. Steve não respondeu, porque simplesmente não parecia uma opção realista. Claro que encontrariam Fletcher. Mas não encontraram, e foi aí que Steve também começou a ficar preocupado. Mais tarde naquela noite, eles voltaram às buscas, auxiliados por Pete VanderMeer, mas no escuro foi um esforço em vão.

Às nove e meia da noite, quando Jocelyn tornou a resmungar que poderia *jurar* ter passado a tranca na porta, e ponderava sobre a terrível possibilidade de Fletcher ter acabado sob as rodas de um carro, e quando Tyler chegou ao ponto de um princípio de histeria, a HEX enviou um alerta pelo aplicativo para que todo mundo ficasse de olho em um border collie preto e branco, pertencente à família Grant, residente no 188 da Deep Hollow Road. Fletcher havia sido declarado oficialmente desaparecido.

13

Naquela noite, Fletcher não voltou para casa, muito embora eles tivessem deixado a porta dos fundos entreaberta e ficado acordados até quatro da manhã. Assim que amanheceu, Pete e Mary VanderMeer apareceram na porta dos fundos. Mary tinha feito muffins — um gesto de gentileza, embora as crianças ainda dormissem e só Steve estivesse com apetite. Jocelyn, ainda de roupão, perguntou se eles gostariam de uma xícara de café, mas era incapaz de servir sem derramar. Depois de acordar completamente, ela começou a chorar baixinho e não conseguiu mais parar.

"Não se preocupe, Jocelyn", disse Mary, levantando-se para pegar uma toalha na cozinha. "Vamos encontrá-lo. Tenho certeza de que ele vai entrar balançando a cauda como se nada tivesse acontecido. Você sabe como são os cães. Eles sempre encontram o caminho de casa."

"Mas Fletcher nunca foge", choramingava Jocelyn.

Basta uma vez, pensou Steve, mas não disse nada. Ele aceitara o fato de que Fletcher provavelmente estava morto, não perdido. *Quem volta sempre pra casa é gato. Gatos são vagabundos, têm gangues. Se um cão foge de casa, isso vira um daqueles episódios dramáticos que quase nunca têm final feliz. O velho cão fiel que não mataria uma mosca, mas caça um coelho na floresta e termina numa armadilha e morre. O cão adorado que nunca foge mas um dia sai da cesta e é atropelado numa estrada cheia. É pavoroso o jeito como um cão encontra seu destino. Quase parece predestinado.*

Às oito e dez, Robert Grim chegou até a porta. Parecia incrivelmente alerta para tão cedo.

"Nós estudamos as imagens da câmera na Deep Hollow Road, desde o minuto em que Jocelyn saiu para comprar comida até seu filho voltar da escola. Temos certeza de que seu cão não escapou do lado da rua, pois nós o teríamos visto. As câmeras atrás da sua propriedade não registraram nada também. Mas elas estão voltadas para a trilha, não para o seu quintal."

"Isso então quer dizer que ele provavelmente está na floresta, certo?", perguntou Jocelyn, esperançosa.

"Eu diria que sim", respondeu Grim. "Mas temos uma coisa reconfortante: passei de carro duas vezes pela Rota 293, desde o campo de golfe descendo o caminho todo até o lado sul do lago Popolopen, e não havia nada no acostamento. O aplicativo está cheio da simpatia de gente que está de olho nele. Se estiver na cidade, vamos ver isso nas câmeras. Certamente o cachorro vai voltar rapidinho."

Não é isso que você pensa, disse Steve para si mesmo.

Ele levou Pete e Grim para o quintal. "Aqui, deem uma olhada nisto." Ele puxou a trava do canil de Fletcher e enfiou os dedos pela grade. "Jocelyn diz ter certeza de que fechou a trava, e eu acredito nela. Você não coloca seu cachorro no canil sem passar o ferrolho... Isso simplesmente não faz nenhum sentido. E olhem só pra isto." Empurrou o portão contra a fechadura e o soltou. Ele bateu e voltou, ficando entreaberto. Repetiu o gesto, e mais uma vez o portão se abriu. "Você *precisa* passar o ferrolho, caso contrário não fecha."

Pete apenas observou. "Então você acha que o canil foi aberto por fora."

"Com certeza."

"Mas por quem?"

Grim apontou com o polegar por sobre o ombro. "Você não fez muitos amigos na cidade na reunião do Conselho quarta à noite. Não me leve a mal: seu idealismo foi comovente; já seu desempenho... um pouco irresponsável."

"Você não acha...", começou Steve, mas parou no meio. Uma rajada de vento passou pelas frestas e ele estremeceu sem nenhum bom motivo.

"Não sei", disse Grim. "Digamos que alguém queria se vingar e teve um plano para envenenar seu cão. Eles devem ter ido e vindo pela floresta em vez de pegar as trilhas, ou as câmeras de segurança os teriam apanhado."

"Isso não parece provável", disse Pete.

"Sim, mas não é impossível", murmurou Steve. "Você acha mesmo que eles fariam isso?"

"Vir com um esquema desses? Com certeza", disse Grim, sem um vestígio de dúvida. "Mas a estratégia é complexa demais. Se você quer matar um cão, entra no quintal e dá ao bicho uma tigela de Purina com veneno. Sair com um cachorro vivo chamaria muita atenção. Especialmente aqui."

Por que não diz do que você tem medo?, pensou Steve. *Do que nós todos temos medo mas ninguém tem coragem de dizer em voz alta: que, não importa como isso pareça loucura, ela teve algum coisa a ver com isso. Não se encaixa no padrão, mas você está pensando nisso também, ou não estaria aqui. Estamos falando de um cão, pelo amor de Deus.*

Steve percebeu que Grim lia sua mente, pois o chefe de segurança enfiou a cabeça no capuz cheio de pelos de seu casaco. Ficou quieto por um instante e depois pareceu tomar uma decisão. "Talvez devêssemos dar um passeio na floresta. Ainda está cedo e não tem ninguém fazendo trilha ainda. Se ele caiu numa das trincheiras ou se prendeu no arame farpado, ainda pode estar vivo."

"Ótimo", disse Pete, como se estivesse esperando uma ordem dessas. "Vou calçar minhas botas. As trilhas devem estar enlameadas."

+++

Eles subiram a passo rápido ao longo do Riacho do Filósofo, que saía da reserva natural do lado da propriedade deles antes de mergulhar sob a Deep Hollow Road, onde entrava direto no esgoto. Quando o leito do rio começou a se estreitar, eles pegaram a trilha à esquerda, subindo a colina. Decidiram começar sobre a cordilheira e passar um pente-fino dali até o sudoeste: a parte do Monte Misery que pertencia a Black Spring. Sem precisar mencionar isso, todos sabiam, com uma certeza que era ao mesmo tempo instintiva e inconsciente, que Fletcher ainda tinha de estar em Black Spring.

A trilha estava de fato enlameada, e Steve, que já lamentava estar calçando tênis, em um instante sentiu as meias se encharcando. Quando entrou para colocá-las, os garotos já estavam acordados. Tyler, pálido e quieto, não disse nada. Jocelyn e Matt teriam as preliminares do esporte naquela tarde, mas Jocelyn disse que ligaria para cancelar se não tivessem uma notícia ainda. Queria estar presente caso Fletcher voltasse para casa.

Chegaram aos dois afloramentos rochosos que formavam o topo da montanha. Ao passarem pela mais alta, à esquerda, subiram o caminho de pedra cortada até o mirante sul. Ao chegarem lá, Pete jogou a cabeça para trás e curvou as costas.

"Você está bem?", perguntou Steve.

"Estou, só parando pra respirar um pouco." Sentou-se numa rocha e acendeu um cigarro.

O topo daquela colina tinha história. Para os munsee, que haviam construído seus povoados nas encostas mais baixas, era um ponto sagrado onde enterravam seus mortos. No século XVII, trapeiros holandeses haviam construído um posto avançado no cume principal, mas todos os seus vestígios haviam desaparecido. Dali, o terreno caía íngreme para o vale, onde a língua da geleira continental havia chegado durante a Era do Gelo, e onde o rio Hudson havia escavado seu caminho depois disso. Steve ficou encarando a terra cultivada, o rio, os campos e os prédios de Fort Montgomery e Highland Falls, a ponte de Bear Mountain, e, mais ao longe, Peekskill. A vasta extensão cinzenta e silenciosa tinha algo de medieval, algo de maligno. Ela emitia uma tensão inconfundível que parecia vir de todos os lados, mas se concentrava atrás das cordilheiras ao sul, onde ficava Black Spring. Fedia a um passado de crueldade e doença humana, um passado governado pelo medo. Ali, colonos aterrorizados haviam cometido atrocidades horrendas; ali, eles haviam enforcado bruxas. Tendo fugido para o Novo Mundo, mas com as cicatrizes do Velho Mundo ainda gravadas em sua pele, eles haviam queimado barris de piche e de ervas nas ruas para afastar o ar pestilento ao conduzir seus mortos em sinistras procissões para queimar seus corpos em piras; enquanto isso, espalhavam doenças perfurando seus bulbos infectados. E aqui, certa manhã, seus descendentes foram levados para o Hudson, um por um, e nunca mais foram encontrados.

Naquele contexto, com aquela carga no ar, tudo era possível. Alguém poderia ter afastado Fletcher e o envenenado ou arrebentado sua cabeça com uma pedra. *Faz alguma diferença, pensou Steve, que trezentos e cinquenta anos tenham se passado e nós hoje tenhamos o que gostamos de chamar de civilização?*

"Vamos, amigão", disse Grim, colocando uma mão simpática sobre seu ombro. "Não vamos encontrar seu cachorro assim."

Steve aquiesceu com a cabeça e se virou de lado. Sentiu os olhos se enchendo de lágrimas, e pela primeira vez percebeu quão profundamente o sumiço de Fletcher o estava afetando. Ainda havia a possibilidade de que eles fossem encontrá-lo bem e vivo, embora não tivesse muita fé nisso. Mas, que diabos, ele amava aquele cão.

Desceram para o abrigo da floresta. Um pouco mais abaixo, onde o terreno se nivelava, Pete parou. Na trilha à sua frente, havia um círculo de cogumelos brancos-esverdeados, tão perfeitamente redondo que não parecia natural.

"Um círculo de fadas", disse Pete. "Minha mãe costumava dizer que se você contasse mais de treze cogumelos em um círculo significava que bruxas haviam dançado ali, e você precisava passar de olhos fechados para afastar o azar. Depois parei de acreditar em bruxas, mas continuava fazendo isso como exercício de equilíbrio."

Ele piscou, mas de modo quase imperceptível. Steve se agachou e estendeu a mão, mas Pete o impediu. "Cuidado, são venenosos."

Steve puxou a mão de volta e murmurou: "Parece tão... *intencional*".

"Ah, sim, é por isso que chamam de círculos de fadas. Fungos crescem como ervas daninhas, e círculos assim podem surgir da noite para o dia. Antigamente, isso assustava as pessoas, mas na verdade é um processo perfeitamente natural. O fungo cresce no subterrâneo em todas as direções, e quando os nutrientes são exauridos os frutos crescem para o alto. A natureza é um mistério, mas, assim como em tantos mistérios, quase sempre existe uma explicação lógica."

Steve achou um pouco de graça ao ver que todos os três tinham relutância de ser os primeiros a passar pelo círculo. Finalmente, Robert Grim tomou a iniciativa, seguido por Pete. Nenhum deles fechou os olhos. Steve se perguntou se teria feito isso se estivesse sozinho.

Por impulso, envergonhado por aquele estúpido surto de superstição que havia, por um breve momento, minado sua determinação,

Steve chutou um dos cogumelos e quebrou o círculo. Os outros não o viram fazer isso, e ele correu para alcançá-los.

Eles não ficaram na trilha, mas vasculharam a área ao redor dos afloramentos de rocha na floresta e dos riachos sem nome. As encostas estavam cobertas com samambaias densas e bolotas vazias, abertas por algum animal. De tempos em tempos, eles assoviavam ou gritavam, mas depois pararam. Se Fletcher estivesse perto, não conseguiria deixar de ouvir o barulho que eles faziam ao passar pelo mato.

Quem tocou no assunto bruscamente foi Steve. "Quando foi a última vez que ela provocou problemas sozinha?", perguntou ele, tentando fazer a voz soar neutra. "Tirando 1967, quero dizer."

"Que se saiba com certeza?", perguntou Pete. "Uau, isso já tem muito, muito tempo. Meu Deus, duvido que alguém que estava lá para ver ainda esteja vivo. Em 1932, quando aquele negócio horrível aconteceu com aqueles trabalhadores da velha fazenda que eles executaram, nenhum de nós havia nascido. Mas Katherine não teve nada a ver com isso. As pessoas sempre provocaram problemas, e isso é uma coisa que nunca vai mudar — vem em ondas. Claro, tem a história dos seis oficiais do Point que voltaram de Berlim em 1945; disseram ter sido encontrados enforcados em uma árvore perto do poço da bruxa, bem aqui nesta floresta, mas é história de pescador. O velho William Rothfuss, que está senil e esperando para morrer em Roseburgh, costumava afirmar que a história oficial — que morreram no front — era para despistar, e que ele era um dos homens que os havia tirado da árvore. Mas ele só contava isso a você depois de algumas doses de bourbon no Homem Calado, e a história de que o poço da bruxa ainda está lá é mentira. Eu posso mostrar a você a área em que ela costumava ficar, onde jogaram o corpo dela, mas a área inteira foi reflorestada quando a indústria madeireira chegou à Floresta de Black Rock no século XIX. O poço já desapareceu há muito tempo."

"Nunca confie num alcoólatra", disse Grim, "a não ser que ele esteja pagando."

"Claro, o número de suicídios é anormalmente alto nestas regiões. Sempre foi. Isso em grande parte se deve ao isolamento social, à depressão e à pressão cada vez maior. Como no Japão, onde as pessoas trabalham tanto que em algum momento alguma coisa simplesmente 'estoura' dentro delas, entende? É a mesma coisa. Acho que o fato de Katherine seguir o mesmo velho padrão todos os dias é a única razão pela qual a situação aqui é aceitável. Faz muito tempo desde que as coisas saíram do controle. Em 1967, eu tinha acabado de fazer vinte anos, e você Robert... quando você nasceu?"

"Dezessete de agosto de 1955, a noite em que o furacão Diane atingiu o Vale do Hudson e inundou tudo", respondeu Grim. "Dizem que o rio me vomitou."

"Eu não ficaria surpreso, sua ruína ambulante. Mas até você era só um garoto. Ela é tão estável, Steve... Essa é a nossa salvação. Aqueles que costuraram os olhos dela, Deus sabe como, nos fizeram um grande favor."

Pete ficou parado por um momento com as mãos na cintura e olhou ao redor. A vegetação havia ficado mais densa; copas bloqueavam a luz do dia, e passar por cima dos tocos de árvore e dos troncos mofados estava ficando cansativo.

Grim assumiu e disse: "Da última vez em que ela realmente saiu do padrão — ou assim suspeitamos — foi em 1887, quando Eliza Hoffman desapareceu na floresta. Ninguém soube o que a levou a fazer isso, mas o ultraje público que se seguiu fez o Point tomar a decisão de criar a HEX".

"O que houve exatamente?", perguntou Steve. Ele só conhecia essa história por alto.

"Eliza Hoffman era filha de uma família proeminente de Nova York que havia acabado de se mudar para Black Spring", disse Pete. "Eu ouvi essa história do meu avô, que a ouviu do seu pai. Ele era dono de uma das velhas fábricas de alvejantes que haviam prosperado em Black Spring nos séculos XVIII e XIX graças à água limpa de uma nascente que descia das colinas. Mas, em 1887, fazer alvejantes se tornou um comércio agonizante: depois que aprovaram rígidas leis ambientais e a lavagem a seco e as lavanderias automáticas começaram a pipocar na cidade, isso praticamente forçou as fábricas tradicionais a deixar a região. O negócio não estava exatamente bombando para o velho VanderMeer, é só o que estou dizendo. De qualquer maneira, um dia os Hoffman perderam sua garotinha de vista enquanto estava na floresta. Nunca mais foi vista. A menina, coitada, não tinha nem oito anos de idade. Chamaram batedores com cães rastreadores e dragaram o lago Popolopen, mas não tiveram sorte."

"Então eles consideraram que foi um sequestro", supôs Steve.

"Isso mesmo. Mas a gente de Black Spring sabia que não era bem assim. Por três dias a água do Riacho do Filósofo ficou vermelho-escura, cor de sangue, e vários arminhos mortos vieram à tona, depois de um afogamento coletivo sem razão aparente. A água ficou impossível de se beber por dias. Meu avô teve de fechar a fábrica por uma semana, o que não ajudou nem um pouco o negócio. O mais estranho era que o sangue não vinha dos arminhos, porque todos haviam se afogado. Meu avô disse que parecia que a própria terra estava sangrando."

Steve não tinha certeza se acreditava nisso. Não pela primeira vez, ele reparou que mesmo que a aceitação de *uma* realidade sobrenatural fosse algo relativamente fácil, isso não significava que fosse fácil aceitar imediatamente uma segunda... Porque ele simplesmente não tinha a disposição de acreditar.

"Não parece coisa de Katherine", disse finalmente.

"Isso é que é estranho. Ninguém soube por que aconteceu. Nem onde estava a menininha."

"Mas... arminhos?"

"Ainda temos alguns deles em formol", disse Robert Grim. "Eles salvaram alguns quando queimaram as carcaças. Pode vir dar uma olhada neles um dia, se quiser, embora não sejam nada especiais. Só bichos velhos mortos."

"E nada do gênero aconteceu de novo?"

"Não", disse Pete. "E tudo teria sido varrido para baixo do tapete se Hoffman não fosse um famoso juiz em Nova York e o caso não tivesse atraído interesse. Apareceu um artigo no *New York Times* com o sugestivo título 'Será que o Monte Misery é assombrado?'. Até onde sei, foi a única vez que algum dos grandes meios de comunicação relatou o que estava acontecendo aqui. Eles chegaram a ligar o caso a, abre aspas, 'o folclore relacionado com os desaparecimentos na Floresta de Black Rock em 1713 e 1665, que dizem ter algo a ver com uma bruxa', fecha aspas. Quando o Point ficou sabendo disso, decidiu agir."

"E assim nasceu a HEX", disse Steve.

"Exatamente. E foi muito fácil naquela época, já que Black Spring tinha autonomia política desde 1871. Antes disso, era parte da municipalidade de Highland Mills, e o Conselho das cidades se reunia em Black Spring. Era difícil para o prefeito ter essa agenda dupla. Toda semana, conselheiros chegavam de Highland Mills, Central Valley e Harriman, sem saber da situação. Mas Katherine não se adapta às confusões administrativas. A maldição só pega em nós. O Point garantia autonomia a Black Spring e fundou a HEX sob termos de confidencialidade, para permitir que nos virássemos sozinhos. Supervisiona as entradas e saídas e canaliza o dinheiro pra nós, mas, tirando isso, não quer se meter. E quem pode culpá-los? Estão se cagando de medo."

Steve chutou uma pilha de folhas secas. "De que a notícia se espalhe?"

"De que alguma coisa como essa seja sequer possível, e que eles não consigam mandar o Exército para lidar com isso."

"Ah, meu Deus", disse Pete. Ele parou tão bruscamente que Steve quase trombou nele.

Havia um pouco mais de luz ali. À direita da trilha de caça que estavam seguindo, três árvores mortas magras irrompiam pelo teto de folhas de novembro. Podiam ter sido bétulas prateadas, mas os troncos estavam tão velhos e desgastados que era difícil dizer. Balançavam com o vento, gemendo suavemente, os galhos nus recortados como um relâmpago negro cristalizado contra o céu cinzento. Pete levantou a cabeça, e agora Steve via o mesmo que ele: pendurado a pelo menos quinze metros de altura, quase no topo, estava Fletcher.

O border collie estava pendurado com a cabeça e as patas dianteiras suspensas em um galho bifurcado, o pelo da parte superior de seu corpo todo embolado por causa do seu peso pendurado. Ele não estava mutilado, nem sequer desfigurado visivelmente, e o fato de não haver qualquer dano aparente conferiu um sinistro atributo ao cadáver, como se ele pudesse abrir os olhos a qualquer momento e começar a latir. Mas não era preciso chegar perto e fazer um diagnóstico para saber que isso nunca aconteceria. Os olhos de Fletcher estavam entreabertos e vítreos, e a língua pendia para fora de sua boca, pálida e ressecada. Apesar da estação tardia, as formigas o haviam encontrado primeiro.

"É o Fletcher?", perguntou Grim, embora já soubesse a resposta.

"Sim, ele mesmo", suspirou Steve. Como é que ele iria dizer isso em casa? Fletcher era parte da família. Eles todos eram loucos pelo maldito cachorro — não só ele e Jocelyn, mas os garotos também. Tudo isso parecia tão sem sentido. Pete lhe deu tapinhas nas costas, um gesto simples que num momento de tamanha tristeza foi para Steve tão comovente quanto encorajador.

"Isto não é trabalho de torturador de animais", disse Grim. "Nenhum homem subiria numa árvore tão alta arriscando a própria vida para enforcar um cachorro."

Ninguém disse nada. Eles estavam a apenas cinco minutos da trilha, e no entanto um silêncio imponente parecia ter descido sobre a floresta.

"Não existiria a menor possibilidade de que seu cão pudesse ter subido ali sozinho e escorregado?"

Steve fez uma careta. "De jeito nenhum. Cães não sabem escalar. E veja... olhe só a árvore. Tem alguma coisa muito errada aqui. Você também está vendo, não está?"

Era verdade, e todos sabiam disso. Havia algo de terrivelmente errado com o que estavam vendo, algo na atmosfera daquele lugar. Ele estava *morto* — era isso que havia de errado. Como médico, sabia que devia estar abordando a questão de modo científico, mas se sentia incapaz. A presença de três árvores esqueléticas no meio daquela imensidão varrida pelo vento não parecia acidental, tampouco a maneira como estavam agrupadas, ou o fato de Fletcher ter escolhido aquele trecho em particular para morrer. Havia pequenas sorveiras crescendo ao redor, mas elas não colaboravam em nada para dispersar o senso de escuridão profunda que recobria as árvores mortas, como se algo de ontem à noite ainda estivesse agarrado a elas. Mesmo o ar ali era parado, frio e imutável. Ao mesmo tempo, Steve soube na hora que Fletcher encontrara um fim *terrível*, que não havia nada de bom ou tranquilo em sua morte.

Talvez fosse diferente se tivéssemos passado por aquele círculo de fadas de olhos fechados, pensou ele. Talvez Fletcher não tivesse morrido. Era um pensamento idiota, uma mentira, era o tipo de loucura supersticiosa a que não queria ceder... Mas também era verdade.

Depois parei de acreditar em bruxas, mas continuava fazendo isso como exercício de equilíbrio.

"Não estou gostando nem um pouco disso, Robert", disse Pete.

"Pode me chamar de louco", disse Grim, "mas não parece que o cão se atirou do alto da árvore por vontade própria? Como se, de repente, de algum modo, tivesse conseguido subir até o alto... e depois se enforcado?"

Um frio desceu sobre Steve, um frio de intensidade tão elementar que pressionava seu peito e tornava difícil a respiração. Na sua cabeça, ele viu Fletcher com olhos arregalados e apavorados subindo o velho tronco da árvore, atraído por uma forma feminina tacanha que sussurrava. Numa simetria druídica, pendurados nas outras duas árvores mortas por pedaços grandes de corda, estavam os corpos de seus dois filhos, Matt e Tyler. Seus olhos estavam abertos e o encaravam, acusadores, com córneas nebulosas cor de marfim, que o fizeram pensar nos cogumelos do círculo das fadas, o círculo que ele havia rompido...

Com um estremecimento, ele se virou, as mãos nos joelhos. Fechou os olhos com força até sentir tontura. Quando voltou a abri-los, viu pontinhos, mas pelo menos eles apagaram a imagem grotesca de sua mente.

"Tudo bem?", perguntou Pete. Grim já estava ao telefone. Steve não gostou da expressão em seu rosto. Não havia um vestígio sequer de seu costumeiro cinismo.

"Pra ser honesto, não mesmo", disse. "Quero dar o fora daqui."

"Vamos descer", disse Pete. "A Rush Painting, do Rey Darrel, tem uma escada que deve ser alta o bastante para tirá-lo dali. Essa pobre criatura merece ser sepultada decentemente."

+++

Quando Steve saiu da floresta pela segunda vez, agora com o corpo inerte de Fletcher envolto por um cobertor (não teve coragem de colocá-lo em um saco de lixo), sua mente estava limpa e ele podia encarar a situação de modo mais sóbrio. A atmosfera carregada e a estranha atemporalidade que ele havia sentido lá em cima agora pareciam coisa de sonho. Em vez disso, um pensamento muito mais mundano lhe ocorreu: que existiam momentos que ficavam com você para toda a sua vida, e quase sempre tinham a ver com vida e morte. Este era um desses momentos: Steve cambaleando pelo portão do quintal, o embrulho nos braços, doloridos com o peso morto, os três outros membros de sua família chegando para encontrá-lo, às lágrimas. Era um momento que teria um profundo impacto em todos eles pelo resto de suas vidas, e jamais seria esquecido. De fato, era para ser lembrado com carinho... pois o confronto que apresentava significava aceitação, e esse era o primeiro passo na direção do dia em que a dor pararia e as memórias calorosas começariam a voltar.

Fizeram um funeral improvisado perto do canteiro de flores onde cresciam rosas no verão, atrás do estábulo onde sua propriedade quase encostava no Abismo do Filósofo. Fletcher adorava aquele trecho, segundo Jocelyn. O veterinário havia passado no começo do dia. Grim queria uma autópsia, mas Steve fizera um apelo para que deixasse o cachorro com a família. Grim havia cedido. Segundo o veterinário, era um caso simples; as partes gastas na pele do cão contavam a história: seu peso fechara sua traqueia e ele engasgara até a morte. Não havia mais nada a se dizer. Mas, depois, Jocelyn contou a Steve que, quando ela levou o homem à cozinha para lavar as mãos, ela o viu fazer o sinal de chifres... o gesto para afastar o mau-olhado.

Por fim, chegou o momento em que a família estava sozinha, e eles aproveitaram esse tempo para chorar. Abaixaram Fletcher, envolto em seu cobertor, no buraco recém-cavado e dobraram um cobertor sobre ele. Ficaram ali lembrando. Matt e Jocelyn choraram e se abraçaram. Tyler ficou parado ao lado deles, o rosto chocado e preocupado, e não falou muito. Ficava sempre olhando ao redor, como que para se assegurar de que ainda estava ali. Steve estava preocupado com ele. O jeito de Tyler de lidar com problemas era se recolher, mas ele normalmente demonstrava certa racionalidade que não estava aparente agora.

Jogaram flores no túmulo e depois terra úmida. Steve se lembrou de uma coisa que tinha dito aos Delarosa sobre crianças brincando de enterro durante a epidemia de varíola de 1654: *as crianças cavavam buracos fora das muralhas do forte e carregavam caixotes de frutas para colocar nas pequenas covas, caminhando em procissão. Seus pais achavam que elas estavam possuídas, e a brincadeira foi vista como um mau presságio.*

Ele dispensou o pensamento. Jocelyn levou os garotos para dentro e Steve foi até o estábulo para pegar a pá. Pablo e Niké resfolegavam sem parar quando ele entrou — suaves e consoladores, de um jeito extremamente nostálgico, normal em cavalos. Ele os abraçou e voltou para preencher o túmulo.

+++

Robert Grim retorna um pouco depois das quatro, trazendo más notícias como o profeta do caos de uma antiga tragédia grega. Só que a má notícia vem na forma de um fragmento de vídeo.

"O único fragmento que fomos capazes de encontrar de todas as câmeras de segurança de Monte Misery", diz Grim. "Mas já diz tudo. Achei que vocês deviam ver."

Eles se reúnem ao redor da mesa de café com o MacBook na frente deles e Grim aperta o PLAY. No começo, é difícil distinguir o que se vê; parece que estamos olhando para uma fotografia negativa esfumaçada. Então Steve percebe que são imagens em infravermelho. Há umidade na lente, que borra um pouco a imagem, mas nas tinturas de antracita ele ainda consegue distinguir árvores e algo que claramente é uma trilha. No rodapé da imagem estão os números 02/11/2012, 20h57. *Ontem*, diz Steve a si mesmo.

O que o filme mostra a seguir é tão apavorante que seu corpo inteiro gela. Todos se espantaram, mas Tyler mais que o restante: ele recua mordendo a palma da mão, e os olhos se enchem de lágrimas. Duas figuras aparecem, pálidas e luminosas na visão noturna: a bruxa, andando como fantasma em um baile de máscaras, com Fletcher ao seu lado. O cão fareja aqui e ali, e até balança a cauda um pouco. Steve percebe por que essa imagem aparentemente inocente é tão assustadora: nenhum deles jamais viu Katherine agindo *de maneira determinada* antes. Até essa imagem, mostrando os dois andando juntos na noite, lado a lado, ao encontro da morte de Fletcher.

"Isso é extremamente alarmante, vocês entendem", diz Grim. "Consultei o Conselho e estamos tentando manter essa história abafada, para evitar a perturbação pública, mas estamos surpresos. Isto é algo completamente novo. Alguma coisa aconteceu a Fletcher que pudesse ter provocado isso? Se aconteceu, tenho que saber, pessoal."

Jocelyn e Steve balançam a cabeça lentamente. "Ele normalmente morre de medo dela", diz Jocelyn, profundamente chocada. "Olhe como ele simplesmente caminha ao lado dela..."

"Isso tudo é culpa de *vocês*!", explode Matt subitamente. "Vocês não deram nada a ela!" Quando Steve olha para ele assombrado, o garoto acrescenta: "Na Queima da Bruxa! Vocês não quiseram oferecer nada pra ela, e agora ela levou o Fletcher!".

"Uma coisa não tem nada a ver com a outra", disse Steve. "Como você pode sequer pensar algo assim?"

"Como *você* sabe?" Matt está chorando, e se afasta de sua mãe. Steve vê a expressão tensa de Grim e pensa: *Isto é só o começo. Vamos ouvir muito mais desse raciocínio de merda nos dias que virão. O impulso de apontar o dedo, designar um bode expiatório. Se isso for noticiado, estamos fodidos. Você sabe disso, não sabe?*

"Tyler? Aconteceu alguma coisa com Fletcher que você saiba?"

Tyler balança a cabeça rapidamente, lábios tremendo.

"Você não deu de cara com *ela* enquanto estava passeando com ele?"

"Não."

Steve olha bem para ele e diz: "Se algo de ruim aconteceu, por favor, nos conte, ok? Trata-se da nossa segurança".

"Ele tem razão", interrompe Grim. "Não se preocupe. Se vocês rapazes ficaram brincando como naquele vídeo que fizeram, não vou contar ao Conselho. É claro que não queriam que isso acontecesse. Eu só preciso saber a respeito. Tem alguma coisa muito séria acontecendo. Você entende isso?"

Há lágrimas nos olhos de Tyler e seus lábios tremem ainda mais, e talvez, apenas talvez, hoje eles o tenham pressionado tanto que ele ficou a ponto dizer uma coisa — mas então ouve-se um estrondo, e muito tempo vai se passar antes que alguém volte a pensar neste momento, o momento *antes* do momento que faria com que todos os outros fossem esquecidos. Steve tem apenas tempo suficiente para virar a cabeça na direção de onde veio o ruído — o som de madeira pesada batendo no chão violentamente — e ver, pelas portas francesas da sala de jantar, pela janela que dá para o quintal, algo que seu cérebro não consegue entender totalmente. Ele vê um cavalo enlouquecido trotando em sua direção. Ele vê músculos tensionados. Ele vê espuma nos flancos negros, ele vê olhos se revirando, ele vê cascos galgando desesperadamente. Como cristal explodindo, a janela se pulveriza, e pela cortina de lascas de vidro Pablo entra aos pulos na sala de jantar. O cavalo escorrega na mesa, que cai com estrépito no chão quando suas pernas cedem. As pernas de Pablo também desabam e o cavalo vira de lado em seu flanco, enlouquecido de medo. Seus cascos quebram lascas do interior das portas francesas.

A família Grant e Robert Grim se jogam para se proteger como se bombas estivessem caindo. Ninguém grita; a violência com que o cavalo surgiu parece ter tirado todo o oxigênio da sala. Então o animal se ergue nas patas traseiras, gracioso, surreal, decapitando o abajur da sala de jantar, e Jocelyn e Matt mergulham para a frente, num esforço espontâneo de colocar as rédeas no cavalo. Mas Pablo não foi o único que saiu dos estábulos; nesse exato instante Niké, em um pânico cego, sai galopando pelo portão do quintal, dando a volta na casa e indo na direção oeste, descendo a Deep Hollow Road. É por pura sorte que não há tráfego — sorte para os carros e sorte para Niké. Várias câmeras de vigilância gravam seus movimentos: primeiro a que fica perto do estacionamento, na entrada da trilha onde termina o Riacho do Filósofo; depois aquela do canto na Patton Street. Dentro da casa, Jocelyn e Matt finalmente conseguem acalmar o garanhão confuso. O animal resfolega e derruba cadeiras, mas a voz firme de Jocelyn consegue acalmá-lo. Steve ajuda Robert Grim a se levantar, e ele está convencido de que, se seu coração batesse mais rápido, suas costelas explodiriam.

Ao redor deles, as pessoas saem de suas casas. Os VanderMeer — Pete, Mary e Lawrence — vêm correndo, assim como os Wilson, do outro lado da rua, e muitos outros. As câmeras da HEX mostram como eles são atraídos para a casa dos Grant como se lá houvesse um ímã, e depois para a área atrás dela. No centro de controle, Warren Castillo e Claire Hammer olham para a tela boquiabertos. Eles veem quando Steve, Tyler e Grim emergem também, para entender o que foi que assustou tanto os cavalos. Claire troca rápido para uma nova câmera e começa a passar mal.

A imagem mostra um pequeno grupo aglomerado no leito arenoso do Riacho do Filósofo.

Na água escura, os vestígios inconfundíveis de sangue.

14

Naquele domingo, a campainha prateada sobre a porta do Griselda's Butchery & Delicacies não parou de tocar. Normalmente, Griselda está fechada aos domingos, mas hoje ela pensou em fazer seu serviço comunitário e abrir a sala de almoço para o pessoal ansioso que tinha ido à igreja às dúzias e agora precisava conversar sobre o que estava acontecendo.

Era um dia ensolarado de outono, refrescantemente frio e com uma luz pálida porém intensa que se refletia nas poças das ruas. E, no entanto, uma atmosfera sombria pairava sobre Black Spring e podia ser lida nos rostos das pessoas naquela manhã. Eles tomavam distância das colinas, assombrados pelo cheiro poluído da mata e dos riachos que pendia tão forte no ar. Para Griselda, pareciam pessoas em fuga: indo até a Cristal Meth ou a St. Mary, atraídos pelo som do carrilhão e compelidos pela necessidade de compartilhar medo e fé uns com os outros. As regras proibiam estritamente tanto o reverendo como o padre de pregar a respeito de Katherine (poderia haver algum Forasteiro na igreja), mas eles tangenciavam a regra incentivando seus paroquianos a não ceder ao "terror noturno" e a "confiar no Senhor Deus". Pelo menos é o que disse a sra. Talbot, uma das primeiras clientes de Griselda, porque Griselda e Deus não estavam realmente na mesma sintonia e ela passara a manhã inteira na cozinha fazendo preparativos para um almoço de correria. Segundo a sra. Talbot, alguém no coro da igreja havia se levantado do genuflexório quando o reverendo Newman fazia a bênção e gritou: "Isso é uma palhaçada. Por que você não fala sobre o que está realmente acontecendo e o que devemos fazer a respeito?". A voz se partiu e se dissolveu em um soluço, e as pessoas trocaram olhares ansiosos, guardando seus pensamentos para si mesmas.

Mas, no açougue da Griselda, todos estavam ansiosos para dizer o que pensavam. O riacho ensanguentado e a morte do cachorro eram a notícia do dia, mas mesmo com aquele clima intenso o povo da cidade não esqueceu o que a pobre esposa do açougueiro teve de suportar recentemente, e todos foram lá para comprar sua mercadoria. Eles compraram e comeram. Era como se estivessem dizendo: *Dê-nos sua carne, Griselda, e deixe-nos comer; dê-nos sua carne e vamos compartilhar seu fardo...*

"Quem diabos poderia ter abalado Katherine tanto assim?", perguntou em voz alta a sra. Strauss enquanto mastigava seu sanduíche quente de pernil.

Alguns dos clientes resmungaram, distraídos, e sussurraram nomes. A mão frágil porém firme do velho sr. Pierson agarrou Griselda quando ela passou. "É essa maldita internet", disse ele, seus maxilares mastigando e pulverizando a almôndega em seu garfo. "Eu sempre lhe disse: isso não vai dar em nada bom. O que vamos fazer na próxima vez, quando não for um cachorro, mas um de nós?"

Vários idosos presentes assentiram, mas também houve risadas. Griselda entregou ao velho um guardanapo (depois de enxugar, sem perceber, o suor em sua testa), pois havia molho grosso pingando do queixo dele.

A sra. Schaeffer, esposa do cirurgião, já estava esperando no balcão. "Ah, querida", disse ela, "você tem tanta coisa para suportar. Que alma corajosa. Me dê uma fatia desse patê Holst, quero uma bem grossa hoje." Normalmente, Griselda detestava a sra. Schaeffer, mas reparou que a mulher agarrava sua bolsinha com dedos embranquecidos e que seus dedinhos tremiam quando ela entregou o dinheiro. A coitada estava apavorada.

Dê-nos sua carne, Griselda, e deixe-nos comer; dê-nos sua carne e vamos passar por tudo isso juntos...

Griselda também estava meio dispersa, e todas aquelas pessoas em seu refeitório simplesmente a faziam ficar mais tonta. Apenas quatro dias haviam se passado desde a confusão com Arthur Roth, e ela ainda não havia se recuperado do choque. E agora mais essa.

Fizeram uma reunião de crise no Conselho. Da última vez que vira Colton Mathers, ele a pegou pela mão e sussurrou gentil porém urgentemente: "Calma, Griselda. Você agiu bem. Foi uma morte natural. Ninguém precisa saber". Dessa vez eles estavam na margem do Riacho do Filósofo, todo o Conselho reunido com uma série de membros da equipe HEX olhando quietos para a correnteza, com medo de dar um passo sequer mais próximo da água amaldiçoada. O sangue brotava do fundo do riacho em vários pontos e turbilhonava, preguiçoso, como trilhas de tinta vermelha. Havia muito pouco para saturar a água, mas depósitos enferrujados já se formavam nas margens. O fenômeno, artificial e blasfemo, tinha um magnetismo sombrio, e só de ver isso Griselda estremecia.

O que foi que aconteceu para Katherine expressar sua insatisfação com tanta força? Assim como muita gente da cidade, Griselda estava obcecada com a ideia de que ela própria estava no centro dessa história. A diferença era que, no caso de Griselda, tinha de ser verdade. Noite passada ela ficou acordada, se virando de um lado para o outro. O lençol havia se enfiado de modo irritante entre suas nádegas e ela ficou cercada pelo cheiro penetrante de seu próprio suor. Cada vez mais ela se convenceu de que estava falhando de algum jeito, que Katherine a estava selecionando pessoalmente e poderia aparecer em seu quarto a qualquer momento com olhos leitosos, abertos, apontando o dedo silenciosamente para ela...

Mesmo agora, enquanto limpava a máquina de café, em plena luz do dia, o pensamento a fazia se sentir desconfortável. Houve um alvoroço na rua e os murmúrios morreram. Griselda deu uma espiada lá fora. Na frente do cemitério, um grupinho de pessoas enxameava ao redor do criador de ovelhas John Blanchard, que fazia gestos amplos com uma das mãos e na outra segurava uma daquelas coisas eletrônicas, pequenas e achatadas — chamavam isso de tablet. Griselda colocou a toalha de prato em cima do ombro e parou na porta. O sininho começou a balançar sobre sua cabeça.

Acredite ou não, o fazendeiro estava fazendo uma pregação. "Danação! Danação! Eu avisei a todos vocês quando as luzes apareceram no céu no começo deste mês, e não é verdade que a bruxa matou o cachorro do médico? Eu disse a vocês, mas vocês não queriam escutar. Não é verdade que as corujas têm voado durante o dia, que ela fez a terra sangrar e que os cavalos do médico correram feito loucos?"

"É, sim", interrompeu um dos ouvintes. "Isso tudo não é culpa do dr. Grant, com toda aquela conversinha dele?"

"Não", disse John Blanchard. "Pois a ira não é só para ele. Minhas ovelhas têm estado intranquilas desde o nascimento do Cordeiro de Duas Cabeças. Elas se recusam a comer. O Senhor não disse a Jeremias que as pessoas seriam castigadas porque seus ancestrais O haviam abandonado? E não disse Ele que o castigo teria quatro faces: a praga, a espada, a fome e..." O fazendeiro de ovelhas tocou a tela do seu tablet. Como o aparelho não respondeu, ele começou a tocá-lo várias vezes com irritação. "Exílio!"

Liza Belt, a costureira, chegou perto de Griselda e disse: "Se eles agora já publicaram o Novo Testamento como livro digital, eu vou comer pessoalmente a *Grande Bíblia da Família* de minha mãe. Caramba, aquele ali não é o John Blanchard?".

"É sim", disse Griselda. "E tem seguidores."

A voz de Blanchard era vigorosa e ressonante, e o fato de que estava pregando maldição com o sotaque local e confiável das Highlands o fazia mais peculiar do que brega. "Confessai vossos pecados e glorificai-O — esta é a única maneira de afastar o mau-olhado, boa gente. Adúlteros, revelai-vos! Homossexuais, revelai-vos! Pedófilos, estrangeiros, fratricidas, revelai-vos e confessai vossos pecados. Cantemos..." Ele batucou na tela mais algumas vezes e perdeu a paciência. "Alguém aqui sabe como esta porra funciona?"

"Você precisa ter um de verdade, não esse lixo da Best Buy", disse alguém no meio da multidão.

"Não, este aqui veio com uma assinatura da revista *Autoweek*", disse Blanchard, distraído. "Aqui, pronto." Conseguiu virar a tela na direção de seus seguidores. Ela mostrava um hino de caraoquê no YouTube, e uma música de órgão estridente emergiu do pequeno alto-falante. Mas como estava do lado de fora e longe de um ponto de wi-fi, havia um atraso entre imagem e som, de modo que as palavras ficavam piscando tarde demais, e as pessoas que cantavam juntas — e havia um número razoável delas — não conseguiam manter o compasso com a melodia.

Se o Senhor ouvisse isso, pensou Griselda, *desejaria nunca ter começado Sua criação.*

Não muito tempo depois, Blanchard e sua congregação foram afastados por membros da equipe HEX. As coisas permaneceram quietas por toda a tarde e, às cinco e meia, quando os últimos habitantes do vilarejo tinham finalmente ido embora e Griselda Holst virou a placa da porta da frente para FECHADO, sentiu-se ao mesmo tempo esgotada e aliviada.

+++

Naquela noite, no crepúsculo confortável de sua casinha da parte dos fundos do açougue, Griselda fez uma coisa que não fazia há vinte anos: resolveu se medicar com bebida. Cerveja, não; Jim sempre havia tomado cerveja, e Griselda achava que isso fedia a cevada, suor e as mãos pegajosas de Jim. Griselda tomava vinho. E vinho do bom. Tinha comprado a garrafa no ano anterior, no Market & Deli, a fim de guardar para convidados, mas nenhum convidado apareceu, e agora ela lembrava que escondera a garrafa sob o congelador de carne para que Jaydon não achasse. Por uma questão de princípio, Griselda desprezava álcool, mas se algum dia houve um bom motivo para violar sua abstenção, era aquele. Porque, logo antes do jantar, enquanto estava mexendo uma grande panela de picadinho de carne com batatas, o pensamento ocorreu de forma tão natural que devia ter estado a tarde toda adormecido: *Quando você vai cortar alguma coisa para ela... Quando é que você vai levar para ela sua oferenda em sangue?*

Havia certo equilíbrio lógico na ideia que era impossível de negar. Griselda tinha dado patê à bruxa. Dera também uma cabeça morta de novilho. A bruxa tinha recebido um cão vivo. Cão vivo. Aparentemente, não era o bastante: Katherine queria uma oferenda viva.

Outra pessoa provavelmente teria se esquivado de seu dever contando Arthur Roth como oferenda, mas, de um modo estranho, Griselda era pragmática demais para isso. Ali também havia um equilíbrio inegável: ela havia implorado à bruxa para visitá-lo e acabar com ele; embora tivesse acabado por fazer isso sozinha, não existe certa justiça poética no fato de que havia acabado de fazer isso com um cabo de vassoura? Mas não era oferenda; Griselda entendia isso. Agira sozinha, por si mesma. A cada golpe naquela cabeça miserável mutilada, ela se libertou mais de Jim e ficou quite com seu passado. A intensa dor nos músculos de seus braços, que até hoje a impedia de levantá-los acima do nível do ombro, era um alívio.

Griselda se sentou em sua cadeira à beira da janela e se serviu de vinho em um copo de uísque. Fez uma careta por causa do gosto amargo, mas depois de um tempo ele se acomodou em sua garganta e não pareceu tão ruim. Ela era uma mulher robusta, mas não estava acostumada a álcool, e no meio do segundo copo começou a sentir tontura, e seus pensamentos começaram a correr soltos.

Jim costumava matar gado, principalmente para pequenos fazendeiros das Highlands que lhe traziam um novilho e duas ovelhas todo ano. Nos fundos de sua oficina ele tinha um velho gancho de abate, um moedor manual para fazer salsicha de cordeiro com invólucro de porco, uma câmara fria para envelhecimento, um gabinete para defumação e um banho de cura para presunto. Depois que Jim morreu, Griselda vendeu tudo — hoje em dia ela mandava vir tudo do atacadista. O abatedouro ainda tinha um cheiro forte de sangue, mas era como o cheiro de metal e de óleo derramado da moto de Jaydon. O abatedouro Holst não era mais um estabelecimento de alta qualidade, mas pelo menos ela fora capaz de manter o negócio funcionando.

Embora Griselda não tivesse a expertise de seu marido para matar, ela sabia como proceder.

No que é que você está se metendo, Griselda? Quer mesmo sacrificar uma vaca para ela? Sabe como a legislação aqui costumava ser, como Jim estava sempre reclamando. Primeiro, você não pode transportar gado. O inspetor tem de vir checar tudo antes que você ao menos possa afiar a faca. Aí chega um testador. Você acha que eles vão apenas fazer uma cruzinha em "sacrifício" nos seus formulários idiotas? Se você tentar de modo ilegal, pode perder sua licença, e se Katherine não ficar satisfeita, sua perda será ainda maior...

Mas será que isso realmente importava ou ela estava escutando a voz da covardia? A mesma voz que lhe disse para não deixar Jim — e veja só o que aconteceu. Além disso, ela não faria nada no abatedouro mesmo.

Teria de acontecer em algum lugar lá em cima na floresta.

Sistematicamente, começou a repassar todas as possibilidades. Ela conhecia dois fazendeiros locais que poderiam lhe vender um novilho por baixo dos panos, e alguns deles ainda abatiam, mas Griselda os considerava concorrentes. Ela não queria ir por esse caminho. Então se lembrou de toda a confusão na TV semana passada a respeito dos muçulmanos na cidade e seu ritual de abate. Eles tinham acabado de ter seu Ramadã — ou sabe-se lá como se chamavam aquelas coisas absurdas em que eles cortavam as gargantas de cabras e deixavam o sangue jorrar por toda a mesquita. Certamente, esse pessoal poderia passar um bode para ela discretamente. Mas ela preferia dar seu próprio sangue do que se meter com *eles*, e de qualquer maneira isso já fazia uma semana. Provavelmente eles não tinham mais bodes.

E você se esquece da coisa mais importante. O que acha que as pessoas vão dizer quando a virem passeando pela cidade com um bode a reboque? "Lá vai aquela Griselda maluca. O que será que ela vai fazer agora?" Não há como negar que você sempre tirou vantagem da pena deles, mas, se suspeitarem que você está se metendo com a bruxa, vão fazer de você o bode expiatório.

Obrigada por nada, pensou ela, cheia de desprezo. *Eu estaria fazendo um favor a eles!*

E todas aquelas câmeras malditas?

Griselda se levantou e agarrou as costas de sua cadeira. A sala de estar estava rodopiando ao seu redor em um movimento amplo e nauseante. Irrompendo em suor, ela foi cambaleando até a cozinha e mergulhou a cabeça na pia.

Tinha que abandonar essa ideia. Era louca e muito perigosa. Ela ouviu batidas na porta dos fundos. Por um momento ficou paralisada no balcão, incapaz de raciocinar, tomada por um único pensamento que preencheu sua mente com um terror ácido: era Katherine. Alguém havia aberto seus olhos, e ela apareceu para exigir sacrifício. Suas pálpebras estariam mutiladas por causa dos fios rompidos, e arrebataria Griselda com seu olhar morto, sussurrando que ela havia fracassado em sua tarefa...

Fechou a torneira e foi trôpega até a porta dos fundos. Com dedos escorregadios, empurrou a cortina de renda brega e espiou para fora. Na luz mortiça da lâmpada externa ela viu não Katherine, mas Jaydon, esperando impacientemente com as mãos nos bolsos. Griselda tentou rir e abriu a porta com as mãos trêmulas.

"Desculpa, esqueci a chave", resmungou Jaydon.

"Você está horrível! O que aconteceu?" Griselda encarou o rosto de Jaydon, oculto nas sombras. Seu olho direito estava inchado e ficando roxo.

"Me meti numa briga", disse ele.

"Se meteu numa briga? Com quem?"

"Não quero falar."

Era como se o tempo tivesse dado a volta e completado 360 graus. O olho roxo de Jaydon. Arthur Roth. O violento embate que Griselda teve com filho ali mesmo naquela cozinha. Os punhos de Jim batendo no garoto de nove anos até ele ficar roxo. Jaydon havia presenciado e vivenciado muita violência doméstica; uma olhada em seu olho roxo e Griselda sentiu lhe subir um arroto rançoso que lhe encheu o nariz com o cheiro acre do álcool.

"Mas, querido, bateram em você, deixe eu ver..."

Jaydon a afastou com um gesto antes que ela pudesse tocá-lo. "Mãe, a culpa foi minha, ok?" Sua voz falhava. "Eu falei uma coisa imbecil."

"Mas isso não dá a ninguém o direito de bater em você assim, dá?" Jaydon resmungou alguma coisa, jogou a grande sacola de compras azul da Market & Deli com suas roupas de ginástica num canto e correu para cima, onde bateu a porta atrás de si. Griselda o viu sair, desconsolada, e ficou parada e indecisa na cozinha. Depois de alguns minutos, jogou o resto do vinho pelo ralo e se serviu de um copo de leite. A meio caminho do segundo copo, percebeu que tipo de impressão Jaydon havia provocado nela: a impressão de que estava morto de medo.

Ela ficou olhando para a sacola de compras do Market & Deli e de repente percebeu o que precisava fazer.

+++

Quarenta minutos depois, escondida em sua capa de chuva e com a sacola de compras enfiada embaixo do braço, ela atravessou o gramado e se dirigiu para a estrada. O vento forte havia soprado no decorrer da noite. Dirigiu com entusiasmo — para dizer o mínimo —, virando na primeira curva e pulando no meio-fio na seguinte ao fazer seu caminho para Deep Hollow Road. Quando as lanternas traseiras de Griselda piscaram, uma hora e meia depois, e ela virou seu velho Dodge de volta para a entrada, pouca coisa havia restado de seu estilo de direção errático. Em algum lugar durante o passeio no escuro, Griselda havia ficado completamente sóbria.

Agarrando a sacola de compras de encontro ao peito, ela foi até a oficina. Quando saiu, meia hora depois — era perto de uma da tarde então —, a sacola de compras estava fechada com agulha e linha, exceto pelo outro lado, de onde saía um grande tufo de penas de pavão, que ela enfiou sob o casaco.

Griselda levaria para Katherine a mais prestigiosa oferenda que estava em seu poder conseguir... e que pudesse ficar escondida numa sacola de compras da Market & Deli.

Confiante, tinha descido a Popolopen Drive até o zoológico perto da igreja Presbiteriana em Monroe. Era um parquinho modesto com umas cabras, uns patos e um pavão. Ela estacionou o Dodge em um ponto escuro entre dois postes de rua e atravessou a via. Então espiou por entre a grade de cerca. Não havia pavão à vista. Um carro se aproximou e Griselda pulou para trás de uma árvore. Frenética, ficou imaginando o que fazer em seguida. Não podia simplesmente aparecer com um pato imbecil sob o braço. Vinte minutos se passaram — ela estava perdendo tempo precioso. Então se lembrou do que havia lido em casa quando procurou "Como pegar um pavão" no Google: que pavões costumam dormir em árvores.

Olhou para cima e viu penas da cauda penduradas da sombra do grande carvalho perto do lago. *Idiota!*, disse a si mesma. *Se você quer mesmo ser uma heroína, não fique aí parada babando.*

Ela então olhou ao redor para garantir que não estava sendo observada, jogou a sacola de compras por cima da cerca e pulou. Griselda — que tinha a estatura e os braços gordos trabalhando contra si, mas o poder dos simplórios como vantagem — de algum modo conseguiu e pousou nas fezes de pássaro com um estrondo. Subiu cambaleante nas pernas fracas e trêmulas, limpou as mãos arranhadas e se pôs a trabalhar.

Primeiro, ela derrubou o pavão da árvore com uma pedra grande. O pássaro saiu correndo em meio a gritos terríveis. Griselda se encostou com força contra o tronco de árvore, com o coração na boca, convencida de que metade da cidadezinha de Monroe estava agora acordada. A balbúrdia que o pássaro fazia era excruciante, para não mencionar a inesperada deselegância vinda de um manto tão prestigioso de penas azuis. Griselda torceu para que Katherine não achasse isso irritante.

Dez minutos depois, saiu sorrateiramente das sombras, o cobertor da sacola de compras aberto, e pronto. O pássaro estava diante da cerca da grade, olhando desconfiadamente para ela. Quando Griselda se aproximou, o bicho correu, arrastando as penas da cauda atrás de si, como a cauda de um vestido. Griselda caçou o pavão até encurralá-lo em um canto do zoológico. Se alguém por acaso passasse por ali agora, ela estaria ferrada: não havia como se passar pela proprietária, e se fosse levada para a polícia teria de explicar o significado disso tudo. Mas Griselda tinha uma fé tão cega em Katherine que nem sequer olhou ao redor. Jogou o cobertor em cima do bicho e seu peso inteiro em cima dele.

De volta a Black Spring, ela passou correndo pelo cercado atrás da antiga residência Hopewell, aos pés da Colina Bog Meadow. Estremeceu ao pensar em ter de entrar na floresta, onde reinava a mais absoluta escuridão e onde ficaria sozinha com o vento — e com *ela*. Mas Griselda se forçou a não pensar nisso e continuou seu caminho. O pavão na sacola de compras estava mudo. Griselda teve medo de ter quebrado a asa dele no ataque; o bicho havia feito um ruído como se ela tivesse pisado numa caixa de ovos e soltara um gemido triste, mas no meio da jornada para casa ele adormeceu. De vez em quando, para se assegurar de que estava vivo, Griselda enfiava a mão dentro da sacola para sentir o movimento do delicado corpo do pavão.

Caminhar pela noite escura como breu era loucura, mas ela finalmente encontrou Katherine, justo onde o HEXapp indicou: na floresta, atrás dos campos do Ackerman's Corner. Estudando o mapa, ela teve uma vaga ideia das trilhas perto das quais Katherine estaria, mas Griselda não queria se arriscar a pegar as trilhas porque estariam sob vigilância extra agora, mesmo à noite. Então seguiu pela mata cerrada, tão densa que foi preciso dar meia-volta em alguns pontos. A oferenda em seus braços ficava mais pesada a cada passo. O cheiro de lama, mofo e decomposição da floresta era quase insuportável. O corpo roliço de Griselda gritava de dor, e ela ofegava, exausta. Estava prestes a desistir quando Katherine subitamente apareceu, bem à sua frente, mal detectável na escuridão opaca.

O sangue de Griselda congelou. "Você me assustou, Katherine", disse ela, a boca seca. "Sou eu, Griselda." O som de sua própria voz na escuridão fez com que seus cabelos se arrepiassem, e lhe custou uma tremenda força de vontade não ceder à necessidade primitiva de virar as costas e sair correndo. A bruxa estava ali parada, uma silhueta negra imóvel, tudo à sua volta sufocado pela morte.

Griselda olhou ao redor. Ela estava em meio a um grupo de pinheiros vetustos e altos. Não parava de dizer a si mesma que o encantamento dos riachos não estava mais presente ali do que em qualquer outro lugar, que ela só precisava descer a colina para voltar ao ambiente familiar da cidade, longe do poder malévolo e pagão que parecia estar presente ali. Katherine havia chegado até aquele ponto, levada por um instinto antigo. A bruxa seria boa para Griselda se ela fosse boa para a bruxa.

Ela caiu de joelhos, sua patela esquerda afundando em alguma coisa gosmenta. Deu um pulo para trás, como se tivesse levado um choque. Desconfiada, foi tateando ao redor do piso negro da floresta até sentir algo úmido, morno e elástico. Não demorou muito antes que as mãos de açougueira de Griselda reconhecessem o que era: coração de porco. Subitamente, ela se zangou, se sentiu mesmo insultada, e isso acalmou seu medo. Alguém estivera ali antes dela. Covarde sujo! Fosse quem fosse, estava tentando ficar de bem com Katherine. Descuidada, ela atirou a coisa suja nos arbustos e limpou as mãos. Agora que o altar estava liberado, ela se prostrava diante de sua deusa.

"Ah, olha só pra você. Lamento tanto, Katherine. Posso não ser uma oradora tão boa quanto Colton, John Blanchard ou qualquer um dos outros, mas meu coração está no lugar certo, basta manter isso em mente. Fracassei com meus sacrifícios, e quero lhe agradecer, de joelhos, por me apontar isso. Eu devia saber. Por favor, aceite minha oferenda de paz; é a mais linda em que pude pensar." Com tímido orgulho, acrescentou: "É um pavão".

Katherine continuava parada, imóvel, na escuridão. Griselda se levantou e tirou o rolo de corda de cânhamo do bolso do casaco. O pavão se moveu nervosamente na sacola de compras, e começou a pupilar baixinho.

"Não quero pedir muito de você, mas acha que consegue tornar tudo como era antes? O riacho, quero dizer, aquilo tudo... Sei que não queria fazer mal a ninguém, mas você assustou muito o pessoal da cidade — e a mim também, pra ser honesta. Eu trouxe para você o sacrifício vivo, do jeito que você queria. Sei que um órgão sujo daqueles não tem utilidade para você. Quem te trouxe aquela coisa suja aqui, aliás? Se eu descobrir, vou mostrar a essa piranha, você deixe comigo!"

Griselda iniciou sua tarefa. Deixara as facas de açougue em casa, pois as últimas peças do quebra-cabeça haviam se encaixado no caminho de volta do zoológico. E se Katherine não ficasse totalmente satisfeita com uma poça de sangue quente aos seus pés descalços? Então sua oferenda poderia ser inteiramente mal interpretada. A coisa teria de acontecer de maneira clara, limpa e digna, e Griselda não demorou a descobrir como proceder.

Ela cortou com os dentes dois metros de corda e amarrou uma ponta ao redor de cada alça da sacola de compras. Depois tirou um par de tampões de ouvido do bolso — ela costumava colocá-los toda noite por causa do ronco de Jim, e ainda fazia isso por hábito —, quando percebeu uma coisa que a fez ficar paralisada.

A bruxa não estava sussurrando. Só agora Griselda percebia como a floresta estava profundamente silenciosa. Ela apurou o ouvido com cuidado, virou-se para Katherine e contou até sessenta. Silêncio.

Profundamente comovida, e tocada por algo que em toda simplicidade pode ter sido a demonstração mais próxima de amizade que Griselda jamais conhecera em sua vida, ela beijou suas próprias mãos nuas e mandou um beijo reverente para a bruxa.

"Obrigada, querida", disse ela com a voz trêmula. "Obrigada por me receber."

Agora sem medo, e pronta para se aproximar, Griselda passou o cânhamo por um dos elos das correntes de ferro e então ao redor do corpo de Katherine, tomando muito cuidado para não tocá-la, apesar de tudo. Amarrou a outra ponta em um galho comprido e grosso. Parada atrás da bruxa, ela enrolou a corda ao redor do galho até ficar bem apertado; e aí o levantou, como uma vara de pescar, fazendo com que a sacola de compras se erguesse do chão. Assim que ficou pendurado no corpo da bruxa, o pavão começou a soltar seus gritos gelados. Os olhos de Griselda se arregalaram, quase explodindo na escuridão. Na floresta, o grito do pássaro não parecia nem um pouco deslocado, mas terrível e melancólico, como o chamado de um morto. Griselda gemeu, mas seguiu em frente. Com toda a sua força, ela levantou a sacola de compras o mais alto que pôde, e então começou a andar na corda esticada ao redor de Katherine, desamarrando-a do galho enquanto seguia, até que a corda estava bem presa ao seu redor, e Griselda deu um nó na outra ponta dos cabos às alças da sacola de compras.

Com grande alívio, parou para respirar. Pena que estava tão escuro; teria gostado de ver o resultado de seu trabalho duro. Mas não tinha nenhuma dúvida de que Katherine ficara satisfeita. Quando chegasse a hora de ela desaparecer mais tarde, naquela noite, o pavão na sua sacola de compras queimaria e se ergueria como uma fênix.

Mais uma vez Griselda se aproximou.

Desta vez para arrumar suas penas.

15

Pouco antes das sete e meia da manhã de segunda-feira, Marty Keller ligou para dizer a ele que era melhor ir logo, e mesmo antes que Robert Grim interrompesse a conversa, seus pensamentos devanearam até uma fantasia tentadora na qual ele arrancava a dentadas o saco de Colton Mathers, cuspia o escroto e batia em seus testículos convulsionantes, até formarem uma pasta, com um bastão de croquete na velha tábua de carne de sua mãe. Não era um pensamento muito reconfortante, mas mesmo assim lhe dava uma satisfação sem alegria.

Depois da ligação, Grim e Warren Castillo colocaram suas capas de chuva e subiram correndo a colina ao longo da Old Miners Road. Era uma manhã nublada e o vento estava aumentando. Não se via vivalma na rua. Quem não tinha que trabalhar naquela manhã trancou as portas e fechou as cortinas contra a tempestade. Muitos daqueles que precisavam ir ao trabalho ligaram avisando que estavam doentes, reportou Lucy Everett — as linhas telefônicas estavam tão ocupadas que ela só conseguia monitorá-las por meio de checagens aleatórias. Grim sabia que a verdadeira tempestade que as pessoas temiam não estava do lado de fora, mas do lado de dentro. Sentira a ansiedade do pessoal da cidade, que finalmente dera em seus nervos também.

Katherine, mulher, o que você está aprontando? Quem mexeu com você?

Warren, quase dez anos mais jovem que Grim, tinha dificuldades de acompanhar seu passo enquanto andavam ao longo da estrada molhada. "Será que vai ser muito ruim? O que você acha?", perguntou ele, ofegante.

"Nada com que não consigamos lidar", disse Grim, mas sua voz soava estranhamente vazia. Depois do incidente maluco com os cavalos dos Grant na tarde de sábado, Grim pensou que tinha a situação mais ou menos sob controle. Quase teve um infarto quando aquilo aconteceu, claro, mas o animal não estava com vontade de machucar ninguém e logo foi contido. Ele havia disparado no pânico cego, quebrado tudo e provavelmente se assustado com seu próprio reflexo, pulando bem em sua direção. Grim mandou transferir os cavalos dos Grant para o pasto de Saul Humfries, do outro lado da cidade... porque a fonte de seu terror sobrenatural estava logo atrás de seu estábulo, onde o Riacho do Filósofo corria ao longo da propriedade de Steve Grant.

Quando Grim viu o que estava acontecendo no riacho, entendeu que a situação não estava nem um pouco sob controle. Na verdade, a situação nunca esteve pior. Mathers disse que queria manter tudo na surdina, e Grim quase explodiu.

"Mathers", ele disse, "eu tenho animais correndo feito loucos, um cachorro que cometeu suicídio, e o Monte Misery está excretando sua placenta maldita. Pode espalhar migalhas de pão na floresta encantada, se quiser; eu vou relatar isso ao Point."

"Você não fará coisa alguma, Robert", disse o velho conselheiro, com o tipo de paixão só visto em crianças muito pequenas e fanáticos religiosos perigosos. Mas Grim também ouviu dúvida em sua voz, e um leito profundo de cansada velhice.

"Não temos escolha. Katherine nunca se importa com bichos de estimação. Pela primeira vez em cento e vinte anos ela mudou seu padrão, e ninguém sabe por que nem aonde isso vai levar."

"Exatamente. E por isso precisamos descobrir o que aconteceu antes de tomar alguma decisão precipitada. Essa é uma questão da cidade. Black Spring sempre cuidou de si mesma, e nós vamos tomar conta de nós mesmos agora."

"Mas nós *não* sabemos — aí está o problema!", respondeu Grim em voz alta, sem acreditar. "Esta é uma situação única e totalmente precária. As pessoas estão mortas de medo. E quem pode culpá-las? Precisamos alertar as autoridades caso toda essa coisa estoure."

"O sr. Mathers tem razão, Robert", disse Adrian Chass, outro membro do Conselho. "O que eles podem fazer por nós lá em West Point, além de ficar olhando atrás de suas janelas à prova de balas enquanto as coisas aqui saem do controle?"

Griselda Holst assentiu apaixonadamente e disse: "Confie no Senhor".

"Isso é um grande fiasco." Grim balançou a cabeça. "Desculpe, não posso continuar com isso. Eu tenho uma obrigação."

Os dedos ossudos de Mathers se enroscaram ao redor do pulso de Grim como uma cobra venenosa. "A decisão do Conselho é definitiva, Robert. Se você se recusar a obedecer, eu vou tirá-lo de seu cargo."

Grim amaldiçoou Colton Mathers e a parteira que lhe deu à luz. Não que ele próprio tivesse uma boa imagem do pessoal do Point: preenchera seus relatórios obedientemente ano após ano, mas normalmente ele os considerava apenas um pé no saco burocrático cuja amizade tinha de ser mantida para que o dinheiro continuasse entrando. Só que agora as coisas eram diferentes. Grim queria mandar para eles uma amostra da água do riacho e analisá-la o mais rápido possível. Ele queria que eles... Bem, queria que *soubessem*. Talvez isso só *aparentasse* mais segurança, mas talvez fosse a coisa certa a fazer. Grim se pelou todo de medo por causa daquela maldita água do riacho, e qualquer vestígio de racionalidade ao qual ele pudesse se agarrar era, de fato, bem-vindo.

Mas Mathers tinha medo, e o medo superava a razão e a lucidez. Isso fazia o conselheiro se tornar imprevisível, e o encurralava num canto. E, assim como Steve Grant, Grim compreendia as consequências potencialmente perigosas: a necessidade humana primitiva de canalizar o medo, transformá-lo em raiva... e encontrar um bode expiatório. Era uma devoção que beirava o fanatismo, e estava acontecendo por toda a cidade. Quem havia zombado da bruxa? O que havia mudado para fazer com que ela quisesse nos punir? Todo mundo olhava mais de perto em busca de algum evento recente incomum. A Queima da Bruxa. A chegada dos Forasteiros durante o festival. A vizinha, que tinha pintado a cerca de jardim com aquela terracota pálida horrorosa. O dr. Grant — pois, afinal de contas, o cachorro era *dele.*

Colton Mathers culpava o sangue que estava nas mãos da mulher do açougueiro desde a última quarta-feira, um pouco depois das cinco. Grim só podia imaginar o que havia acontecido, mas, fosse o que fosse, essa história era muito estranha. A sra. Holst fora encontrada em profundo estado de choque ao lado de Roth — e, agora, os rumores de Katherine. Para Mathers, estava tudo muito claro.

É muita honra para você, seu filho da puta, pensou Grim, *ter sua linha direta particular com Deus e influência com a bruxa também.*

De qualquer maneira, a questão com Arthur Roth nunca foi reportada ao Point, e agora era uma questão de esperar o raio cair. Colton Mathers manteria os serviços de informação longe da porta deles. O Conselho votou — cinco a favor, dois contra —, e Grim foi encostado contra a parede.

Desde que o sangue apareceu pela primeira vez, no sábado, a equipe de sete membros da HEX estava em alerta máximo tentando colocar a situação sob controle. Havia relatos do mesmo fenômeno acontecendo no riacho do Vale Spy Rock, que se esvaziava mais a oeste, no sítio do moinho histórico em frente à prefeitura. Quando o sol se ergueu na manhã de domingo, ele ofereceu uma visão terrível: pela primeira vez desde sua restauração, em 1984, o moinho não estava girando. Cercas foram erguidas para bloquear a entrada para as trilhas da reserva, ali e em Monte Misery. Os riachos continuavam a sangrar. Não o bastante para saturar a água, e eles provavelmente poderiam ter dito ao pessoal da trilha que havia ferrugem nas nascentes, mas Grim não queria se arriscar. Ninguém sabia se a poluição fazia algum mal nem como a situação se desenrolaria. Os animais estavam apavorados, e Grim confiou prontamente em seus instintos.

Para piorar as coisas, domingo foi um dia lindo, então muitos andarilhos tiveram de ser mandados para outro lugar. Grim havia posicionado um exército de voluntários em uniformes da tropa estadual em cada barreira, que diziam aos andarilhos que a Academia Militar estava conduzindo um treinamento de larga escala envolvendo armas de fogo. E houve armas de fogo, *sim*: o barulho veio da biblioteca de efeitos sonoros da HEX.

Durante as primeiras vinte e quatro horas, ele mandou três pessoas seguirem Katherine como uma sombra. No começo, a bruxa tinha aparecido em uma despensa na Sutherland Drive (a descoberta foi puramente acidental, depois que o dachshund da casa começou a se jogar contra a porta do closet em um acesso de raiva). Depois, andou um pouco, de um lado para o outro, nos campos fechados e íngremes do Ackerman's Corner. Na noite de domingo, permaneceu na floresta. Era o seu velho padrão aleatório, nada que indicasse mudança de comportamento. O tempo havia esfriado e sua escolta estava quase morrendo de tanto tédio, então Grim os mandou para casa.

Esse, como se revelou depois, foi seu maior erro desde que ficou sem café expresso no domingo e trocou para Red Bull. Robert Grim sentia como se estivesse tendo uma convulsão de cafeína e quase arrebentou uma artéria.

Ligou para Marty, que levou Grim e Warren pela floresta debaixo de chuva. O rapaz foi correndo até eles, numa grande agitação, com tênis encharcados e um rosto que não tinha visto sono na noite anterior.

"Só mais um pouquinho acima", disse ele ofegante. "Robert, isso é uma loucura..."

Meu Deus, pensou quando viu a coisa. Seu queixo quase caiu com um estrondo no terreno empapado da floresta. A bruxa estava parada no meio das samambaias, encharcada, sua forma minúscula saturada e escura de água da chuva. Numa fração de segundo, ela conseguiu evocar a ilusão de estar em pé em um aviário com um pavão debaixo do braço. *Será que estou vendo isso de verdade?*, pensou Grim incrédulo... Mas aí reparou que alguém tinha amarrado uma sacola de compras azul e a costurado ao redor de sua cintura, da qual despontava um leque enorme de penas de pavão. Incontáveis olhos verdes e azuis de pavão com pupilas escuras olhavam para os três, como se a própria Katherine tivesse aberto os olhos e os encarasse.

O pensamento atingiu Grim como um tapa na cara. Se Grim tivesse visto a bruxa no meio dos *nazar boncuğu* — os amuletos azuis em forma de lágrima para afastar o mau-olhado — na sala de estar dos Şayer, dois dias atrás, teria sido atingido imediatamente por sua semelhança assustadora com o que estava vendo agora. Mas não tinha visto, e nunca em sua vida Robert Grim teve uma premonição tão forte de poder se intensificando... Poder *ruim*.

"O pássaro ainda está vivo", disse Marty.

"Você só pode estar brincando comigo", disse Warren.

"Sério. Acabei de ouvir ele gorgolhando. Ou gorgolejando. Ou sei lá o que um pavão faz."

"Dá um tempo", gorgolejou Grim.

"E não é só isso", disse Marty. "Havia um órgão caído nos arbustos — acho que é um coração animal, mas não sou anatomista. Depois temos aquela boneca de galhos ali adiante...", apontou para uma espécie de cruz trançada de galhos de salgueiro pendurada em um galho perto dali, "que é, tipo assim, totalmente plagiada de *A Bruxa de Blair*. Eu não entendi, porque no filme a coisa maligna era da própria bruxa. E por que é que alguém ia querer dar a ela uma coisa assim? E, hã, também cupons de descontos do supermercado."

Grim e Warren o encararam.

"Tem alguma coisa escrita no verso. A chuva borrou, mas acho que são versículos da Bíblia."

O pavão na sacola de compras soltou um grito de dar pena.

"Filhos da puta", sibilou Grim. "Marty, ligue para a Claire. Peça que ela emita um alerta de que a situação está sob controle, e que o contato com a bruxa ainda está proibido. Mencione o Decreto de Emergência e o que as pessoas podem esperar se o ignorarem. Diga para Claire vasculhar todas as imagens de segurança relevantes. Quero encontrar os babacas que fizeram isso e pendurar os escalpos deles na parede."

Tirou o estilete do bolso do casaco e deu um passo à frente.

"O que você vai fazer?", perguntou Warren.

"Cortar, é claro. Esses palhaços não fazem ideia de onde se meteram. Ela já está se irritando; se as pessoas começarem a amarrar lixo nela, sabe Deus o que ela fará a seguir. E se alguém cair morto de um derrame, como aqueles velhos em 1967? Em que diabos eles estavam pensando?"

"Mas tome cuidado, ok?"

Grim reparou que os lábios mortos e afundados da bruxa, onde gotas enlameadas de água da chuva haviam se acumulado, se moviam levemente, fazendo com que os pontos molhados no canto esquerdo de sua boca endurecessem. Ele se concentrou na voz de Marty Keller, que agora estava com Claire na linha, e no som de chuva na floresta. A bruxa estava sussurrando, mas Grim não escutou, forçando violentamente Katrina & The Waves na sua cabeça para não se concentrar nas palavras dela.

Deu um pigarro e avançou. O pavão na sacola de compras azul fez um leve barulho. Um estremecimento percorreu sua plumagem. As mãos de Katherine pendiam murchas ao lado do corpo. Grim levantou o estilete...

... e a bruxa agarrou as penas do pavão.

Grim deu um pulo para trás, cambaleou e foi apanhado por Warren Castillo. Soltou um grito abafado. Aquele tinha sido um movimento deliberado, porque as penas da cauda do pobre pássaro despontaram logo ao alcance de uma rápida torção no pulso, e agora os dedos magros e cadavéricos dela haviam se fechado ao redor deles como uma armadilha para lobos. Diante dos olhos dos três, a vida do pássaro foi desaparecendo. O azul e verde brilhantes fluíram para fora dos olhos do pavão até virarem um cinza triste. As penas finas ao redor dele se curvaram para dentro, se esmigalharam em pó e se dissolveram no vento.

O pássaro não se ergueu como uma fênix, ele torrou feito uma galinha. Fios finos de fumaça se ergueram da sacola de compras exalando um cheiro terrível — não de algo queimado, mas *esturricado*, como um pedaço seco de carvão se quebrando na sua garganta e enchendo sua traqueia de cinzas quentes. Grim ficou imaginando que sentiria esse cheiro se abrisse um velho túmulo de Pompeia.

"Eu... Eu ligo de volta", gaguejou Marty, cortando a ligação com Claire. "Jesus, você viu isso? Quero dizer, você viu *mesmo* isso?"

Ninguém se deu o trabalho de responder. Katherine estava lá parada encarando os homens sem se mover. Algo na maneira como segurava o pássaro indubitavelmente morto deu a impressão de que estava brincando com eles, como se com aquele simples ato estivesse lembrando aos dois quem é o chefe ali em Black Spring. Grim tentou apelar à razão, mas sentiu o mundo se inclinar loucamente, tentando se endireitar e escorregando para o outro lado. Ele estava à beira do pânico, e pela primeira vez em sua vida desejou de todo o coração nunca ter nascido em Black Spring e que Katherine fosse a maldição de outra pessoa.

+++

Katherine não largava o pavão.

Em vez de desaparecer e surgir de repente em outro lugar, como normalmente fazia a cada sete horas aproximadamente, seu padrão mudou. A partir daquele momento, ela começou a vagar pela cidade, a sacola de compras amarrada na cintura e o bolo de penas de pavão morto na mão.

"Acho que ela está feliz com a oferenda", concluiu Warren Castillo a um certo ponto, mas ninguém sabia se isso era verdade ou não.

Por volta da noite de segunda, enquanto todas as redes de TV dos Estados Unidos estavam fazendo a cobertura das eleições presidenciais do dia seguinte, a água do Riacho do Filósofo estava tomada de um vermelho lamacento, como se um grande tubarão-branco estivesse nadando em algum lugar por ali e tivesse feito em pedaços um ou dois andarilhos.

Katherine fora até a prefeitura, com seu pavão a reboque.

16

No ponto mais baixo de seu estupor após a morte de Fletcher — a uma da manhã de segunda-feira —, Tyler estava deitado na cama, só de cueca, o corpo coberto de arrepios e seus mamilos como nódulos escuros e duros. As linhas normalmente suaves mas bem formadas de suas costelas e músculos pareciam afundadas e pálidas no brilho do fundo de tela de seu MacBook. Ele olhava fixamente para o teto e escutava os estalidos dos canos de aquecimento, contando a passagem dos segundos. O pessoal da manutenção não consertaria a janela dos fundos até o dia seguinte, por isso correntes de ar passeavam pela casa e os radiadores estavam trabalhando acima do normal nos últimos dias.

Tyler, mesmo além da exaustão, não conseguia dormir. Trocava de posição, tremia sem parar e puxava os cobertores até a cintura. Ele não fazia ideia de como havia passado as últimas quarenta e oito horas com tão pouco tempo de sono, mas de um jeito ou de outro tinha conseguido. Isso o fez ficar muito cansado e frustrado. Não queria outra noite assim.

Logo antes da meia-noite Laurie enviou uma mensagem de texto:

> Tyler, vc tá bem? To c saudade. Me diz como vc tá, ok?
> Amor, Laurie.

Tyler excluiu a mensagem e desligou o celular. Não se sentia capaz de respondê-la. Era como se Laurie estivesse em outra dimensão, onde as imagens que não paravam de passar por sua mente numa repetição nauseante — o mamilo de Katherine, Fletcher, os cavalos — não existissem. Ele tinha navegado até um site de webcams em busca de um consolo mais fácil, mas nada conseguiu excitá-lo muito nessa condição.

Por fim, ele acabou escrevendo uma coisa no gerenciador de conteúdo do seu blog, mas claro que não colocou on-line:

Totalmente passado. Acho que virei um zumbi. Não consigo pensar com clareza. O cérebro parece destruído, como se Pablo tivesse destruído minha cabeça em vez da sala de estar. Queria ter um pouco de maconha ou algo assim. Preciso relaxar ou vou explodir. Consegui uma garrafa de tequila no andar de baixo e fiz uma festa no quarto — uma *fiesta* de um homem à la TylerFlow95, *bitches*. Acho que vou vomitar. Se não vomitar, nunca mais bebo outra gota de álcool.

    Não faço ideia de qual deveria ser o próximo passo. Do jeito que as coisas aconteceram. Hubris, Ícaro, aquela merda toda? É, a culpa é minha. O site foi meu projeto. Preparação adequada, confere. Articulação de visão, confere. Tolerância, confere, antecipação, confere. Mas não há tolerância para a loucura do Jaydon, não há antecipação. O jeito como ele enfiou aquela faca no peito dela. PSICOPATA. Não quero pensar nisso, mas não consigo tirar a imagem da cabeça. O jeito que ele fatiou o mamilo dela como um pedaço de fruta podre, ou uma *piñata*. Por que é que eu fui deixar Norman Bates entrar na festa?

    Ele é PERIGOSO. Muito perigoso. Ponto. Caralho. Fique fora do caminho dele. Não se deixe ser tentado do jeito que aconteceu ontem. Ele é um machão, que defende seus direitos. Ele cagou pra tudo. Como se entendesse por que merecia um soco na boca. Maluco, né? Você viu o jeito que ele te olhava. Como se visse que a coisa ia acontecer e soubesse, como uma detenção depois do horário da aula.

    Fui até o riacho hoje. Meu pai diz que a gente não pode ir a lugar nenhum ali perto porque não dá pra saber se é perigoso ou não — olha o que aconteceu com os cavalos.

Mas os cavalos sentem as coisas de um jeito diferente, e não acho que elas têm o mesmo efeito sobre nós. Até acho que é perigoso, mas de um jeito totalmente diferente. Isso fode com o seu cérebro. Aqueles rastros de sangue na água, como confete e serpentina. Hipnotizam você.

De qualquer maneira, filmei um pouco de documentário, mas não estou com saco de editar. Por que deveria? O site tá morto e enterrado. Um túmulo no quintal, igual ao do Fletcher.

Ah, Fletcher. Pai, me desculpa. Mãe, me desculpa. Matt, me desculpa. Sem mim, Fletcher ainda estaria vivo. O pai sabe que eu estou escondendo algo, dá pra dizer do jeito que ele olha pra mim. Ele me perguntou uma vez, mas não disse nada. Será que tá esperando que eu confesse? Mas não consigo, nem sei como. E o que Katherine fez foi apenas uma reação — Fletcher atacou primeiro. Será que podemos culpar Katherine por querer vingança? Nós matamos os filhos dela, nós a enforcamos, nós costuramos os olhos dela, caralho. Quem é que não ficaria puto? E, meu Deus, por que eu tô dizendo "nós"? Paranoia. Talvez eu esteja perdendo a cabeça. As coisas estão caindo aos pedaços. Mandando a real: OS OLHOS DELA JAMAIS DEVEM SER ABERTOS. Depois de trezentos anos de poderes engarrafados ela vai explodir como uma supernova.

Eu estou me cagando de medo. Nunca estive tão apavorado em toda a minha vida. Por que foi que eu chamei nosso projeto de *Abra Seus Olhos*? É estranho como as coisas fazem tanto sentido no começo, depois parecem tão malucas.

Eu sempre quis que aquilo significasse um chamado para Black Spring. Por que é que agora parece um chamado para a bruxa?

Uma tábua do assoalho rangeu no patamar.

Tyler apurou o ouvido, paralisado como uma salamandra em cima de uma pedra, sentindo calor e frio ao mesmo tempo. O som se moveu, seguido por um inconfundível gemido das juntas da escadaria — os passos gentis de alguém que não queria fazer nenhum ruído. Tyler reconheceu Matt, assim como você conhece os sons das pessoas com quem vive. Ficou imaginando o que Matt estava fazendo lá embaixo;

havia um banheiro no andar de cima também. Quem sabe foi pegar algo para comer. Tyler também sentiu fome; não tinha sido capaz de engolir nada o dia inteiro. Quem sabe um pedacinho de alguma coisa o livrasse da azia que ele conseguiu com a tequila... Se conseguisse não vomitar.

Ficou apurando o ouvido mais um pouco. Tyler esfregou os olhos com as palmas das mãos até ver estrelas explodindo, mas de repente se levantou e arregalou os olhos. Ouviu passos rápidos nas escadas. Passos, um impacto seco, um palavrão abafado — Matt havia tropeçado. Passos apressados a caminho do quarto de seus pais. Tyler ficou encarando a escuridão e ouvindo as vozes sonolentas e agitadas. Não conseguia entender o que estavam dizendo.

A comida acabou, pensou ele, um tanto babaca. *A bruxa comeu tudo. Amanhã eles vão levar Matt e você pra floresta e deixar vocês ali para os animais selvagens.*

Quando ouviu o nome de Fletcher, jogou de lado o cobertor e, descalço, desceu pelo corredor. A luz estava saindo do quarto de seus pais, e Matt olhou sobre o ombro para Tyler.

"Vá dormir, são uma e meia..." Ele ouviu Jocelyn gemer por baixo do travesseiro. Steve grunhiu uma coisa e Matt ficou trocando nervosamente o apoio de uma perna para a outra.

"O que foi?", sussurrou Tyler.

Matt se virou para seu irmão mais velho. "Sonhei que tinha ouvido Fletcher arranhando a porta dos fundos. Como se a gente tivesse por acidente trancado o bicho lá fora no frio, sabe? E aí eu fui olhar, e só quando desci lembrei que ele estava morto. Só que ele ainda arranhava a porta dos fundos. Vi a sombra dele na luz da lâmpada lá de fora."

Tyler deu um suspiro. Ele viu as olheiras de Matt. Em sua camiseta de tamanho gigante, parecia o menininho que ainda estava escondido dentro dele, que tinha todo o direito de aparecer de vez em quando aos treze anos — quando Matt estava tendo um pesadelo, por exemplo. "Cara, você tá sonhando", disse ele. "Vai pra cama, maninho."

"Mas a lâmpada lá de fora *acendeu*, Tyler, e isso quer dizer..."

Então eles ouviram: um latido abafado ao longe que parecia estar vindo das frestas atrás da casa. Por um segundo, Tyler pensou que estava ouvindo isso apenas em sua cabeça, um som fantasma emergindo das profundezas de sua mente exausta como um tipo de reação psicológica ao que tinha acontecido nos últimos dias. Porque, sim, tinha *parecido* mesmo com Fletcher, não havia como negar. Mas aí ele tornou a ouvir latidos, então mais límpidos e mais próximos, como se o cão que fazia o ruído tivesse parado ao lado do estábulo no quintal, e agora não havia dúvidas em sua mente: os latidos eram de Fletcher.

Foi quase cômica a maneira pela qual todos eles se puseram em ação: Tyler desceu correndo as escadas, seguido de perto por Matt, depois de Steve e Jocelyn, que saíram tropeçando da cama. Lá embaixo, Tyler pisou no retângulo de luar gelado que vazava da porta dos fundos sobre os azulejos. Ele viu que a lâmpada de fora estava apagada. A lâmpada tinha um sensor de tempo e de movimento, e se alguma coisa havia se movido antes, agora havia sumido. Estava anormalmente escuro lá embaixo porque as tábuas que cobriam as janelas na sala de jantar bloqueavam qualquer luz que viesse de fora. Eles ainda não haviam comprado uma nova mesa para a sala de jantar, e a escuridão vazia e coberta de tábuas parecia sombria, como uma velha sala de caldeiras de uma fábrica.

Tyler destrancou a porta dos fundos e girou a chave. O frio lá fora gelou sua pele quando ele abriu a porta. Matt passou por ele e ficou olhando lá para fora.

"Meninos, vocês vão morrer assim", disse Jocelyn, mas Matt levantou um dedo indicador e disse: "Shhh!".

Inclinou a cabeça e ficou ouvindo.

Silêncio.

Então os latidos tornaram a se fazer ouvir, mais distantes porém mais *presentes* sem paredes para abafar o ruído. Vinham da esquerda, em algum lugar na grande escuridão que era o Monte Misery. A respiração de Tyler ficou presa na garganta, e Matt se virou com olhar enlouquecido. "É o Fletcher!"

"Não seja ridículo, Matt", disse Steve simplesmente. Ele se juntou aos filhos na entrada. O latido havia mudado de direção, agora à direita. Não parecia feliz, do jeito que Fletcher sempre latia quando corria atrás de galhos. Tampouco parecia estar zangado... mas sendo *caçado*, a palavra certa, e de algum modo soava triste. Mesmo assim, aquele som... É possível reconhecer o cachorro pelo seu latido, do jeito que distinguia as vozes das pessoas — e no escuro, se estivesse todo confuso e apavorado? Porque é claro que não podia ser Fletcher. Eles tinham enterrado o cão na tarde de sábado, e agora ele estava lá, no fundo do quintal, enrolado no cobertor de lã, uma cova rasa atrás do estábulo.

A terra estava úmida e o cobertor teria começado a ficar cheio de mofo a essa altura; suas gengivas já estariam se decompondo, e os pontos brancos em seu pelo não estariam mais brancos.

O latido ao longe alcançou um ponto alto, fantasmagórico, e Tyler ficou arrepiado até o último fio de cabelo.

"Escutem — é o Fletcher...", sussurrou Matt, perdendo o controle.

"O Fletcher tá *morto*, Matt", disse Tyler. "E, de qualquer maneira, o latido dele tinha outro som. Você já ouviu Fletcher uivar assim antes?"

"Não, mas também ele nunca esteve morto antes."

Contra a lógica de um tolo não existem argumentos, e isso fez os cantos da boca de Tyler sentirem gosto de ferro. Matt se inclinou para fora e começou a chamar o nome do cão morto, tentando, nervosamente, manter a voz baixa. Teria sido impossível para Tyler explicar por que isso o preencheu com tamanho horror, mas foi o que aconteceu, e ele precisou dar as costas, estremecendo. Até mesmo Steve pareceu sentir isso, porque agarrou Matt pela cintura e o puxou para dentro.

"Pare com isso", sibilou ele. "Que diabos os vizinhos achariam se ouvissem você? Tem um cachorro solto lá fora, mas não é o nosso. Fletcher morreu."

"E se for *ela*?", protestou Matt. "Se ela pode lançar um feitiço no riacho, pode... Sei lá. Quem matou ele foi *ela*!"

Steve estava nervoso. Jocelyn abraçou o próprio corpo — ela estava vestindo apenas uma camisola — e disse: "Pra ser honesta, não acho que pareça o Fletcher...".

"Fique aqui dentro", disse Steve, calçando um par de sapatos de borracha que estavam embaixo do radiador ao lado da cesta de Fletcher. A cesta ainda estava lá porque ninguém teve coragem de guardá-la no barracão. Um fragmento de luto humano, mas agora parecia mais sinistro, como se o estivessem guardando inconscientemente por motivos que eles próprios não entendiam direito... e sobre os quais podiam não ter nenhum controle.

Steve saiu e Tyler foi atrás dele. Jocelyn chamou, mas Tyler fechou a porta e correu para perto do pai. O frio úmido o atingiu como uma marreta. Fazia menos de 4°C lá fora e os azulejos do pátio sobre os quais ele estava caminhando descalço estavam cobertos de folhas molhadas, que faziam o frio subir por seus tornozelos e se espalharem para cada centímetro de seu corpo. Tyler começou a estremecer de modo incontrolável. Ele agarrava a própria cintura, tentando se esfregar para se aquecer. Não ajudou. Steve se virou na direção do ruído e ia dizer uma coisa, mas mudou de ideia. Tyler achou ter visto um vislumbre de alívio nos olhos de seu pai.

Os latidos pararam. Havia apenas o farfalhar do vento e o burburinho do riacho lá fora na escuridão... o riacho, onde o sangue não estaria mais vermelho, mas preto. Era lua cheia, e a respiração deles soprava em luminosas plumas brancas.

Então os latidos voltaram, vindos do fundo da floresta, e Tyler soube, com uma certeza irracional, que era Fletcher. Era impossível, e era verdade. Numa noite fria de contos de fadas como aquela, essas coisas podiam facilmente ser verdadeiras.

"Eu entendo por que Matt achou que era Fletcher", disse Steve de repente, a voz estranhamente neutra. "Parece *mesmo* com ele. Mas todos os cachorros de tamanho médio têm o mesmo som. Existem dezenas de cachorros na cidade, poderia ser qualquer um deles."

No escuro, Tyler não soube dizer se a atitude casual de seu pai era sincera ou não, ou se ele estava simplesmente tentando se convencer.

Tudo ficou quieto novamente.

Ficaram ouvindo por mais alguns minutos, mas não houve mais latidos. Steve virou e pareceu tomar uma decisão. "Se esse cachorro estiver andando por aí solto, vamos precisar pegá-lo antes que mais coisas ruins aconteçam", disse ele. "Vou mandar um SMS para Robert Grim. Você volta comigo?"

Tyler pensou no uivo que tinham ouvido antes. Inclinou a cabeça para trás e olhou para as estrelas frias, clareando os pensamentos assombrosos que passaram flutuando pela sua mente. Então ele vasculhou o quintal, distinguindo as formas do estábulo; o monte que era o túmulo de Fletcher; o estábulo, agora vazio e escuro. Alguma coisa estava se movendo ali. Na borda do telhado, um gato branco como a neve estava sentado: magrinho, na caçada.

Steve tocou seu braço e disse: "Vamos, você está congelando".

Quando Tyler tornou a olhar, o gato havia desaparecido.

"O que foi?", perguntou Steve.

"Pensei ter visto um gato branco. No telhado do estábulo."

"Deve ter sido o luar."

Tyler fez uma pausa por um momento, e depois se virou.

Os pedregulhos na trilha reluziam à luz da lua cheia como se estivessem mostrando a eles o caminho de volta.

+++

Nenhum cão foi relatado como desaparecido na cidade e ninguém mais tinha ouvido os latidos. Quando Tyler voltou para casa da escola, Steve disse a ele que o riacho tinha parado de sangrar naquela manhã, e que por volta do meio-dia a água estava tão cristalina como sempre. A HEX passou diligentemente um pente-fino na floresta, como era de sua obrigação, mas não foi capaz de descobrir nada incomum. Estavam francamente otimistas. O cão fugitivo devia ter vindo de Mountainville ou Central Valley, do outro lado da reserva, imaginou Steve, e sem dúvida já estava de volta ao seu dono. Depois que o pessoal da janela foi embora, ele e Jocelyn foram ao Warehouse Furniture Showroom em Newburgh e pegaram uma nova mesa para a sala de jantar. Enquanto esperavam a entrega, apanharam a velha mesa de pinho do sótão. Havia algo de incerto nisso tudo que dava a Tyler fortes vibrações de "novos começos". Àquela altura, o pessoal da cidade estaria aliviado porque tudo estava de volta ao jeito que era antes, e isso bastava para eles.

Tyler não sentia alívio algum. Ele estava menos à vontade do que nunca, e uma sensação cada vez maior de desespero pendia sobre ele. Tudo ao seu redor parecia errado, parecia perturbado.

Ele demorou muito tempo para adormecer naquela noite. Ficou sentado à beira da janela de seu quarto, o cobertor enrolado nos ombros, a luz do luar pálida se refletindo em seus olhos, e ouviu a voz de seu irmão caçula: *Não, mas também ele nunca esteve morto antes.* As palavras voltaram a ele na escola, durante a aula de geografia, quando ele recebeu um SMS de Lawrence:

> Vc ouviu aquele cachorro ontem à noite?? n sei se devia dizer isso, mas me caguei nas calças, pensei que fosse o Fletcher!

"Tyler, tem algo que você precisa me contar?", perguntou Steve subitamente quando Tyler se aprontava para subir naquela noite. Acabava de passar das onze e as emissoras haviam convocado Ohio para Obama, o que lhe garantia mais quatro anos no cargo.

"Não. Por quê?" Deu ao seu pai um olhar aberto e honesto, mas por dentro ele se amaldiçoou. Era tão óbvio?

"Não sei. Você anda tão quieto ultimamente."

Ele deu de ombros. "Muita coisa acontecendo, né?"

"Suponho que sim." Steve olhou para ele, vasculhando o que se passava por trás de seus olhos. Tyler praticamente se sentia um outdoor. "Você vai ficar bem?"

"Claro."

Steve sorriu e disse: "Bem, quando estiver pronto, me dê um grito". Tyler conseguiu produzir algo parecido com um sorriso e subiu correndo as escadas. Naquele momento, odiou profundamente seu pai por ver através dele com tanta facilidade; era uma facada furiosa e hostil cuja força o surpreendeu e até doeu um pouco. Isso o forçou a reconhecer que as coisas mudaram, nem todas para o bem. Raramente eram para o bem, quando ele parava para pensar.

Quando o relógio na sala de baixo bateu uma hora, ele vestiu seu jeans, dois suéteres e colocou suas coisas na sacola esportiva da Adidas: a lanterna Maglite, a GoPro, o iPhone e o saquinho meio cheio e dobrado de comida de cachorro que havia levado da despensa para seu quarto mais cedo naquela noite. Mais uma coisa que eles ainda não tinham jogado fora, ainda que Fletcher nunca mais fosse estar lá para comer. Apurou o ouvido por um instante no patamar de cima e decidiu que não podia correr o risco de pegar a escada que rangia. Quando teve certeza de que todo mundo estava dormindo, abriu a janela do quarto o mais silenciosamente possível, colocou as mãos no alpendre e desceu pela treliça instável até os tênis acharem a parte superior da janela da cozinha, mais à esquerda. Cuidadosamente, ele abriu a janela. As dobradiças e o caixilho cederam com rangidos agudos de rachar o ouvido, e Tyler pensou que o plano inteiro estava arruinado. Seus pais já estariam bem acordados. Eles o encontrariam pendurado na treliça de hera e o mandariam direto para a cama.

Mas isso não aconteceu, então Tyler pulou, caiu de joelhos e rolou no chão. Foi sem fazer ruído até o quintal dos VanderMeer e chamou Lawrence pelo telefone. Dez minutos se passaram até que uma cabeça sonolenta finalmente aparecesse na janela; Tyler ficou ligando sem parar, e acabou jogando pedrinhas na sua janela, só de maldade. "Desculpa, eu dormi", sussurrou Lawrence.

Depois de mais cinco minutos, ele finalmente desceu e pulou do telhado do solário para o pátio. "Eu falei pra você colocar o alarme, não falei?"

"Eu dormi direto e nem ouvi." Meteu as mãos nos bolsos e as esfregou de encontro às coxas para aquecê-las. "Meu Deus, que frio. E aí?"

"Vamos entrar na floresta."

Lawrence hesitou, como se reconsiderasse sua promessa anterior, como se a ideia de Tyler tivesse perdido toda sua lógica e sentido agora que havia sido exposta à luz das estrelas que reluziam no meio das nuvens turbulentas. "Não sei, cara. Não ouvi nada esta noite."

"Quero ter certeza."

Nenhum dos dois falou ao pegar a trilha das Highlands do outro lado do riacho, que subia, íngreme, pela lateral da cordilheira. De vez em quando, viam os LEDs brilhantes das câmeras de segurança nas árvores bem acima deles, mas o aplicativo dizia que a bruxa estava na cidade, não ali na floresta. Tyler estava feliz demais para correr o risco de ser visto pela HEX porque a trilha deixava sua mente um pouco mais tranquila, assim como os faróis nas ilhas deviam ter acalmado as mentes dos velhos marinheiros em noites de tempestade muito tempo atrás. A escuridão era monumental. Cada som — um graveto se partindo, o farfalhar do vento, o grito nervoso de um pássaro noturno — era aumentado até proporções espetaculares, como se a própria noite estivesse atuando como um amplificador natural, e as florestas fervilhassem de vida secreta. Ali, aos dezessete anos de idade, ele ainda era a criança que achava ter deixado para trás há muito tempo, e entendia a vulnerabilidade de quem eles eram e do que estavam fazendo — duas crianças, sozinhas, vagando por uma vasta floresta escura.

Depois de algum tempo, ele pegou um punhado de comida para cachorro na sacola e começou a espalhá-la aos poucos pela trilha.

"Caralho, cara." Lawrence ficou olhando para ele desconfortavelmente. "Isso parece muito o começo de um conto de fadas pra mim. Um daqueles ruins, onde você acaba sendo comido pelo lobo mau."

Tyler deu um sorriso ligeiro. "Acho que você tá confundindo as histórias." Eles falavam como meninos ao redor de uma fogueira de acampamento: baixinho, as vozes abafadas. Tyler deixou cair um biscoito e começou a assoviar baixinho.

"Você acha mesmo que isso ajuda?", perguntou Lawrence. Tyler deu de ombros e depois de algum tempo o amigo também começou a assoviar. Em uníssono, seus assovios pareciam chamados de passarinho bem agudos, frágeis e vítreos como uma sinfonia morta. Os pelinhos da nuca de Tyler se arrepiaram. Os dois pararam ao mesmo tempo e ficaram lado a lado. A elipse lançada pela Maglite pulava de um tronco de árvore ao outro.

"Eu tô me sentindo um idiota, sabia?", disse Lawrence, rindo como bobo. "Ontem à noite não foi o Fletcher. Eu disse que parecia com ele, mas o Fletcher morreu. A gente viu como o Jaydon jogou ele em cima da bruxa, né? Então ela revidou nele. Que caralho do inferno a gente está fazendo aqui, Tyler?"

"Você acha que o Jaydon tem medo?", perguntou Tyler. "De que ela também acabe pegando ele, quero dizer."

"Não, acho que não. No começo ele tinha — foi por isso que ele não revidou quando você socou a cara dele. Mas eu não acho que ela esteja atrás dele. Fletcher mordeu ela com os dentes. A faca do Jaydon estava num pedaço de pau. Eles nunca tocaram suas peles."

"Acho que ele vai ficar bem mais perigoso se souber disso", disse Tyler.

"Por quê?"

Tyler deu de ombros. Era um pressentimento; uma premonição, talvez — ele não conseguia explicar por que sabia que isso era verdade. A expressão nos olhos de Jaydon antes de ele enfiar com tanta violência o estilete no mamilo de Katherine vivia voltando a ele, e Tyler chegou à conclusão de que isso ia muito além de uma bravata inconsequente, delinquência juvenil ou até mesmo loucura.

Isso era um nível inteiramente diferente de distúrbio.

Tinham caminhado durante quinze minutos quando Tyler parou. Eles tinham subido por uma encosta bem íngreme, e em algum lugar à esquerda havia grandes afloramentos rochosos que formavam o alto da colina, além do qual estava o reservatório de Aleck Meadow e o Lookout Point. O feixe de luz da lanterna brilhava com força sobre o grupo impenetrável de troncos de árvores e galhos caídos na encosta da colina, mas não ia além de dez metros e não revelava nada. Ele deu meia-volta e direcionou a lanterna pelo caminho pelo qual tinham subido, onde a trilha dispersa de biscoitos de cachorro desaparecia em um túnel sombrio de árvores. Tyler já estava se acalmando com o pensamento de que, assim como em todo conto de fadas, tudo que você tinha a fazer era seguir a trilha e retraçar os passos ao longo do caminho para chegar em casa, quando alguma coisa se moveu ali na escuridão.

Tyler bruscamente parou de mover o círculo translúcido de luz amarela e ficou ouvindo o som. Por um segundo, ele nem ao menos sabia se ainda conseguia ouvi-lo. Então: vegetação rasteira sendo esmigalhada, folhas farfalhando, o movimento furtivo de um animal de algum tipo. Lawrence inclinou a cabeça, a boca crispada e tensa.

A mão direita de Tyler se enfiou por reflexo na sacola esportiva e sacou a câmera. Ele a ligou e apertou REC. Na escuridão, a tela de LCD se acendeu como uma mancha sólida verde e preta.

Mais uma vez eles ouviram o som, mais baixo na trilha. Algo se aproximava. Tyler sentiu o sangue correr subitamente até a cabeça. As palmas de suas mãos ficaram pegajosas e a lanterna Maglite quase escorregou de seus dedos; sua boca, entretanto, tinha ficado completamente seca.

"Fletcher?", sussurrou ele.

"Ah, meu Deus, cala essa boca", gemeu Lawrence.

"Você ouviu, não ouviu?"

"Não é o Fletcher lá embaixo, é um cervo, uma raposa, um guaxinim, porra, pode ser qualquer coisa. Eu quero é dar o fora daqui."

O som se deslocou para a direita da trilha, pareceu se distanciar na encosta, mas voltou. Era um som veloz, *apressado*, e Tyler percebeu que não era cervo nem guaxinim; o que estava se movendo lá era levado por um instinto de caça e estava abrindo caminho pelo mato rasteiro com patas rápidas. A noite parecia estar respirando, inchando e prestes a explodir. Tyler sentia como se suas pernas fossem de borracha. O que andava à frente deles ali na escuridão era inconfundivelmente um cachorro.

"Ah, meu Deus, é ele *mesmo*", disse Lawrence, a voz abafada.

"Fletcher!"

Movido por um impulso incontrolável, Tyler disparou para deixar a trilha e entrar na floresta, mas Lawrence o agarrou pela manga e o puxou de volta. "Ah, não, senhor, você não vai! Fica paradinho aqui!"

"Fletcher", sibilou Tyler novamente, e assoviou baixinho. Lawrence se juntou a ele. Por um instante, Tyler imaginou que podia ouvir o animal ofegando... e depois se convenceu que não havia imaginado nada, que ele estava bem ali. Mais uma vez ele se moveu. Não havia dúvida de que Fletcher estava perto — se *fosse* Fletcher, claro, mas por que agir como se não fosse? Ele não poderia estar a mais de quinze metros colina acima, embora o som se propagasse de modos estranhos à noite. Mas por que ele não vinha? Imaginou Fletcher lá fora, farejando a escuridão, cego e surdo, a língua pendendo na boca, incapaz de encontrar o caminho de volta para casa...

Não terás medo do terror à noite; nem da pestilência que caminha nas trevas.

Era a voz de Colton Mathers, e estava na sua cabeça, mas isso não lhe dava nenhum conforto porque ela imediatamente foi seguida por outra voz, que surgiu do nada, como se a própria Katherine estivesse sussurrando em sua cabeça: *Mordisca, mordisca feito um ratinho, amanhã todo mundo vai morrer.*

Subitamente, Tyler teve uma onda cerebral, fria como um punhado de gelo negro. A lanterna começou a chacoalhar incontrolavelmente, e ele agarrou Lawrence. "Dizem que Katherine trouxe o filho de volta dos mortos, certo? Não foi por isso que a enforcaram? Você acredita nisso? Você acredita que ela possa ressuscitar os mortos?"

"Vai se foder." Parecia um soluço.

"Mas e se ela..."

"Não sei. Mas não acho que seja o Fletcher lá fora, cara. Se é *mesmo* o Fletcher, por que ele não vem?"

"Fletcher!"

"Para com isso!"

Foi nesse momento que os dois entraram em pânico. O ar foi tomado por um barulho selvagem de asas, e num instante uma coruja branca como a neve voou para dentro do raio da lanterna. Os dois gritaram e pularam nos braços um do outro. O pássaro gritou, e com poderosas batidas de asas desapareceu na direção da cabine de madeira dilapidada do Lookout Point, onde ambos haviam passado muitas noites de verão quando eram crianças e onde se podia ter os melhores piqueniques do mundo, mas que certamente esta noite seriam feitos de bolo, com casinhas de biscoito de gengibre e janelas de glacê branco, se você deixasse essa coruja guiar. Tyler soube, com toda a certeza, que não queria ver o que estava andando, sorrateiro, ao redor deles na escuridão, mesmo que realmente fosse Fletcher, porque se Fletcher estava morto então aquele seria um horror que destruiria sua sanidade de uma vez.

Quando se deu conta, eles estavam correndo, e Tyler ouviu a coisa indo atrás deles, reduzindo, brincalhona, a distância entre eles com facilidade risível. A lanterna cortava a trilha na frente deles em um bizarro show de luzes. Às vezes, Lawrence ficava na frente; às vezes, era Tyler; e eles gritavam um com o outro, *mais devagar, espera por mim*, mas nenhum deles reduziu a velocidade. Em algum momento, Tyler pensou ouvir o tilintar de metal, o que o fez pensar na fivela da coleira de Fletcher.

É claro que a trilha de biscoitos acabou não muito abaixo da colina. Você sabe o que acontece com trilhas que deveriam levar garotinhos para fora da floresta. E, no entanto, por mais estranho que pareça, isso diminuiu o pânico de Tyler, e no fundo de seu coração ele sentiu um forte senso de pertencimento porque sabia exatamente onde estavam: no meio do nada, sendo perseguidos por um pesadelo saído de um conto de fadas, e no fim da trilha ficava Black Spring. No fim da trilha, sempre ficava Black Spring, o fim da linha do frio mundo exterior, onde ninguém sabia seus nomes nem seu estilo de vida.

Depois disso, sua memória começou a desvanecer; sua consciência devia ter se fechado numa tentativa instintiva de autopreservação. Aparentemente, eles haviam chegado ao fim da trilha, porque a primeira coisa da qual se deu conta foi de dar uma topada em algo e cair de cabeça no Riacho do Filósofo. A água gelada molhou seu rosto, endureceu suas bochechas e encharcou suas roupas até os ossos. Sua boca se escancarou para soltar um grito e se encheu de areia e água. Isso o trouxe de volta à realidade, e meio segundo depois Tyler estava de joelhos tossindo e secando o rosto. Mais tarde, ele perceberia que estava à beira da loucura naquele ponto; a ideia de que tinha ingerido água e sedimentos *daquele* riacho era mais do que qualquer pessoa normal poderia suportar. Ouviu com clareza um estalo na sua cabeça, como a abertura de enormes portões de ferro... e então Lawrence o arrastou dali, e Tyler caiu na margem.

Eles pularam, desajeitados, o cercado, desceram a trilha cambaleando até o quintal e caíram na grama diante do estábulo, profundamente exaustos.

E como essa era a única reação concebível à loucura, explodiram de gargalhar.

"Essa é a parte onde a gente devia encontrar um pote cheio de ouro e pedras preciosas, e todo mundo vive feliz pra sempre", disse Tyler, o que os fez rir ainda mais.

"Olha aqui a sua câmera", disse Lawrence quando acabaram de rir. Entregou a GoPro a Tyler; ela devia ter caído de sua mão quando ele tropeçou e acabou no riacho, mas a caixa à prova d'água a salvara. A Maglite, infelizmente, havia se afogado.

Tyler se levantou, trôpego, as roupas pesadas, frias e pingando de água do riacho, seus cabelos molhados colados em cachos na testa. Os dentes começaram a bater e não havia nada que ele pudesse fazer para impedi-los.

"Que m-m-merda foi aquela?", gaguejou ele sem conseguir articular as palavras.

Lawrence balançou a cabeça. "Eu não vi nada."

Eles olharam um para o outro e deram uma risada oca, mas rapidamente pararam. Indeciso e tremendo incontrolavelmente, Tyler simplesmente ficou ali parado no gramado. Para seu espanto, ele viu que a luz vermelha da GoPro ainda estava acesa. A danada tinha filmado tudo.

Surpreso, ele a desligou.

+++

Tyler só consegue se forçar a olhar o filme dois dias depois.

Ele insere o cartão de memória da câmera em seu MacBook e fica olhando para a tela com olhos cansados e vidrados. As coisas mudaram: suas roupas enlameadas, fedendo a água do riacho, agora estão com cheiro de amaciante, lindamente dobradas em seu closet. Katherine também mudou. Ela não faz seu truque de desaparecimento já há alguns dias, porque aparentemente está andando por aí com uma grande sacola de compras com um pavão morto dentro (isso não escapou à atenção de Tyler, apesar do estado em que ele se encontra) e parece estar um tanto ligada a ele. No momento, ela está um pouco acima na floresta atrás da casa deles, mas Tyler não foi dar uma olhada. Já teve o bastante da bruxa, filme suficiente documentado. Além do mais, a floresta ainda está fechada para andarilhos; há cercas por todo lado e voluntários da HEX vestidos como guardas-florestais da Reserva Estadual no começo da trilha.

O clipe dura doze minutos e quarenta e quatro segundos, e por causa de seu tamanho enorme, Tyler coloca o arquivo em seu HD externo.

Então ele olha para as imagens e vê algo aterrador. Aperta PAUSA e fica olhando para a imagem, perdido em pensamentos.

O garoto ouve batidas frenéticas na porta dos fundos lá embaixo. Devagar, como se saísse de um transe, ele levanta a cabeça. Lembra que está sozinho em casa. Em um reflexo que vem desde seus dias como vlogger, ele arranca o cartão de memória do drive USB, enfia na câmera e a coloca no bolso. Desce correndo as escadas, para o que será o último e mais chocante relatório de sua carreira como jornalista.

É Lawrence quem bate na porta. Assim que Tyler abre, Lawrence o arrasta pelo braço. "Vem comigo, *agora*", ele diz. "Precisamos impedi-los."

"O quê..." Tyler começa a falar, e depois pensa: *Jaydon*. Ele não sabe por que sabe, mas sabe. Eles correm até o portão dos fundos e descem a trilha até o riacho, e é como um vídeo passando de trás para a frente: eles estão bem onde Tyler caiu no riacho algumas noites antes. Ele leva três segundos para entender e assimilar a seriedade da situação, completa e indiscutivelmente sinistra pra caralho. Por instinto, ele saca a GoPro do bolso e começa a filmar.

As imagens são trêmulas, mas imagens não mentem. Cem metros à esquerda, perto da Deep Hollow Road, estão as cercas, abandonadas pelos voluntários. A câmera varre até o outro lado e nós vemos quem são os voluntários: Jaydon, Justin e Burak, usando botas pesadas e uniformes da Reserva Estadual. *Esses filhos da puta ofereceram seus serviços e o Grim caiu nessa*, pensa Tyler. Cambaleando no meio deles, Katherine, anormalmente curvada, como se sua coluna tivesse sido quebrada, e eles a estão conduzindo para a frente do jeito que se conduz gado, usando cabos de vassoura sem a piaçaba. A julgar pelo jeito que a bruxa está se movendo, ela está em pânico. Sua boca costurada é um riso torto de horror e ela se agarra desesperadamente às penas esturricadas de pavão que despontam à sua frente — *isto é surreal*, pensa Tyler — na sacola de compras da Market & Deli. Ela continua tentando virar as costas e sair caminhando, mas eles a empurram de volta. Jaydon bate nela com o cabo de vassoura e o corpo da bruxa se dobra, forçando-a a andar para o outro lado. Por que ela está tão ligada àquele pavão imbecil é um mistério para Tyler, mas ela está; desesperada, suporta o abuso em vez de desaparecer e ter que deixar a sacola de compras para trás.

Então, as imagens borram; vemos pontos rosados dos dedos de Tyler porque ele está segurando a GoPro fora de vista, ouvimos passos de gente correndo, vemos o chão da floresta balançar. Vemos também fragmentos quebrados de uma câmera de segurança que foi derrubada de uma árvore: desta vez não há espaço para sutilezas.

"Meu Deus, para!", grita Tyler de um fôlego só. "Deixa ela em paz!"

"Vai cuidar da porra da sua vida. Ou fica aí para ver, ou sai logo daqui, caralho."

"Isso só vai ficar pior. Você ainda pode parar isso!"

"Ela matou seu cachorro. Você devia agradecer. Todo mundo fica só parado olhando, mas pelo menos estamos fazendo alguma coisa. Anda, piranha!" Um novo golpe e a bruxa balança, tentando manter o equilíbrio.

Tropeçando. Calças cáqui, de repente muito próximas. O céu girando. Olhos costurados, e passos rápidos e desesperados. Correntes que tilintam. Mãos segurando ombros. Um cabo de vassoura varrendo o ar como chicote; Jaydon falando sério. Tyler se encolhe e vemos grama, vemos o leito do rio, vemos rostos desesperados no alto. Mais uma vez, Lawrence e Tyler pulam para a frente, vemos briga, ouvimos xingamentos. Então Lawrence é atingido por um golpe terrível de um cabo e bate a testa numa das pedras do riacho. Ofegante, Tyler o vira e vemos um corte fundo na pele clara e o cabelo escuro manchado de sangue.

"Lawrence, você tá legal?"

"Não. Impeça eles."

Burak olha para eles hesitando, o bastão na mão.

"Seu filho da puta!", grita Tyler enquanto ajuda Lawrence, e Burak corre de volta para os outros.

Justo quando Tyler vê o que eles estão aprontando, as imagens também revelam isso, e ouvimos o grito abafado da garganta de Tyler, mais animal que humano. Eles levaram a bruxa até as extensões mais baixas do riacho. Mais adiante, vemos o buraco do tanque que antigamente coletava água do aquífero correndo sob a Deep Hollow Road, mas que não é mais utilizado. O buraco tem um pouco menos que um metro quadrado, e a placa de metal que normalmente o cobre, cheia de musgo, está agora caída na margem próxima.

Pela última vez, Tyler corre até eles, gritando para que não façam isso, que parem enquanto ainda podem, mas é tarde demais. As imagens que balançam selvagemente mostram Jaydon dando um empurrão doentio na bruxa com o bastão e ela caindo, indefesa, no tanque. Ele não é fundo; ela bate a cabeça na margem de concreto e seus agressores vociferam, seus agressores apanham algumas pedras, seus agressores apedrejam a bruxa. Tyler vê tudo; ele vê como duas pedras pontiagudas atingem o rosto dela ao mesmo tempo e o cortam, ele vê como o lenço de cabeça dela está rasgado e vê sangue e vê mais pedras. Ele vomita no chão quando Katherine finalmente cede. O cheiro de plástico da sacola de compras queimando fica forte enquanto ela desaparece. E, mesmo assim, pedras batem e quicam, só que agora contra as laterais de concreto do tanque vazio.

"Ele tem uma câmera, porra", alguém berra. Uma nova pedra zune na direção de Tyler e ele se abaixa bem a tempo de evitá-la. Num relâmpago, vemos o rosto de Jaydon se aproximar em nossa direção, uma máscara de puro ódio psicótico, o tipo de rosto que grita para você fugir se você quiser viver para contar a história, e é justamente o que Tyler e Lawrence fazem. A salvação deles é que estão muito próximos de casa; se aquele drama tivesse acontecido mais no interior da floresta, eles teriam sido facilmente apanhados. Mas ali há mais câmeras, há pessoas que poderiam estar em casa, e a caçada é cancelada. Mas, mesmo assim, Tyler, sem saber disso, bate com tanta força a porta dos fundos quando entra que o vidro chacoalha em sua moldura, e passa as duas travas antes que ele e Lawrence caiam de joelhos no chão da cozinha e explodam em lágrimas.

Mas agora não estão chorando como os garotinhos que eram duas noites atrás; esse é o choro de garotos que acabaram de se tornar adultos por causa de eventos que são grandes demais para que possam suportar por conta própria. E, enquanto estão chorando, a imagem escurece.

17

Ainda naquela tarde, Steve sugeriu que fossem buscar os cavalos para colocá-los de volta em seu próprio estábulo, mas o semblante de Jocelyn ficou grave.

"Não sei, Steve. Não tenho um bom pressentimento a respeito, tão perto do riacho e da floresta... Como vamos saber se é seguro?" Ela olhou para fora pela janela nova. O ar na sala de jantar ainda estava pesado com o cheiro de tinta fresca da moldura da janela retocada, mas a fragrância do quiche vegetariano de Jocelyn no forno estava lentamente tomando o lugar dele.

Steve deu de ombros. "Nós ficamos aqui, não ficamos? Nada aconteceu conosco."

"Sim, mas com pessoas é diferente", disse Matt simplesmente. Ele colocou a caneta sobre o dever de casa. "Não quero que Niké termine pendurada numa árvore também, papai."

"O riacho voltou ao normal já tem dois dias", disse Steve. "E não há indicação de que as coisas estejam diferentes do que eram antes, ou de que os cavalos estejam em qualquer tipo de perigo."

"A menos que certa pessoa se esqueça de fechar a porta do estábulo", observou Matt. Ele pareceu chocado com o próprio comentário, mas já era tarde: a expressão no rosto de Jocelyn mudou para uma máscara de tensão ofendida.

Steve ficou pasmo. "Mas que raio de presunção é essa?", exclamou. "Bem, é verdade, não é? Vovó não pode usar as mãos, e Fletcher não abriu o canil sozinho, você sabe!"

"Não sabemos como Fletcher saiu. Mas se sua mãe disse que trancou o canil você não tem o direito de duvidar dela. Quero que você peça desculpas. Agora."

"Não vou pedir desculpas por uma coisa que..."

"Peça desculpas!"

Matt fechou o livro, jogou-o no chão e pulou da mesa. "Desculpa, tá legal? Desculpa por vocês não conseguirem aceitar se alguém fala a verdade, pra variar!"

"Matt!"

Mas ele já tinha subido correndo e batido a porta do quarto. Steve ficou perplexo. Olhou para Jocelyn na luz pálida das quatro da tarde, mas ela abaixou os olhos. "Muito bem", suspirou ela.

"Então você deveria ter dito alguma coisa", respondeu Steve, com mais agressividade do que tinha planejado. Ele entendia que a explosão racional de Matt era apenas o jeito dele de lidar com seu luto, mas Steve ficou zangado mesmo assim. Não sabia como lidar com as variações de humor de Matt, especialmente quando ele se tornava tão cruel. Jocelyn era melhor com isso. Uma das coisas que sempre haviam sustentado seu casamento no torvelinho que era Black Spring era a divisão natural de papéis à qual se haviam ajustado dentro da família, e da qual raramente se desviavam. Isso criava contexto e ordem em um ambiente onde o turbilhão era comum demais. E, tratando-se de questões do coração, a razão era uma virtude. Um dos aspectos dessa divisão de papéis era que Jocelyn cuidava de Matt enquanto Steve era responsável por Tyler. A coisa não era inteiramente preto no branco, claro, mas era o que todos — os quatro — sabiam ser verdade.

"Não estou falando só de Matt", disse Jocelyn. "Isso está afetando os dois. Tyler não sai do quarto há dias. Isso vai deixar marcas, Steve." Ela fez um gesto furioso para a luz do sol que aparecia. "Tem alguma coisa lá fora que matou nosso cachorro, e não há nada que possamos fazer a respeito."

"Para ser honesto, a reação de Matt parece uma expressão de luto perfeitamente natural pra mim. Crua e nada razoável, mas normal.

Seu luto está buscando uma saída, e ele não está lutando contra. Quer culpar as pessoas. Ele vai voltar e pedir desculpas, tenho certeza."

"A questão não é essa. Você está trivializando a situação. Fletcher foi enterrado. Ótimo. Compramos uma mesa nova, pintamos tudo direitinho, fazemos de conta que nada disso jamais aconteceu. Mas aconteceu, sim, e você pode ver os vestígios bem aí na sua frente." Ela apontou para os azulejos escuros que tinham as marcas dos cascos de Pablo marteladas neles.

Steve a encarou e suspirou calmamente, em um esforço para salvar a situação. "O que *me* surpreendeu foi Matt ter ficado tão estressado com o fato de que não oferecemos nada no festival. Lembra de como ele ficou falando disso o sábado todo? Não oferecemos nada, então a culpa é nossa que Fletcher esteja morto. Esperava que tivéssemos dado a Tyler e Matt um pouco mais de razão que isso. Ele quase parecia o pessoal da cidade."

"O que é que você esperava?", perguntou Jocelyn. "Que diabos ele sabe? Talvez isso tenha *mesmo* causado tudo, talvez seja nossa culpa, *sim*. Você está tentando dizer que isso não é uma reação natural?"

"Jocelyn", disse ele. "O que você está falando não faz sentido algum."

"Faz, sim. Não estou dizendo que foi assim que aconteceu; só estou dizendo que não sabemos como Fletcher foi parar naquela árvore. E nunca vamos saber. É por *isso* que Matt está apavorado, Steve. E Tyler... você já sentou para conversar com Tyler nos últimos dias? Você não está preocupado por ele estar se *distanciando* de tudo?"

"Eu perguntei a ele."

"Não é a mesma coisa que conversar."

"Amor, ele prefere resolver os problemas dele sozinho agora. Isso também é perfeitamente normal para a idade dele."

"Aqui nada é normal. Esta cidade é enfeitiçada, Steve. E não é só Katherine. É tudo, são os sons que ouvimos à noite e aquele riacho atrás da nossa casa que ficou cheio de sangue por três dias — *sangue*, você percebe? E são as pessoas. Você acredita mesmo que isso não vai ter um impacto duradouro nas crianças? Ou em nós?"

Steve olhou para ela sem se abalar. "Jocelyn, não estou fingindo que isso nunca aconteceu. Estou apenas tentando preservar a paz. Essa é a única maneira razoável de lidar com isso. Do jeito que sempre fizemos."

Ela estava bem na sua frente agora, incrivelmente inquieta.

"Mas tudo mudou agora, não percebe? Vivemos aqui em relativa paz por dezoito anos e podíamos suportar isso porque não estávamos em nenhum perigo imediato. Mas agora Fletcher morreu, então não diga que não estamos em perigo, Steve! Não se atreva a dizer isso!"

"Parece que tudo voltou ao normal e..."

"Nada voltou ao normal e não quero que você finja que voltou! A culpa é sua que nós..."

Ela não terminou a frase, mas não precisou. *Então é isso*, pensou ele. A escavação sorrateira, o argumento final para humilhar Steve quando todos os outros haviam falhado, porque não importava quanto tempo havia se passado, essa ainda era uma coisa que podia atingi-lo no fundo. Ele sabia o que Jocelyn teve vontade de dizer: *A culpa é sua por nós vivermos aqui, então faça você algo a respeito*. Steve se sentiu abalado, como se tivesse trombado em um painel de vidro invisível. A questão ainda era essa? Como era possível viverem juntos em perfeita harmonia por anos e anos, apenas para algo assim vir de repente do nada e colocá-los numa zona de alienação total? Pedregulhos ou não, foi pela carreira de Steve que eles haviam se mudado para Black Spring, enquanto Jocelyn havia desistido de sua própria. A velha ferida estivera enterrada por mais de quinze anos — *num buraco no quintal, como Fletcher*, pensou ele, distraído. Mas, às vezes, o que estava enterrado voltava... porque no fundo não estava *mesmo* enterrado.

Ela leu a indignação em seu rosto e tocou em seu braço, mas Steve repeliu o gesto e agarrou o pulso dela. "Apenas se lembre", disse ele, "que fui *eu* que argumentei contra ter um segundo filho. Se você não está satisfeita com a maneira como eles cresceram, pense no fato de que poderia ter evitado metade disso."

Claro que isso não foi justo; claro que ele não deveria ter dito isso. Os lábios de Jocelyn tremeram, então ela saiu de perto dele e foi até a cozinha sem dizer uma só palavra. Steve ficou para trás, na sala de jantar, que parecia mais abandonada que nunca.

Deus, como eu poderia ter pensado que estava tudo bem?, disse ele a si mesmo. *Katherine, o que diabos você fez com nossa família?*

Da cozinha veio um grito abafado, então o chocalhar da bandeja no forno. Rapidamente, o cheiro de massa queimada tomou o aposento. Steve fechou os olhos enquanto Jocelyn sacudia cuidadosamente o quiche fracassado dentro da lata de lixo e deixava o prato de torta bater na pia. O rosto manchado de lágrimas, ela passou pelo marido e subiu.

Steve entrou na cozinha e olhou para a lixeira. Sobrava pouco das bordas, mas o centro do quiche ainda parecia muito bom. Ele o colocou cautelosamente em cima do prato, cortou os pedaços queimados, cobriu com papel-alumínio e deixou em cima do balcão. Então saiu. Flagrou-se prestes a pegar a guia de Fletcher do gancho, por hábito, então se lembrou que a tinha guardado no barracão junto com a cesta dele ontem.

Andou com rapidez, mãos nos bolsos, bem na direção do vento que uivava e deixava seu rosto entorpecido. Atravessou o campo de golfe e continuou alguns quilômetros passando pela cerca alta do perímetro de West Point, longe de Black Spring. Merda, talvez Jocelyn tivesse razão — talvez tivesse sido rápido demais em dispensar isso tudo. Tentou sinceramente lembrar o que dera neles duas noites antes, quando acharam que tinham ouvido Fletcher latir — ainda que apenas por um ou dois minutos. Besteira, claro; ele se recusava a acreditar naquilo. Agora tudo parecia distante, borrado, como o frio que havia tomado conta dele na floresta quando encontrou Fletcher morto, ou quando danificou o círculo de fadas. Eram momentos irracionais, que não tinham nada a ver com ele. Sentiu-se ridículo, envergonhado. *O que está enterrado está enterrado*, pensou ele. *Fim de papo.*

Mas talvez não fosse ridículo para o resto da família. Apesar do fato de que feria Steve mais do que ele gostaria de admitir, isso não o tornava responsável?

Depois parei de acreditar em bruxas, mas continuava fazendo isso como exercício de equilíbrio.

Steve decidiu falar com Tyler assim que surgisse a oportunidade.

+++

O sistema de baixa pressão continuou por toda a noite, mas pelo menos Jocelyn e Matt comeram um pouco do quiche. Tyler nem mesmo desceu; resmungou algo sobre ter de estudar para uma prova e querer ficar sozinho. Naquela noite, Jocelyn e Steve ficaram cada um de frente para a parede de seu próprio lado da cama grande, palavras que não foram ditas tremendo no espaço vazio entre eles. Steve permaneceu acordado por muito tempo, mas acabou dormindo de exaustão.

Na manhã seguinte, no café, Jocelyn disse:

"Talvez eu traga os cavalos de volta depois que acabarmos de cavalgar esta tarde. Acho que você tem razão. Provavelmente não vai fazer mal nenhum a eles."

Steve aquiesceu e sentiu algo relaxar dentro de si. "Quer que eu vá com o trailer?"

Ela balançou a cabeça. "Matt e eu damos conta."

Nada mais foi articulado, mas pelo menos era um começo, e ele não queria forçar nada. Momentos de tensão entre eles nunca duravam muito tempo, mas aquele tinha sido diferente, mais delicado, e exigia tratamento especial. Pensou nisso durante o dia na universidade, e estava passando o ancinho nas folhas no quintal naquela tarde quando chegou à conclusão de que não estavam tão mal assim, afinal. Jocelyn e Matt estavam conectando o trailer ao carro na entrada. Steve inalou o frio de outono bem no fundo de seus pulmões — era um daqueles dias de novembro que já tinha os primeiros vestígios sutis de inverno — e se consolou com o pensamento de que devia haver gente na cidade que fizera coisa muito pior do que eles.

Ele ainda estava trabalhando no quintal quando Jocelyn saiu de casa vestindo sua roupa de equitação e gritou: "Steve!". Parecia ansiosa. "Steve, venha já pra cá!"

Ele deixou cair o ancinho na pilha de folhas e correu até a porta da cozinha. "Tem algo de errado com Tyler", disse ela. "Ele não está respondendo... Não consigo falar com ele."

Ela o levou até a sala de estar. Tyler estava sentado no sofá, no crepúsculo, com as pernas puxadas para perto do corpo. Steve levou menos de três segundos para diagnosticar: o garoto parecia prestes a entrar em um episódio psicótico, se é que já não estava nele. Os dedos dos pés descalços estavam curvados e travados numa câimbra, os cabelos desalinhados, os nós dos dedos da mão estavam brancos. Olhava bem ao longe, com olhos grandes que não viam nada. Steve reconheceu a expressão de pacientes psiquiátricos que faziam um esforço consciente para se livrar da realidade. Era a expressão de alguém que estava indo da luz para a escuridão, e Steve suprimiu um surto repentino de terror.

Ajoelhou-se diante de Tyler e colocou as mãos nos ombros dele. "Ei, Tyler, olhe pra mim..." Ele o sacudiu suavemente a fim de despertá-lo de seu estupor. Tyler cedeu aos movimentos imediatamente, o que alarmou Steve ainda mais. Esperava que seu corpo ficasse tão retesado quanto os dedos das mãos e dos pés. A resistência teria sido sinal de consciência. Mas o corpo de Tyler se comportava como uma boneca preenchida com palha. Steve colocou a mão na nuca dele e apertou bem as vértebras com o polegar e o indicador.

"O que tem de errado com ele?", perguntou Jocelyn, incomodada. Ela também se ajoelhou ao lado dele. Matt tinha escancarado as portas francesas e olhava para eles aterrorizado.

"Choque", disse Steve. "Pegue um pouco de água pra mim, Jocelyn."

Jocelyn fez o que ele pediu e Steve se sentou no sofá ao lado do filho. Pegou-o nos braços e o sacudiu com suavidade para a frente e para trás. O corpo de Tyler estava frio e pegajoso. "Ei, filho, tudo vai ficar bem; tudo vai ficar bem", murmurou, e continuou repetindo as palavras como um mantra. Mas por dentro ele se amaldiçoava: sabia que *não estava* tudo bem desde o momento em que Robert Grim interrogou Tyler, bem antes de os cavalos enlouquecerem. Ele tinha visto isso em seus olhos. Por que não havia tentado tirar o segredo dele com mais afinco? *Idiota.* "O que você está fazendo, filho? Nos assustando assim." Abraçou Tyler ainda mais forte. "Estou aqui com você, Tyler. Não importa o que aconteça, estou sempre com você. Tudo vai dar certo."

Finalmente, suas tentativas deram resultado e Tyler começou a tremer nos seus braços. A expressão cega e molenga de seu rosto começou a descongelar. Seus lábios estremeceram e soltaram um gemido suave e abafado. Seus olhos se arregalaram e ficaram úmidos. Suas mãos se moveram para cima, trêmulas, e caíram de novo, indefesas.

Jocelyn voltou com um copo de água e uma toalha, e colocou tudo em uma banqueta diante deles. Steve quase não reparou, porque naquele mesmo instante Tyler olhou para ele com uma expressão tão frágil de angústia e desespero que o coração de Steve subitamente se encheu com um amor quase embriagado e uma sensação doentia de arrependimento.

"Escute, Jocelyn. Por que você não sai para cavalgar com Matt?"

"Mas eu não posso deixar ele assim... Ele vai ficar bem?"

"Ele vai ficar bem. Acho que nós dois precisamos de um tempinho juntos aqui."

Lançou-lhe um olhar significativo e Jocelyn compreendeu. "Vem comigo, Matt, vamos lá", disse ela, direcionando-o para fora da sala de estar. Ela fechou as portas francesas atrás deles, abafando os protestos ferozes de Matt. Então saíram pela porta da cozinha e tudo ficou quieto.

Ok, garoto, aqui vamos nós, pensou Steve. Era um momento peculiar, como se um equilíbrio tivesse sido alcançado. Ali estavam os dois, finalmente sozinhos: ele e seu mais velho, ele e seu garoto. Como se ambos estivessem aguardando por isso por muito tempo — não só desde aquela estranha noite alguns dias atrás, quando Tyler o havia seguido para fora descalço, nem mesmo desde aquela briga com relação a Laurie no começo de outubro, mas muito, muito tempo atrás. Steve havia trazido seu filho de volta de um lugar distante na escuridão, e sabia que o que estava esperando para ser arrastado para a luz do dia não seria bom, mas a sensação que prevalecia agora era de um grande e profundo amor.

Ele fez Tyler beber a água. O garoto derramou um pouco na calça de moletom cinza, enxugou-se e chorou em silêncio por muito tempo. Steve o abraçou até ele finalmente se acalmar. Então fez com que o garoto bebesse um pouco mais e disse com cuidado: "É muito ruim, não é?".

Tyler assentiu, o rosto pálido e molhado. Levou pelo menos mais dois minutos até finalmente conseguir falar. Quando estava pronto, três palavras fracas saíram de seus lábios, implorando: "Me ajuda, pai".

E Steve jurou que faria tudo que pudesse para ajudá-lo.

Literalmente tudo.

+++

Uma hora depois, logo antes de Jocelyn e Matt voltarem para casa com os cavalos e muitas perguntas, Steve e Tyler pegaram o Toyota e saíram da cidade pela Rota 293, depois pegaram a 9W passando pela Floresta de Black Rock. Assim que atravessaram a passagem e desceram para o vale, ele foi acometido por uma sensação de que estavam em território proibido, e precisou suprimir a necessidade de continuar olhando pelo espelho retrovisor para ver se estavam sendo seguidos. Ridículo, mas a coisa estava ali mesmo assim, e ele não conseguia afastar a sensação.

Não disseram uma só palavra durante todo o percurso.

Seguiram ao longo do Hudson e, entrando em Newburgh, estacionaram perto do Monumento do Quartel-General de Washington e encontraram um bar no centro da cidade com pouca gente e muitos cantos escuros. Steve pediu duas cervejas sem álcool e a senha do wi-fi. Levou vinte minutos para ler uma seleção dos relatórios no site de Tyler e ver seus vídeos com desgosto cada vez maior — e, teve de admitir, uma admiração silenciosa. Nada era tão chocante quanto as imagens que tinha visto em casa — graças a Deus aquelas não estavam on-line —, mas cada uma delas continha material espetacular e altamente incriminatório, para dizer o mínimo. Então fez Tyler apagar tudo e não deixar vestígios. O garoto fez isso com prazer.

Observando o filho e bebendo sua cerveja sem álcool, Steve voltou a si com um choque. *Não está vendo que jogo perigoso está jogando? Está destruindo provas. O mais importante é que está renunciando à moralidade que você e Jocelyn sempre valorizaram tanto. Espero que esteja totalmente consciente de que está oferecendo a Tyler uma fuga de um jogo sórdido no qual ele foi um grande jogador.*

Mas Tyler já não havia sido bastante castigado, ao ser forçado a testemunhar a atrocidade cometida por seus pretensos amigos? Ele teve de ficar cara a cara com as consequências de sua estupidez. Tyler havia passado pelo inferno e voltado nas últimas vinte e quatro horas. Um surto daqueles não vinha do nada. Ele não fora sequer capaz de invocar a coragem para conferir no HEXapp o paradeiro de Katherine, com medo de que o Armagedom pudesse ter atingido a cidade. Quando Steve se assegurou de que nada de incomum havia sido relatado, que a bruxa havia retomado seu padrão normal depois do apedrejamento, o alívio nos olhos de Tyler fora imenso.

"Vou precisar relatar isso. Você entende, não entende?", perguntou Steve, finalmente, quebrando um longo e doloroso silêncio depois que Tyler havia contado sua história.

Tyler assentiu lentamente, com medo.

"Isso vai de mal a pior. Pessoas vão ser mortas se seus amigos continuarem por esse caminho. Não posso suportar essa responsabilidade."

Tyler disse que entendia.

"Não é culpa sua, ok? Esse Jaydon perdeu totalmente a cabeça — ele precisa de ajuda. Alguém precisa pôr um fim nisso." Steve, no entanto, logo em seguida percebeu que estava falando consigo mesmo, tentando justificar o plano que lentamente elaborava em seu cérebro. Balançou a cabeça com uma certeza cheia de dúvidas. "Não. Não foi culpa sua."

"Eu não entendo", disse Tyler. "Quer dizer, a participação de Burak nisso. Jaydon é maluco e Justin é um idiota, mas Burak... ele era um cara legal."

"Ele finalmente despertou", disse Steve, mais vigorosamente que o planejado. "Você sabe que é isso que Black Spring faz com algumas pessoas."

Mas aquilo não parecia convencer Tyler. Ele finalmente olhou para o pai. "Estou com medo do que pode acontecer com ele."

A verdade era que Steve ficou apavorado com o que estava em jogo para esses garotos. Alguma coisa tinha que acontecer, isso era óbvio. Eles haviam quebrado todas as leis do Decreto de Emergência; tinham provocado a morte de Fletcher e haviam posto em risco as vidas de todos em Black Spring. Talvez Doodletown realmente fosse o tipo de terapia de choque que precisavam para fazê-los ver a merda que tinham feito... Embora, no fundo do coração, Steve temesse que Doodletown não fosse o fim daquilo. Só a parte de Tyler era o suficiente para colocá-lo em Doodletown. Se não lidassem com cuidado com as imagens do apedrejamento, a coisa poderia levar a uma insurreição popular.

Subitamente, ele foi tomado por um gélido arrepio. *Esses malditos idiotas não merecem nada além de assumir toda a culpa por sua imbecilidade. O que Tyler fez, fez por idealismo. Deveria ser castigado por isso?* A boca de Steve secou quando ele se descobriu lembrando de seus próprios pensamentos suicidas no bangalô da praia tailandesa tanto tempo atrás, durante a primeira gravidez de Jocelyn. Era assim que Doodletown devia ser. E aí ele se lembrou dos olhos infinitamente frágeis de Tyler, implorando: *Me ajuda, pai.*

Steve já tinha tomado sua decisão. E agora, enquanto seu filho estava destruindo o resultado de meses de esforço e ele não conseguia deixar de sentir que estavam estragando uma oportunidade única de realmente fazer progresso — que de fato estavam levando Black Spring de volta ao século xvii —, uma dúvida persistente continuava mordiscando Steve: estaria fazendo a coisa certa?

"Ok, pronto", disse Tyler.

"Tudo apagado?"

"Tudo."

"Tudo?" Steve procurava mais confirmações.

"Sim. Todo o conteúdo foi apagado e cancelei a url."

"E nunca mais vai poder ser recuperado?"

"Não exatamente. O endereço vai ficar em quarentena por trinta dias. Caso eu queira restaurá-lo ou sei lá o quê. Mas o registro de domínio é anônimo, então ninguém pode ver meus detalhes. A menos que recorram à Justiça." Tyler hesitou: "Você não acha que eles vão chegar a esse ponto, acha?".

Não tenha tanta certeza, pensou Steve. *E se envolverem West Point nisso?* Mas, mesmo assim, a chance de que Tyler fosse apanhado era pequena, ele calculou. Se Jaydon fosse preso, ele o deduraria, isso era certo. Talvez os outros dois corroborassem a história de Jaydon, embora houvesse grande chance de que ficassem de boca fechada quanto aos seus papéis no projeto de Tyler, com medo de mais consequências se fossem descobertos. Então tudo se resumiria a uma única acusação de um criminoso louco que havia sido encurralado, e mesmo em Black Spring eles sabiam que necessidades desesperadas levavam a atos desesperados.

Você partiu numa estrada cheia de armadilhas, Steve, sem maneira de saber quais poderiam ser as consequências. Talvez esse tipo de intervenção não ajude Tyler de forma alguma — isso já lhe ocorreu?

Ah, foda-se. De jeito nenhum vou mandar meu filho para Doodletown. Só por cima do meu cadáver.

"Então eles podem descobrir a história de alguma outra maneira?", perguntou Steve. "Não sei, backups automáticos ou algo assim?"

"Só com o Mike."

"Quem é Mike?"

"Colega de escola. De Highland Falls. Ele constrói websites e tem seu próprio servidor. Ele me deixa colocar meu site no servidor dele em troca de uma caixa de cerveja."

"Então você deixou alguém de fora..."

Tyler deu de ombros. "E ele lá se importa? O Mike acha que é algum tipo de coleção particular de todos os meus vlogs do YouTube. E era isso mesmo no começo, porque foi assim que comecei, só pra encher o saco dele e evitar que ficasse mexendo nas minhas coisas."

Steve fechou os olhos e respirou fundo. Quando os abriu novamente, viu que Tyler havia pegado seu celular e estava digitando na tela com os polegares. "O que está fazendo?"

"Mandando uma mensagem pra ele. Por mais uma caixa de cerveja, ele se livra de todos os backups hoje. Eu conheço o cara."

Em seguida, ele fez Tyler apagar o histórico do seu browser, tanto no laptop como no iPhone, e também as conversas de chat, e toda pasta de vídeos e arquivos de Word que tivesse algo a ver com seu projeto. O cartão de memória da GoPro foi o último. Só o vídeo do apedrejamento ficou no laptop.

Steve esfregou as bochechas, fazendo um som abrasivo, e subitamente ficou preocupado. "Os outros caras ainda têm material nos seus computadores ou telefones?"

Tyler balançou a cabeça. "O acordo era que só faríamos login fora da cidade. Acho que todo mundo fazia isso na escola ou na biblioteca. A gente achou que os iPhones que a HEX distribuiu ano passado tavam bugados com keyloggers, então decidiu banir seu uso pro nosso projeto."

Steve olhou para ele, totalmente perdido, e Tyler deu um sorriso leve. "Um keylogger é como um aplicativo que permite que você veja o que acontece no computador ou telefone à distância. Ele passa todos os toques de teclas para que você possa ver exatamente que website alguém está visitando. Muito oportuno se quiser descobrir se alguém tá te traindo."

"Certo. Então, tem certeza de que não existe mais nada? Eles vão vasculhar tudo; quero que você esteja bem ciente disso."

"Jaydon tirou uma foto do..." Ele fez um gesto curvilíneo e desviou o olhar com vergonha. "Você sabe, aquilo que eu te falei. Você precisa dizer isso a eles, pai. Eles têm que tirar o telefone dele se forem prender o Jaydon. Mas até onde sei, é isso."

Vamos apenas torcer para que você esteja certo. "Mais alguma coisa?"

Tyler pensou por um minuto e balançou a cabeça. "Ah, peraí!" Ficou vermelho e começou a vasculhar o telefone. Steve meio que observou o que ele estava fazendo e reparou que, com bastante curiosidade, estava checando os arquivos de som. Clicou em um.

"Eu quero saber o que é isso?", perguntou Steve.

Tyler balançou a cabeça e olhou para o arquivo com arrependimento e nojo. Então, com dois toques do polegar, ele desapareceu.

Steve pagou a conta e logo eles estavam caminhando ao longo do Hudson, cabeças enfiadas nos colarinhos e mãos nos bolsos. Andaram ao longo da enseada dos iates até o enorme pilar que fazia parte da ponte Hamilton Fish. Pararam abaixo da ponte e ficaram olhando seus reflexos, um laranja reluzente na água preta. O vento noroeste puxava os cabelos e suas roupas como se estivesse tentando levá-los de volta a Black Spring. Mas o rio fluía mais ainda, para longe da escuridão que os cercava. Passando pela cidade, ele se esvaziava na Bacia de Nova York e além, no Oceano Atlântico, onde muito mais a leste a nova luz da aurora sempre irromperia mais cedo do que nas colinas onde eles moravam.

"Amanhã, você vai falar com Lawrence", disse Steve. Essa era a última peça do quebra-cabeça, e se encaixasse no lugar certo eles teriam pelo menos uma chance. "Você confia no Lawrence, certo? Você vai dizer a ele o que fizemos e que, não importa o que aconteça, ele precisa ficar de boca fechada e concordar com nossa história. Deixe claro que é a única maneira de ele sair disso ileso. Se Jaydon abrir a boca, vão interrogar vocês dois. Você acha que Lawrence topa?"

Tyler deu de ombros.

"E você? Você topa?"

Ele assentiu, devagar. Parecia um condenado no corredor da morte sendo interrogado se conseguia dar conta de sua última caminhada até o cadafalso. Steve o abraçou e sentiu um choque percorrer o corpo de Tyler.

"Ninguém precisa saber", disse ele. "Só eu e você."

O garoto encarava com olhos inchados uma barca de cascalho que estava descendo resolutamente o rio com um leve ronco do motor. Steve entendeu que Tyler não estava só com medo, mas também devastado pela culpa. O garoto tinha caráter. Steve conhecia pouca gente com um senso de justiça tão forte quanto o de Tyler. Lembrava-se bem de como o filho o olhara com orgulho quando defendeu seus ideais na reunião do Comitê de Todos os Santos. E logo percebeu que poderia estar facilmente botando um fardo em seu filho com algo que ele nunca seria capaz de aceitar.

Ele vai ter que viver com isso, pensou Steve. *Não há alternativa. Talvez isso o assombre por um tempo, mas vai passar, como tudo passa no fim.*

A marola causada pela barca tinha alcançado o pilar e batido nos pedregulhos com ondas de espuma branca. Steve ficou zangado consigo mesmo por ter essas dúvidas. Ele protegia Tyler por amor. Pais amavam seus filhos e os protegiam a qualquer custo. Afinal, o próprio Tyler não havia lhe feito essa pergunta pouco tempo atrás para seu blog? Quem ele salvaria, o próprio filho ou toda uma aldeia no Sudão?

É claro que você salvaria seu próprio filho. Amor é isso.

"Ok", acabou dizendo Tyler. Ele estremeceu, e Steve o puxou para perto e o esfregou para aquecê-lo.

"Ótimo. Seja forte, filho, e tudo vai dar certo. Você não merece isso."

"Você vai contar pra minha mãe?"

"Não." Isso nem havia ocorrido a Steve até aquele momento, mas parecia a coisa certa a fazer. "Isso fica entre nós."

Tyler assentiu. "Ok." Ficou em silêncio por alguns segundos, depois acrescentou baixinho: "Valeu, pai".

Eles ficaram ali parados vendo a água fria e escura passar por eles. Era um momento com seu filho mais velho que Steve jamais esqueceria. Desejou de todo o coração que pudessem entrar numa barca juntos, deixar Black Spring para trás e simplesmente seguir a corrente, passando pelos portos de Nova York e um novo amanhecer. Era ali que as coisas assumiriam sua verdadeira forma. Num clarão de déjà-vu, ele ouviu a risada sarcástica de Matt: *Sim, pai, quem você salvaria, Tyler ou eu?* Steve dera a resposta óbvia naquela noite, e Tyler percebeu na hora que ele estava sendo politicamente correto. A verdade era que você ficava desconfortável se realmente preferisse um dos filhos. Steve tinha que tratar pacientes suficientes na New York Med para saber que era uma coisa perfeitamente natural, mas, quando você era forçado a se olhar no espelho, ficava embaraçoso.

Naquela noite, entretanto, no final do cais, com um braço nos ombros do seu filho mais velho, ele não tinha vergonha de admitir, porque era verdade. Apesar do fato de que Steve amava Matt e Jocelyn de todo o coração e provavelmente enlouqueceria se alguma coisa acontecesse a qualquer um dos dois, Tyler sempre seria o número um.

+++

Entretanto, deitado na cama naquela noite, a dúvida ainda estava lá... como uma chama-piloto em sua cabeça, que se recusava a apagar completamente.

Jocelyn tinha pedido desculpas por seu rompante e Steve pediu desculpas por seu comentário desagradável. Estavam todos sob uma pressão enorme. A acusação que não fora feita permanecia enterrada, mas, por conta de uma reconciliação, isso teria de servir. Deitados ali juntos, no escuro, Steve calmamente contou a ela o que aconteceu com Tyler — pelo menos a versão da história que ele também contaria para a HEX. Ele nunca fora muito bom em mentir para sua esposa e nunca teve razão para isso, mas agora o fluxo de meias verdades saía de sua boca com uma facilidade impressionante, e ele ficou um pouco perturbado ao descobrir que não estava sequer com vergonha de si mesmo. Jocelyn ficou chocada, e o elogiou pelo fato de que ele havia conseguido tirar tudo aquilo de Tyler. Pediu desculpas mais uma vez por tê-lo acusado de não lidar direito com a situação, mas Steve levou seu indicador aos lábios dela e a beijou. *Nada mal para um ensaio geral*, pensou ele, *mas mais um pedido de desculpas dela e eu vou enlouquecer*. Eles fizeram amor, e o amor era de todas as maneiras sincero: pelo menos naquele front ele seria capaz de se olhar no espelho.

Ficou acordado um bom tempo, ouvindo o sibilar suave da chama em sua cabeça. *Deus, espero ter feito a coisa certa. Acredito mesmo que meu coração está no lugar certo.* Mas o amor era uma força misteriosa e enganosa, e uma das poucas áreas em que Steve não confiava 100% em seus poderes de julgamento.

18

O riacho parou de sangrar, mas a cidade estava assombrada.

Houve burburinhos e tumultos — pequenas rebeliões que Robert Grim mandou que os seguranças cortassem pela raiz. Durante toda a semana, foram realizados serviços extras na igreja. O antigo clamor por um exorcista foi atendido, e as pessoas começaram a acender velas nas lápides do cemitério Temple Hill pedindo o repouso dos mortos. Nesse meio-tempo, os especialistas em TI da HEX trabalharam dobrado para acompanhar o fluxo de e-mails, chats e aplicativos a respeito de profecias e fim dos tempos. Graças a Deus, isso ainda estava dentro dos confins da cidade, mas nunca se sabia o que esses idiotas meteriam na cabeça. "Sabe, os maias estavam certos!", escreveu Eva Modjeski, a caixa de supermercado, por e-mail para sua amiga Betty Chu, da casa de repouso. Eva Modjeski era uma idiota com cérebro de tapioca que até tinha uns peitinhos bonitos, mas uma testa larga demais, por cuja criação Grim teria cedido de bom grado uma costela — embora depois do comentário sobre os maias ele tivesse sentido vontade de tomá-la de volta e recolocá-la no próprio corpo, com ou sem Eva.

Pela primeira vez desde tempos imemoriais, todos os sete membros da equipe HEX estavam trabalhando numa jornada de vinte e quatro por sete para manter a agitação popular sob controle e tentar localizar a causa da agitação de Katherine. Só as ligações telefônicas frenéticas já estavam provando ser um trabalho de tempo integral.

"O profeta do caos voltou a ligar", disse Warren Castillo, quando Grim voltou da inspeção da água do riacho na tarde de terça.

"John Blanchard? É a sétima vez em dois dias."

"Eu sei. Eu disse a ele que ia desligar, mas aí o maluco disse que queria seu cordeiro de volta. Perguntei que cordeiro, e ele respondeu que era o cordeiro de duas cabeças."

Grim fez uma cara amarga. "Aquela coisa feia que colocamos no arquivo?"

"Ele disse que queria comer o feto para se limpar de seus pecados. Disse que Deus tinha dado aquilo para ele e que era seu dever fazer penitência. Eu disse que se o estômago dele aguentasse uma bela dose de formol ele poderia vir pegar. Ele achou que eu estava falando sério e queria marcar hora."

"Argh. Primatas não conseguem se rebaixar mais que isso."

Apesar das medidas claramente visíveis e duras implementadas pela equipe da HEX e da simpatia de muitos dos habitantes da cidade que se ofereceram como voluntários, também havia vozes críticas, e uma das maiores era a de Colton Mathers: "Vocês foram indicados para impedir essas perturbações, mas, ao que parece, se evadiram seriamente de suas responsabilidades", disse o conselheiro, furioso, ao telefone. "Quero que vocês garantam que tenhamos um pouco de paz e tranquilidade por aqui, e que os responsáveis não escapem ao castigo." Grim, que estava mentalizando o pâncreas de Mathers e o enfeitando com um tumor enorme, garantiu a ele que faria tudo o que estivesse em seu poder *sem* a ajuda do Point, e desligou antes que Mathers tivesse chance de responder à alusão.

A crítica não apenas subiu de tom: naquela mesma noite as janelas do antigo Centro de Visitantes de Popolopen foram quebradas por tijolos. Os culpados — uns operários de construção bêbados e insatisfeitos — foram apanhados no ato e passaram a noite nas criptas embaixo da igreja Crystal Meth.

A essa altura, Marty Keller tinha descoberto quem tinha pregado a peça do pavão: Griselda Holst, membro do Conselho e mulher do açougueiro, logo ela.

"Ela?", exclamara Grim, surpreso. "Você não está falando sério."

"Estou", disse Marty. Ele mostrou a Grim o que tinha sido capaz de reconstruir a partir das imagens das câmeras de segurança. Holst havia saído do açougue na noite do domingo anterior às 22h58, com, claro, a grande sacola de compras azul embaixo do braço. As câmeras ao longo da Old Miners Road mostraram seu Dodge Ram deixando a cidade na direção de Highland Mills. Às 00h23 ela havia retornado, estacionado no caminho na frente de sua casa e entrado de mansinho. Da sua sacola de compras despontava uma profusão de penas de pavão. A coisa era tão gritantemente óbvia que Grim ficou furioso — como se a vaca velha estivesse fazendo pouco caso do sistema. Não muito mais tarde, as imagens mostraram Griselda Holst entrando na floresta.

"Vê se cultiva algum neurônio!", gritou Grim com uma voz entalada em sua garganta.

Marty deu de ombros. "Ela provavelmente pensou que Katherine desapareceria antes do amanhecer e que o pássaro seria torrado antes que alguém descobrisse."

Warren deu um sorriso debochado. "Mas em vez disso ela mostra sua gratidão à sra. Holst e desfila por aí com o bicho a semana inteira. Que divertido!"

"Mas por quê? Por que um pavão?"

Claire havia retirado uma obra de referência da biblioteca de ciências ocultas que eles mantinham, uma publicação da Harvard University Press, e citou o seguinte: "'Para os persas, o pavão era um símbolo de imortalidade, porque acreditavam que a carne do animal não sofria decomposição. O que não é verdade; ela costuma ser muito seca e de difícil consumo'. Vamos ver... 'Na Idade Média, o pavão era um mau augúrio porque se acreditava que seus gritos traziam a chuva' — bem, quanto a isso eles tinham razão — 'e, segundo Paracelso, astrólogo e ocultista alemão, o grito de um pavão em horas fora do comum previa a morte de alguém da família a quem a ave pertencesse.' Ah, sim, encontrar penas de pavão traz sorte, mas guardá-las em casa dá muito azar. Alguma coisa aqui ajuda?".

Grim fungou. "A mulher do açougueiro não me parece lá muito do tipo que se importa com o valor simbólico de sua oferenda."

"Tá certo", Warren disse com um risinho. "Ela é burra demais pra achar a própria bunda. Já comeu aquele patê dela? É como se ela tivesse extraído a gordura daquela pança com uma agulha de lipossucção e injetado direto na terrina."

"Warren, você é um porco", disse Claire. "Um pouquinho de respeito, por favor. Ela teve uma vida trágica com aquele marido."

"Pode ser verdade", disse Grim, "mas isso não dá a ela o direito de aprontar uma dessas."

Mas esse era só o começo. Marty e Warren mergulharam no arquivo de vídeo, e na quarta à noite já tinham descoberto o hábito peculiar de Griselda Holst de chamar a bruxa por trás das câmeras. O padrão era sempre o mesmo. Toda quinta-feira, chova ou faça sol, quando Katherine estava na floresta, Griselda se esgueirava por trás de alguns carros estacionados ou ao longo de uma cerca viva e sumia nos arbustos, agarrando uma sacola branca de plástico. Cerca de uma hora depois ela voltava — sem a sacola. Grim estava bestificado. Como podiam ter deixado isso passar? E o que *diabos* a mulher fazia quando estava com Katherine?

Na manhã seguinte, puseram um microfone escondido em Marty e o mandaram até o Griselda's Butchery & Delicacies, enquanto Grim, Warren, Claire e os outros observavam com atenção as imagens ao vivo da câmera de vigilância do açougue na tela grande.

"O que vai ser?", ouviu-se a voz rouca de Griselda pelos alto-falantes.

"Quinhentos gramas de patê de pavão, por favor", disse Marty. Warren explodiu de gargalhar e Grim fez um gesto para que ele ficasse quieto.

Griselda, que ficou tensa na hora, hesitou. "Patê Holst, você quis dizer?"

"Não, patê de pavão", disse Marty com a cara mais lavada.

"Eu... não vendo isso."

"E que tal torta de pavão, então?"

"Não vendo carne de pavão."

"Ah, que chato", disse Marty. "Então não tem filé de pavão?" Na tela, era fácil ver que Griselda não estava sabendo lidar com a situação. "Senti vontade de experimentar, já que Katherine gosta tanto."

Griselda relaxou um pouco e sorriu. "É verdade", disse ela. Seria um vestígio de orgulho na voz dela? "Deve ser, sim. Se não gostasse, por que ficaria tanto tempo com ele?"

"Pois é, não importa o que digam, a pessoa que deu a ela aquele pavão realmente sabe como evitar uma crise. É por isso que a gente também queria um pavão." Griselda ficou corada e Marty, ansioso, aproveitou a oportunidade. "Sabe, meu companheiro e eu sempre organizamos umas noites temáticas de Katherine onde atuamos em cima do que quer que a bruxa esteja fazendo. No fim de semana, a gente amarrou Gaudi, nosso chihuahua, ao galho de uma árvore. Nós rimos tanto que achamos que íamos mijar na calça. Ah, quer ver uma selfie?"

O sorriso de Griselda sumiu na hora e sua vergonha se evaporou. Embaixo dela, havia uma camada de raiva petrificada. "Seu moleque sujo", praguejou ela. "Zombando da minha Katherine? Saia já daqui!" Ela arrancou um enorme salame da prateleira e logo deu a volta no balcão, indo diretamente até o surpreso Matt, que apenas saiu correndo porta afora, fazendo o sininho tocar feito louco. "Você merece Doodletown, seu sujeitinho!", gritou Griselda atrás dele. "Tome cuidado ou vou dedurar você para o Conselho! Você é o geniozinho da informática do Grim, não é? Eu vou descobrir qual é o seu nome."

Marchou de volta para dentro com a graça de um navio de guerra ucraniano e bateu a porta. No centro de controle, Warren uivou como um lobo e disse: "Alguém dê um Oscar a essa mulher!".

Grim ainda não conseguia relacionar as atividades de Griselda com a morte do cachorro ou o sangramento do riacho, mas mexer com a bruxa era estritamente proibido, porque os riscos eram simplesmente impossíveis de se prever. Grim não tinha escolha a não ser informar a Colton Mathers.

O conselheiro se encontrou com ele em sua casa de campo, cercada por uma velha cerca enferrujada no topo da Colina dos Pinheiros, como se fosse a própria mansão Frankenstein. Com a testa cada vez mais franzida, aquela relíquia ambulante ficou ouvindo os fatos, e finalmente surpreendeu Grim, dizendo: "Deixe estar, Robert. A sra. Holst é uma mulher direita e tem andado sob uma pressão intensa ultimamente. Além disso, precisamos esperar para ver quais são as consequências de suas ações. Talvez a coisa não seja assim tão ruim".

Grim não conseguia acreditar no que estava ouvindo. "Mas ela..."

"Fico feliz que você tenha tocado no assunto", continuou Mathers, como se Grim não passasse de fumaça. "E certamente precisamos ficar de olho na sra. Holst. Mas, por ora, meu conselho é: deixe as coisas como estão."

Robert Grim, que queria gritar na cara dele que as coisas estavam como estão há eras, que na verdade essas coisas estavam andando pelas ruas da cidade com sangue nos olhos e vontade de matar, voltou de mãos vazias e pensou: *Ele a está acobertando por causa daquele negócio do Roth. Por quanto tempo vai manter esse jogo sujo?*

A resposta foi imediata: *Até você ter colhões e enfrentar esse homem.*

Mas Grim estava preso ao seu emprego e ficou de boca fechada. Naquela noite, depois que a tempestade havia passado e a bruxa finalmente abriu mão de sua bizarra predileção pelo pavão morto, ele achou que talvez a coisa pudesse ser melhor assim. Contra o protocolo, até mesmo hipócrita, mas que fosse. Tudo parecia estar de volta ao normal. Ninguém queria falar sobre o que havia dominado cada conversa até então; as pessoas queriam esquecer sua ansiedade e apagar qualquer lembrança do episódio. Robert Grim também. Ele começou a acreditar que um pequeno milagre havia ocorrido: Black Spring havia passado relativamente ilesa pelas angústias de Katherine.

Foi assim que ele pensou até o começo da noite de sábado, quando as más notícias bateram à porta.

+++

Petrificados e entorpecidos, os membros da equipe HEX presentes naquele momento — Claire, Warren e Grim — ouviram Steve Grant e Pete VanderMeer contarem sua história. Quem falou mais foi Steve. Eles estavam no seguinte ponto: Jaydon Holst — filho da intrépida mulher do açougueiro, pelo amor de Deus — havia sistematicamente aterrorizado a bruxa e a atingido seguidas vezes com um estilete, depois jogado o cão dos Grant em cima dela. Como vingança pela morte de Fletcher, Jaydon, Justin Walker e Burak Şayer haviam se apresentado para a HEX como voluntários para obter livre acesso a Katherine, e Grim caiu nessa. Os resultados chocantes e horríveis desse fingimento se revelaram no filme que o filho de Grant havia rodado.

Depois que o clipe terminou, ninguém disse nada por muito tempo. A área de lazer lotada do centro de controle parecia muito pequena, como se todo o ar tivesse sido retirado do local e eles estivessem lentamente sendo asfixiados. Grim sentiu seu coração dar inúmeros saltos inesperados antes de voltar ao seu ritmo normal.

O apedrejamento. Ah, meu Deus, aqueles poucos quadros, onde você podia vê-los atirando pedregulhos no rosto dela.

Subitamente, um pensamento vívido como uma pilha de fósforos queimando o atingiu. *Eles poderiam ter arrebentado os pontos nos olhos dela com facilidade.*

O queixo de Claire caiu e ela foi a primeira a falar. "Quando foi isso? Tarde de quinta, você disse?"

Steve assentiu. "Deve ter sido antes das 16h, porque foi aí que Matt e eu voltamos pra casa."

Os olhos dela foram ficando cada vez maiores, e Grim não gostou nem um pouco da expressão. "Consegue ser mais preciso?"

Steve se voltou para o MacBook, selecionou o arquivo de vídeo com dois dedos e abriu o menu de propriedades. "Olhe, aqui está. Conteúdo criado: Quinta-feira, 8 de novembro de 2012, 15h37."

"Ah, meu Deus." Claire levou as mãos à boca. "Foi quando a velhinha morreu."

Grim não sabia de quem ela estava falando. "Quem?"

"Rita Marmell. Ela era paciente em Roseburgh. Teve um derrame na quinta à tarde enquanto jogava cartas. O médico dela diz que foi totalmente inesperado, porque ela estava com a saúde relativamente boa, mas essas coisas acontecem na idade dela, então não pensei nada. No atestado de óbito está escrito que ela foi declarada morta às 15h45, depois que a massagem cardíaca falhou."

Pete VanderMeer e Steve trocaram olhares assustados. "Isso não foi exatamente o que ela fez lá em 1967?", perguntou Pete. "Quando aqueles médicos estavam tentando abrir sua boca. Três pessoas idosas da cidade caíram mortas com derrames."

Warren compreendeu o que ele queria dizer. "Os anos se passam e ela fica simplesmente ali, parada, como um urso acorrentado, hibernando. Mas basta a gente se aproximar demais e..." Ele bateu palmas e todo mundo pulou de susto com o som oco.

Como um urso acorrentado hibernando, Grim pensou com um estremecimento súbito. *Esperando... o quê?*

"Aparentemente, ela envia essa energia maluca quando está sob grande pressão física ou emocional", disse Warren. "E isso faz simplesmente com que os mais fracos entre nós... desabem."

"Se isso for verdade, então esses garotos mataram aquela mulher", disse Grim, a voz neutra. Sobre as luzes duras e impiedosas, o grupo parecia pálido e descarnado, mas ao mesmo tempo aparentemente contido. E se isso vazasse na cidade, meu Deus? *Se você quer saber o que parece contido, dê uma boa olhada ao seu redor*, pensou ele, *porque esta é a última vez que você vai ver esse comportamento por um longo tempo.*

"Ótimo." Grim tirou os óculos e começou a polir as lentes. "Precisamos trazer esses imbecis aqui com o máximo de discrição possível. Se isso vazar antes que eles sejam trancafiados com segurança, tudo irá para o inferno."

"E você acha que isso não vai acontecer se as pessoas descobrirem depois?", observou Pete.

"Provavelmente sim, mas pelo menos os garotos não serão linchados."

"Espero que não."

Grim o encarou. "Você não está mesmo pensando..."

"O que acha que o Conselho decidirá se vazar a notícia de que os garotos são responsáveis não só pelo pânico na semana passada e pela morte do cão de Steve, mas também pela morte de uma mulher mais velha? O sr. Mathers vai insistir que é uma questão da cidade e vai colocar todo mundo para votar sob o disfarce da democracia. Mas, se não cuidarmos disso com cuidado, haverá total anarquia. Você não reparou como as pessoas estão assustadas lá fora? Elas serão capazes de quase tudo quando descobrirem o que provocou isso."

Warren ficou mais animado. "É por isso que vamos estar um passo adiante deles. Vamos pegá-los sem fazer alarde e prendê-los sob as leis do Decreto de Emergência."

"Certo, e o que isso diz a respeito de provocar conscientemente uma séria ameaça à ordem pública municipal, o que tenho bastante certeza que também cobre apedrejamento?"

"Qual é, isso aí não passa de uma lei imbecil do século xviii", retrucou Grim.

"Aqui o Decreto de Emergência *é* a lei. Não tenha tanta certeza quanto a isso."

"Isso é uma imbecilidade. Ainda vivemos na América, caralho. Não sei quanto tempo se passou desde que qualquer incidente ocorreu sob essa lei em particular, então os estatutos nunca foram adaptados à legislação penal contemporânea. Vamos descobrir isso no Conselho."

Mas os outros evitavam os olhares de seus companheiros e olhavam para o chão com visível desconforto. Warren foi o único que ousou abrir a boca: "Pessoas têm sido enviadas para Doodletown por crimes bem menos sérios".

"Pessoal, o que é que há!", Grim gritou, sem acreditar. Ele se sentiu acuado, e isso alimentou sua raiva. "Vocês não acreditam mesmo nisso, acreditam? Não quero ter que me adiantar na sentença, porque isso é atribuição de todo o Conselho, mas não se preocupem, vamos bolar alguma coisa de acordo com o que estiver na moda. Desculpem, mas não posso manter isso em silêncio. O que eles fizeram foi um crime, não se enganem. Quem sabe o que esses filhos da puta irão aprontar da próxima? Talvez a queimem, porque é isso o que fazemos com bruxas, afinal. Vocês querem ficar esperando isso acontecer? Se as coisas tivessem sido apenas um pouco diferentes já estaríamos todos mortos agora."

"Eu sei bem disso", disse Pete baixinho.

Então Steve se pronunciou. "Tyler e Lawrence estão apavorados com esses caras, especialmente Jaydon. E também com o que vai acontecer depois que eles forem soltos."

"Veremos isso quando chegar a hora", disse Grim. "Estou supondo que eles não verão a luz do dia por algum tempo."

"Você tem autoridade pra chamar o Point caso ache uma boa ideia, certo?", perguntou Pete, subitamente esperançoso. "Agora seria uma ótima hora. Se Mathers quiser manter tudo internamente, como no caso Roth, a cidade ficará sob uma pressão ainda maior. Soltar um pouco da pressão pode não ser má ideia, com um pouco de supervisão externa."

Grim deu uma risada amarga. "Ah, meu amigo, se fosse possível eu estaria no telefone com eles agora. O Conselho me proibiu de alertá-los sobre o que aconteceu semana passada."

"O quê?"

"Por causa de Roth. Se eu não obedecer, perco meu emprego."

Isso era verdade, mas esse novo acontecimento já era chocante o bastante para justificar atuar por iniciativa própria. Robert Grim não podia exatamente entender o motivo, mas as palavras de VanderMeer o haviam aborrecido de algum modo indefinível. As pessoas estavam pouco a pouco perdendo a cabeça, e se isso persistisse nada jamais seria como antes. Ele sabia que provavelmente seria mais sábio neutralizar a situação e permanecer um passo à frente de Mathers, mas Mathers não aceitaria isso. Grim imaginou que o conselheiro não iria chegar a ponto de demiti-lo — afinal, quem poderia substituí-lo? —, mas não tinha certeza exata. Colton Mathers era uma forma de vida com muita coisa em comum com um pântano: imune à evolução e sugando cada pequeno problema até suas profundezas fedidas, onde jamais seria esquecido.

"Não acho que você deva ir tão longe assim", disse Steve, subitamente. Pete ficou surpreso, mas Steve deu de ombros. "Não há como falar isso direito, claro, mas, se você for ao Point, o Conselho vai ficar na sua cola. Acho que seria melhor manter todos calmos e tentar fazer com que o Conselho use a cabeça."

"Exatamente", disse Grim, que deixou as dúvidas de lado e, ao fazer isso, cometeu um terrível erro de cálculo. "Vou informar o Conselho esta noite e vamos tirar aquela escória da rua. Vai dar certo. Podemos estar em Black Spring, mas não somos animais."

19

Griselda Holst chegou à conclusão de que seu sacrifício havia sido uma suprema realização. Pela primeira vez desde o nascimento de seu próprio filho ela sentiu algo ao mesmo tempo arrepiante e extasiante: uma felicidade sem limite, da mesma maneira como outras pessoas ficavam felizes com uma brisa morna de verão ou o cheiro dos lilases crescendo contra o muro de uma casa de campo. Tragicamente, a felicidade de Griselda só durou quatro dias, até ser permanentemente esmagada na noite de sábado com a prisão de seu filho.

No começo, ela se sentiu ofendida — até mesmo mortificada. Tinha preparado uma oferenda tão maravilhosa, mas Katherine, em vez de desaparecer, tinha se recusado a sumir, de forma que o sacrifício nunca se completou. Não só isso, mas agora havia uma boa chance que Griselda viesse a ser desmascarada. Depois de fechar a loja na segunda, ela teve muita vontade de sair para perguntar qual era a questão ali, mas não ousou, amparada na necessidade de tomar cuidado. Entretanto, no dia seguinte, quando começou a parecer que ela poderia ter escapado, começou a ver as coisas de maneira diferente. Katherine tinha ficado com o pavão porque queria mostrar a todo mundo como ela era grata à sua amiga Griselda! E, vejam só, o riacho parou de sangrar. Griselda começou a se dar conta de que o que tinha feito não era nada menos que um ato de heroísmo. Silenciosamente, ela teve um intenso prazer com sua realização e começou a ter fantasias frívolas. Se as pessoas soubessem, a teriam carregado nos braços pelas ruas. Haveria uma grande festa com música e dança, e todo mundo ia querer comer seu patê. Mesmo assim, Griselda não desejava reconhecimento nem fama. Tudo o que ela queria era os bons favores de sua adorada Katherine.

O sábado chegou e ela estava atrás do balcão da loja em um humor particularmente bom. Como especialidade do dia, tinha feito suas "almôndegas mornas ao molho de carne". Pessoas entraram aos borbotões na loja, como se todas soubessem secretamente que ela era a salvadora de Black Spring. Até mesmo a sra. Schaeffer a cumprimentou, animada, e comprou um lombo de dois quilos como se não fosse nada.

Naquela noite, Griselda ficou deitada na cama vendo *Saturday Night Live* com uma bandeja cheia de salsicha de fígado e um senso de satisfação quando ouviu batidas altas na porta lá embaixo. Ficou surpresa; ninguém nunca a visitava, e Jaydon havia se fechado em seu quarto depois do jantar.

"Jaydon, a porta!", gritou ela. Nada, apenas as batidas de seu estéreo no sótão. "*Jaydon!*"

Indignada, ela calçou os chinelos e saiu de pijamas para o corredor. Estava prestes a subir e encher os ouvidos de Jaydon — quantas vezes tinha dito que seus problemas com seus amigos eram *dele*, não dela? Mas continuavam batendo à porta, ainda mais alto agora, e ela voltou descendo as escadas, resmungando o tempo todo. Ao acender as luzes da loja, a campainha começou a tocar sem parar. "Sim, sim, sim, estou chegando", golfou Griselda, arrastando os pés ao redor do balcão. "Não tenho mais dezesseis anos, sabiam?"

Atrás da cortina trançada da janela havia três figuras grandes. Pronto — os amigos de Jaydon, justo como ela havia imaginado. Destrancou a porta e estava prestes a cumprimentar as visitas com um duro *Será que vocês não podiam ter ligado pra ele no maldito celular dele?*, mas as palavras morreram em seus lábios. Eram Rey Darrel e Joe Ramsey da Rush Painting, acompanhados por Theo Stackhouse, dono da garagem na Deep Hollow Road onde Jaydon teve um trabalho de merda no verão anterior, como ele mesmo chamara. Três sujeitos grandes cheios de testosterona que pareciam estar prestes a explodir. Só então ela reparou que Colton Mathers estava atrás deles, duas cabeças mais baixo, escondido dentro de seu sobretudo. O Chevy de Rey Darrel estava ligado à distância, faróis ainda acesos.

Griselda olhou nervosamente para um e depois para outro, e então para outro, e outro. "O que posso fazer por vocês, rapazes?"

"Jaydon está em casa?", perguntou Darrel bruscamente.

"Em que confusão ele se meteu agora?" Ela olhou para trás, desconfiada, e os homens aproveitaram a oportunidade para passar por ela se espremendo e entrar na loja. "Ei, o que acham que estão fazendo? Colton, o que é isso?"

O conselheiro olhou para ela com uma máscara contorcida de raiva. Griselda foi tomada por um medo profundo. "Estes oficiais da lei vieram prender Jaydon, Griselda. Aconselho sinceramente que você os deixe fazer seu trabalho sem resistir."

"Prender?! Por quê?"

Os três homens a ignoraram e deram a volta no balcão até o conforto particular da casa de Griselda. "Ei, voltem já aqui! Esta é minha casa! Jaydon!"

Colton Mathers pôs a mão no braço dela e a chamou pelo nome, articulando cada sílaba, mas Griselda, no calor do momento, se virou e foi atrás dos intrusos, que haviam começado a subir desavergonhadamente as escadas. Eles não podiam fazer isso, podiam? Com um choque, Griselda percebeu que de fato eles *podiam*, se a situação assim exigisse. A força policial local de Black Spring consistia em nada além de um bando de oficiais voluntários supervisionados pela equipe HEX, chamados para questões internas. Não existiam regras claras para efetuar prisões e a coisa frequentemente chegava ao ponto da improvisação — mas a quem você poderia recorrer e reclamar sobre a falta de um mandado de busca? A autoridade estava esperando lá embaixo na loja.

Ramsey, Stackhouse e Darrel simplesmente acompanharam a música e foram direto até o sótão. O primeiro dos três bateu a porta do quarto de Jaydon contra a parede com um estrondo que abalou a casa. Griselda estava bem atrás deles, sem fôlego, e viu Jaydon, que estava jogando em seu laptop na cama, se sentar ereto.

"Jaydon Holst, você está preso por violar praticamente todas as malditas leis do Decreto de Emergência", disse Rey Darrel. E ele disse isso quase gritando. Pela primeira vez, Griselda percebeu que os homens não só estavam agitados com sua tarefa mas também sinceramente ultrajados. "Você tem o direito de permanecer calado, mas eu não contaria com um advogado, seu merdinha." Com um estrondo alto, ele atirou a cadeira de Jaydon no chão.

"Você está louco?", gritou Griselda. Ela o agarrou pela manga, mas Darrel se libertou simplesmente torcendo o braço.

"Mas que porra é essa?", gaguejou Jaydon. Ele se virou para Griselda em busca de ajuda. "Mãe..."

"Que espécie de psicopata é você?", perguntou Theo Stackhouse, os lábios brancos de fúria. Ele foi até Jaydon e o agarrou com força pelo braço. "Não foi pra isso que eu te contratei! Porra, você almoçou na minha casa com a minha esposa e os meus filhos, todos os dias!"

"Theo, relaxa, cara. Do que se trata isso?"

"*Você* é quem devia ter relaxado!", ele vociferou, e Jaydon se encolheu. "Você não é tão durão sem uma pedra na mão, né?"

Jaydon levantou as duas mãos. "Escuta, foi só uma brincadeira, mais nada."

"Vou te mostrar a brincadeira." Com um movimento rápido, ele agarrou o pulso de Jaydon e torceu o braço dele nas costas. Jaydon se curvou para a frente e deu um grito.

"Pare!", gritou Griselda, mas Darrel a manteve para trás com dedos que pareciam cabos de aço. "Rey, eu nunca mais vou vender a você aquela carne moída que você gosta tanto, a não ser que me diga *agora mesmo* que diabos pensa que está fazendo!"

"Desculpe, sra. Holst. São ordens."

"Por que você não me chama apenas de Griselda, como sempre faz?"

Mas Darrel a empurrou de lado e agarrou o braço livre de Jaydon. "Você vem comigo", ordenou. Eles o arrastaram para fora do quarto, passando por Griselda. Ramsey pegou o laptop em cima da cama, puxou a tomada da parede e enfiou o aparelho embaixo do braço.

"Esperem!", gritou Griselda. Segurando-se no corrimão em busca de apoio, ela desceu as escadas atrás do grupo de homens. Sentiu seu coração correndo como louco, e ela estava ofegando como uma corredora, mas o que a mantinha de pé eram os gritos apavorados de socorro de seu filho. Ela chegou aos degraus que davam para o térreo bem a tempo de ver Darrel lhe dar um soco violento nas costas, de modo que Jaydon saiu voando pelos últimos degraus e caiu de cara na entrada da loja. Sangue jorrou de seu nariz. Numa fúria cega, Griselda se atirou em cima do homem à sua frente, Joe Ramsey, mas ele tinha agarrado o corrimão, e apesar do peso impressionante dela, era como se Griselda tivesse batido de frente numa parede.

"Não machuquem ele, seus monstros!", chorava ela. "Tirem suas mãos sujas do meu filho!"

Caído de cara no chão, Jaydon tentou pegar seu celular no bolso da calça, mas Theo Stackhouse plantou uma bota de couro no pulso de Jaydon e ele soltou um grito. O dono da garagem pegou o telefone e enfiou no bolso da calça.

"Filhos da puta!", gemeu Jaydon. "Eu também tenho direitos, vocês sabem!"

"Não tem mais", disse Stackhouse.

Deu-lhe um chute tão violento nas costas que Jaydon se curvou ao meio e cuspiu uma bola de gosma, e naquele momento tudo que Griselda podia ver era Jim, naquele momento tudo que Griselda podia ver era seu falecido marido chutando seu filho, e uma névoa vermelha de loucura cobriu sua visão.

"Chega!", trovejou a voz do conselheiro acima de todos os outros ruídos. "Pode se levantar, garoto."

O rosto contorcido de dor, Jaydon se ergueu apressadamente e se apoiou na porta, mas conseguiu se levantar sem a ajuda da equipe de prisão. Pressionou seu pulso ferido contra o peito e o sangue pingava do lábio superior. Com olhos cheios de lágrimas que cobriam seu ódio patológico, ele olhou para o rosto de aço de Colton Mathers.

"Caro jovem Holst, estou prendendo você, em nome de Deus, pela violação repetida e desproporcional do Decreto de Emergência, pelo apedrejamento de Katherine van Wyler e por botar em perigo, propositalmente, as vidas dos quase três mil residentes de Black Spring. Que o Senhor tenha piedade de sua alma."

Darrel e Stackhouse agarraram Jaydon e deram a volta no balcão com ele. "Mãe, você viu o que fizeram comigo!", gritou ele. "Conta pra todo mundo! Ela viu como você me espancou, filho da puta! Você não vai escapar assim!"

Mas Griselda mal conseguia ouvi-lo. Não conseguia mais pensar claramente. Tudo havia ficado borrado. A única coisa que ela estava ouvindo era: *o apedrejamento de Katherine van Wyler*. Com essas palavras, seu cérebro se fechou com um clique audível. *O apedrejamento de Katherine van Wyler. O apedrejamento...*

"Não machuque ele", disse Griselda, mas as palavras foram pronunciadas de forma hesitante, quase como uma pergunta.

Ah, meu Deus. Ele disse APEDREJAMENTO?

"Pelo amor de Deus, Colton, o que foi que ele fez?"

Enquanto os outros levavam Jaydon para longe dali, o conselheiro lhe dava uma versão bastante resumida das acusações, mas foi o bastante. Os pensamentos de Griselda se viraram, rodopiaram e despencaram numa insana queda livre.

"É meu dever lhe contar isso porque você é mãe dele, Griselda, mas eu não estou aqui na minha função oficial. Decidimos que seria melhor se você..."

Mas ela não estava escutando; tinha começado a hiperventilar, e em seus pensamentos ela estava com Katherine, não por um desejo de reconciliação — ah, será que a reconciliação seria ao menos possível depois de algo assim? —, mas unicamente para lavar os pés dela com suas lágrimas. Deu um passo desequilibrado, desajeitado, na direção do cabide de chapéus.

"Griselda, o que está fazendo?", perguntou Colton Mathers baixinho.

"Eu preciso..." — *vê-la*, ela quase disse de uma vez — "... ir com ele, claro."

"Você não vai a parte alguma."

"Mas eu..."

Mathers a agarrou com as duas mãos e a empurrou gentil mas firmemente contra a parede atrás do balcão. Ela sentiu a mão inchada e torta dele pousar em seu peito. Ela sentiu o hálito de Mathers, um cheiro forte, intensamente penetrante, predatório, e sua boca se fechou com um som molhado e audível.

"Quietinha agora. Eu estou do seu lado, Griselda. Você sabe disso, não sabe?"

"Sei..."

"Ótimo. Confie em mim."

"Mas o que..."

"Não, Griselda. Confie em mim. Você confia em mim?"

"Eu confio em você..."

"Quero que você repita comigo. Consegue?"

"Consigo."

"Repita comigo, Griselda. 'Eu, Griselda Holst...'"

"Eu, Griselda Holst..."

"'Renuncio ao Conselho de minha livre e espontânea vontade...'"

Ela olhou chocada para ele. "O quê?"

"'Renuncio ao Conselho de minha livre e espontânea vontade...'"

A mão do conselheiro se fechou no seio da mulher e o *espremeu*, cruel e dolorosamente.

"Diga, Griselda. Quero ouvir você dizer. 'Renuncio ao Conselho de minha livre e espontânea vontade...'"

Ela estava horrorizada e tentou se livrar das mãos dele, mas sem sucesso. "Mas por quê?"

"Porque eu sei, Griselda", disse o conselheiro com triste sinceridade. "Sei que andou visitando a bruxa e sei que foi você quem deu o pavão a ela. Sei que a visita regularmente; eu sei de tudo, e não quero julgar você oficialmente, mas, por Deus, eu o farei se você não renunciar voluntariamente. Repita comigo, Griselda: 'Eu, aqui e agora, renuncio ao Conselho de minha livre e espontânea vontade...'"

Ela enrubesceu e o olhou com grandes olhos culpados. "Colton, eu..."

"*Repita comigo!*" O velho conselheiro subitamente rugiu num frenesi escancarado, e um frio estonteante tomou conta do corpo de Griselda. "*Repita comigo, Griselda! Repita comigo! 'Eu, Griselda Holst, renuncio ao Conselho de minha livre e espontânea vontade!*'"

"Renuncio ao Conselho de minha livre e espontânea vontade!", gemeu Griselda, se encolhendo. Agora que a máscara de contenção dele havia caído, seu rosto tinha se tornado uma teia repulsiva de vincos e tendões, de uma velhice perigosa mas de jeito nenhum senil.

"'E não farei nada para impedir a investigação, de maneira alguma...'"

"Eu não farei nada para impedir a investigação... Ai, Colton, você está me machucando!"

"'Nem me aproximarei da bruxa, nem sequer uma vez.'"

"Você não está entendendo..."

"Diga!" Uma dor lancinante disparou pelo bico do seu seio quando ele o apertou ainda mais.

"Eu nunca mais vou chegar perto de Katherine!"

O conselheiro relaxou e seu rosto ficou sereno, como se uma camada de nuvens tivesse se aberto sob sua pele. "Muito bem, Griselda. Que Deus tenha piedade de você também."

Ajeitou o sobretudo e saiu pela porta sem dizer mais uma palavra. O sininho balançou alegremente, como sempre havia feito. Griselda caiu no chão e começou a chorar.

+++

A prisão de Jaydon foi acompanhada por um intervalo sombrio no qual Griselda sentiu uma necessidade quase patológica de limpar as coisas, primeiro a si mesma, depois a loja, de modo completo e repetido, para tentar lavar a sujeira de seu corpo e de sua alma. Ela fez isso em um estado de entorpecimento, como se estivesse pairando acima de si mesma, transcendendo seu corpo, um balão flutuante de imagens confusas que seguiam umas às outras como sonhos febris: Colton Mathers chutando o cadáver de Jaydon, gente da cidade, com rostos brancos e vazios que sabiam o que Griselda tinha feito, jogando pedras nela (em vez de lhe darem as medalhas que ela merecia), a mão de Mathers em seu peito, a respiração suja dele em seu pescoço.

Ai, Katherine, o que está acontecendo comigo? Estou ficando louca.

Ela estremeceu ao pensar no toque do conselheiro, que de algum modo tinha sido muito mais horrível do que o de Arthur Roth. Com Roth tinha sido puro desejo, e ela podia simplesmente se desassociar disso. Quando Colton Mathers apertou seu mamilo, ela viu em seu rosto a concentração doentia de um inquisidor, e foi como se tivesse olhado através de um abismo profundo para um passado distante.

Eu estou do seu lado, Griselda.

Mas Griselda era velha o bastante para saber que ninguém estava do seu lado, nem Colton Mathers nem Jaydon, e certamente não a gente da cidade que comia seu patê. Apenas Katherine estivera sempre do seu lado. Mas agora isso havia mudado. Durante todas as vezes que ela cochilou naquela noite, a mesma imagem apareceu diante dela: Katherine subindo e descendo a Deep Hollow Road, farejando o ar como uma ave de rapina e vasculhando a cidade atrás de Griselda com olhos cegos, pois tinha sido seu filho que a havia apedrejado, o sangue do seu sangue que havia tomado o pavão dela. E, todas as vezes, Griselda acordou com um susto, o corpo frio e pegajoso de suor. Ela passou toda a noite virando de um lado para o outro, apanhada entre dois extremos: se quisesse pagar sua dívida com Katherine teria de permanecer fiel a ela; mas, se quisesse evitar que Jaydon sofresse, teria de escolher o lado dele.

No começo do domingo, ela ligou para a prefeitura, mas ninguém respondeu. Tentou ligar para Mathers, mas também ninguém atendeu lá, como já esperava. Na HEX, pegou Robert Grim na linha, mas ele apenas lhe disse, com relutância, que Jaydon havia sido interrogado e estava agora em confinamento solitário em Doodletown aguardando seu julgamento, assim como seus amigos. Acrescentou ainda que Jaydon, diferentemente dos outros, era maior de idade, e que ele, Grim, não era obrigado a passar qualquer informação a Griselda.

"Por favor, Robert, não machuque ele", implorou ela. "Não importa o que ele tenha feito, e não importa o que você ache de mim, não machuque meu filho."

"É claro que não", disse ele atravessado. "Ele será tratado como todos os outros."

"Quando Jaydon foi preso, eles o empurraram escada abaixo e o chutaram com força."

Silêncio; Grim estava lutando para manter a voz calma. "Lamento muito por isso. Não deveria ter acontecido."

Mas *tinha* acontecido, e isso era só o começo. A notícia do apedrejamento se espalhou por Black Spring como um vírus, não mais sussurrada, mas alardeada em gritos lunáticos. Subitamente, o medo reprimido com cuidado havia retornado, e em seu rastro o pânico, a raiva, e as insinuações. Era como se o relógio tivesse voltado uma semana no tempo. Mas o fato de que haviam idiotamente acreditado que o perigo enfim havia ficado para trás tornou a indignação ainda mais perturbadora e o medo ainda mais paralisante.

Da janela de seu quarto, Griselda espiou a praça e viu multidões se acumularem diante da Crystal Meth e do Homem Calado. Às vezes, gritavam bordões para atiçar as chamas. Não demorou muito até as pessoas começarem a bater nas vidraças do Griselda's Butchery & Delicacies. Em meio aos gritos furiosos, ela tentou distinguir as vozes das pessoas que sempre a trataram com gentileza. Escondeu-se atrás da cortina e esperou desesperadamente que a histeria passasse, mas, assim que a noite começou a cair, nuvens escuras de fumaça podiam ser vistas a oeste e o carro de bombeiros começou a acionar as sirenes. Alguém havia pegado um caixote de garrafas de cerveja vazias, enchido as garrafas de gasolina e jogado tudo pela janela do amigo turco de Jaydon — o tal "Buran" — e posto fogo na casa. A família estava fora para interrogatório e escapou de se ferir, mas o andar de baixo queimou por inteiro e a casa foi declarada inabitável.

Os Şayer eram um bode expiatório fácil, claro. Griselda ganhara mais respeito do que eles ao longo dos anos, mas no dia seguinte seus clientes a abandonaram, e naquela tarde dois homens do Lower South chegaram com bastões de beisebol e destruíram suas vitrines.

Assim que finalmente se sentiu capaz, fechou a loja e escureceu as janelas, para sua própria proteção. Distraidamente pescando as lascas de vidro de dentro da carne moída, Griselda foi tomada por uma descoberta paralisante que não conseguiu exprimir em palavras, mas sentiu que era indiscutível mesmo assim: à medida que cada indivíduo cedia à histeria coletiva, Black Spring estava se deteriorando em um estado de insanidade.

O que permanecia era um horror: a alma da cidade, que estava irreversivelmente enfeitiçada.

20

O julgamento foi realizado na noite de terça no Memorial Hall, e toda a cidade compareceu. Quando Steve chegou com Jocelyn e Tyler e viu as fileiras de pessoas esperando na entrada, imediatamente compreendeu que o humilde prédio não havia sido feito para acomodar uma multidão tão grande, e estava prestes a explodir. Enquanto cerca de oitocentos indivíduos haviam aparecido para a reunião do Comitê de Todos os Santos, agora devia haver ali quase dois mil.

Tyler havia implorado para que ele o deixasse ficar em casa, mas alguém do Conselho ligou e disse a Steve que a presença de seu filho era obrigatória. O coração de Steve começou a martelar em seu peito, como um pistão. Ele tentou não deixar isso transparecer, mas no jantar naquela noite não conseguiu comer nada, e Jocelyn perguntou se ele estava ficando doente.

"Provavelmente é só nervosismo", disse ele. E desejou poder dizer a ela *o quê* o deixava nervoso.

Tyler tinha sido interrogado na prefeitura no domingo, e na segunda Steve havia criado caso, insistindo estar presente porque Tyler era menor de idade. No fim, teve de recuar e aguardar na recepção com Pete e Lawrence VanderMeer, que tinha um corte muito feio com pontos na testa. Quando Tyler saiu, Lawrence foi o seguinte. Steve perguntou como foi e Tyler disse que não foi tão ruim. Seus laptops, celulares e o iPad de Lawrence haviam sido apreendidos para inspeção na manhã de domingo, depois que Jaydon começou a abrir a boca. Steve rezou para que não tivessem cometido nenhum erro, mas a clara indignação de Pete sobre como Jaydon havia tentado arrastar seus amigos com ele foi um golpe de sorte e certamente funcionaria a favor deles. Ao caminharem para casa, um pouco mais tarde, sem Pete e Lawrence, Tyler falou que teve a impressão de que Burak e Justin tinham ficado de boca fechada. Embora não fosse assim tão falante, pareceu que Tyler tinha cooperado totalmente e fingido ignorância quando perguntaram sobre seu suposto website, em vez de obstruir o interrogatório com seu silêncio. Steve pôde apenas torcer para que Lawrence tivesse feito o mesmo.

Ele tinha sido moderadamente otimista... Até o telefonema do Conselho naquela tarde.

A multidão entupia os corredores até os fundos do Memorial Hall e bloqueava as entradas para aqueles que ainda estavam esperando no vestíbulo. Steve, Jocelyn e Tyler se juntaram às pessoas que estavam em pé à esquerda das filas de cadeira dobráveis, mas, assim que os onipresentes guardas os avistaram, foram direcionados até a segunda fileira, onde reservaram assentos para eles ao lado dos VanderMeer. Enquanto abriam caminho pelos grupos de pessoas, Steve sentiu os olhares em cima deles. Cada rosto fechado estava marcado com medo ou raiva.

"Que visão patética, não?", disse Pete com um sorriso, depois que eles ocuparam seus lugares.

Steve ficou chocado. "Está lotado demais aqui. Se irromper um pânico, as pessoas serão pisoteadas até a morte."

"Tenho medo de que eles estejam deliberadamente amplificando esse turbilhão. Viu aquilo?" Apontou para o palco. Pendurada atrás do pódio e da placa que dizia VAMOS CONFIAR EM DEUS E UNS NOS OUTROS havia uma grande tela plana. Steve sentiu o sangue sumir de seu rosto. Os idiotas iam usar as imagens de vídeo para provocar tumulto.

"Não vão trazer os garotos aqui, vão? Se trouxerem, estarão levando cordeiros para o abate."

"Se fizerem isso, vamos ficar numa grande merda", disse Pete. "Se não os trouxerem, ainda estaremos numa boa merda."

Ouviram uma comoção nos fundos da sala. As pessoas estavam tropeçando nas duas últimas filas de poltronas e gritavam, sendo empurradas para a frente pelas massas que avançavam atrás delas. Os guardas correram para a frente, a fim de abrir uma clareira de um quarto das últimas fileiras e poder criar mais espaço em pé. Com preocupação cada vez maior, Steve reparou que as saídas de emergência já estavam bloqueadas. Mesmo no balcão a lotação já havia ultrapassado o limite.

"Deixem que os mais velhos se sentem, pessoal!", alguém gritou. "Ofereçam seus lugares, ajam como bons americanos!"

Quando o Conselho entrou em formação cerrada e se sentou atrás do pódio — seis deles, Steve reparou; a mulher do açougue estava ausente —, o burburinho enfim morreu. De súbito, ficou tão improvavelmente silencioso ali que não se ouvia sequer um passo, um farfalhar ou uma tossida. Era como se todos estivessem prendendo a respiração na expectativa do que estava por vir.

Colton Mathers entrou no palco sem nenhuma palavra de abertura do prefeito. Sua voz era grave, imperiosa, incrivelmente calma. A ressonância era transmitida pelo silêncio como ondas em água escura. "Ó Deus, concede a mim Teu julgamento, com justiça julgarei os pobres do povo, salvarei os filhos do indigente e esmagarei meus opressores. Salmo 72. Meus queridos concidadãos, nós nos reunimos esta noite para julgar um crime hediondo e uma blasfêmia que nos afeta a todos: o apedrejamento de Katherine van Wyler na quinta-feira passada, dia 8 de novembro, pelos jovens Jaydon Holst, Justin Walker e Burak Şayer, concluindo na subsequente morte de nossa adorada Rita Marmell. Deus preserve sua alma."

Claro que todo mundo tinha ouvido os rumores, mas agora que a notícia tinha sido dada um suspiro de fúria e de nojo percorreu a plateia, e por um momento todos compartilharam do desprezo comum — crente e infiel, homem e mulher, velho e jovem.

Adrian Chass, um membro do Conselho cuja falta de bom gosto nas roupas só era superada por sua falta de coragem, deu um pigarro e começou a ler uma folha de papel, com menos da metade do carisma de Mathers. "Senhoras e senhores, a sra. Marmell perdeu a vida como resultado de um hematoma intracraniano fatal no cérebro, exatamente na mesma hora do apedrejamento, tendo semelhanças indiscutíveis com os incidentes de 1967, quando um dos pontos da boca de Katherine foi removido." Ele tossiu. "As implicações dos atos irresponsáveis e odiosos perpetrados por esses jovens são enormes e poderiam ter acontecido com qualquer um de nós. Vocês provavelmente notaram que estou falando em termos de perpetradores, não de suspeitos. Faço isso com base nas provas conclusivas, que estamos agora prestes a mostrar a vocês a fim de convencê-los da barbaridade desse crime."

Steve viu Robert Grim fechar os olhos no palco, e sua admiração pelo funcionário da segurança cresceu. Grim tinha se manifestado contra aquilo — provavelmente contra todo aquele maldito procedimento.

A tela plana mostrou a floresta familiar atrás de sua casa e o que tinha acontecido lá alguns dias atrás. Sentado ao lado dele, Tyler encostou o queixo no peito e estremeceu convulsivamente. Steve desejou que seu filho pudesse ter sido poupado do momento, mas Tyler estava sendo forçado a vivenciar tudo aquilo de novo: as varas provocando a bruxa, a briga na qual Lawrence se feriu, os gritos de desespero e o impacto molhado das pedras atingindo a carne enfeitiçada. Steve apertou a mão de Tyler, mas seus olhos já tinham se enchido de lágrimas. Jocelyn, que se recusara a ver as imagens até então, levou as mãos à boca.

Em seguida, a tela escureceu e o povo da cidade perdeu a cabeça. A ideia do apedrejamento já era ruim o bastante, mas ver aquilo de verdade com seus próprios olhos acendeu uma raiva cega, como uma fogueira crepitando. Queixos caíram. Gritos de indignação se fizeram ouvir. Pessoas irromperam em lágrimas. "Onde estão os assassinos?", gritou alguém. "Todos nós podíamos ter morrido", gritou outra. "Vamos pegá-los!", uivou uma terceira. A pessoa que gritou por último deu uma gargalhada, uma gargalhada fina e enlouquecida, como se não acreditasse na seriedade do que estava dizendo; mas então seu grito ressoou como um berro furioso e vingativo: "Vamos pegá-los!". As pessoas na parte de trás do salão se moveram para a frente, feito um enxame, e caíram em cima umas das outras, como se todas compartilhassem a ilusão de que os suspeitos propriamente ditos estavam sendo apresentados no palco. E se isso fosse verdade, Steve não duvidou por um minuto de que eles teriam sido linchados naquela mesma hora. Cadeiras caíram, roupas foram rasgadas, pessoas tombaram, tornozelos e pulsos se torceram. Os guardas tiveram muita dificuldade para manter tudo sob controle.

"Fiquem calmos!", ecoou a voz do prefeito, retumbante, pelos alto-falantes. "Por favor, pessoal, fiquem calmos!"

"Steve, estamos seguros aqui?", perguntou Jocelyn, olhando para o caos atrás deles com punhos cerrados.

"Acho que sim, pelo menos por enquanto." O tumulto era bem lá para trás e muita gente havia ficado em pé para conter o avanço da aglomeração. O prefeito continuou tentando acalmar a todos, mas Steve viu Colton Mathers olhar a multidão — *sua* multidão, pensou Steve — com um brilho triunfante em seus olhos. É claro, o velho conselheiro sabia o tempo todo que isso aconteceria.

Por fim, as coisas se acalmaram e os paramédicos foram capazes de levar uma série de pessoas feridas para fora. Adrian Chass então ocupou o piso novamente, embora sua voz tivesse sido sufocada pelo burburinho da multidão. "A indignação é compreensível, pessoal, mas, por favor, vamos permanecer calmos. O sr. Grim e seus colegas de equipe nos asseguraram que o incidente não teve qualquer impacto nos padrões de Katherine. Todos sabemos que ela não muda seu comportamento sem motivo..."

"Mas e o nosso riacho, então?", gritou alguém lá do meio do salão. Muitos aplaudiram.

"Já encontramos explicação para isso", disse Chass. "Infelizmente, o apedrejamento não é o primeiro crime que o sr. Holst cometeu recentemente. Temos várias testemunhas que afirmam que uma semana antes ele desgraçou Katherine rasgando suas roupas e expondo seu seio. Ele também a mutilou com um estilete e atiçou um cachorro até que o animal a atacasse. Foi o cão da família Grant, e como vocês provavelmente sabem, o contato direto causou a morte do animal."

Mais uma vez, uma explosão de raiva, e Steve percebeu que a perigosa atmosfera do Memorial Hall estava começando a se parecer cada vez mais com um primitivo tribunal do povo. Alguém deu um grito, "Tragam eles aqui!", e em pouco tempo as massas o assumiram, como uma multidão de rua ensandecida: "Tragam eles aqui, tragam eles aqui, tragam eles aqui!". Steve compreendeu que todos estavam no limite; não levaria muito tempo para fazer com que a população estressada explodisse, e pela primeira vez viu um medo indisfarçável nos olhos de Pete VanderMeer.

Chass tentou se fazer ouvir acima do ruído, mas não foi muito bem-sucedido. "Os perpetradores foram presos e estão agora sob custódia, senhoras e senhores. O que nós gostaríamos de fazer agora... Senhoras e senhores, por favor, fiquem calmos. O que nós gostaríamos de fazer agora é aproveitar o momento para agradecer a presença de dois jovens corajosos, Tyler Grant e Lawrence VanderMeer. Como todos observaram, eles fizeram tudo o que estava ao seu alcance para impedir seus pares de realizar seus atos de selvageria. E, apesar da pressão indubitavelmente enorme, foram até seus pais com o material incriminatório. Pedimos a todos que sigam o exemplo admirável deles e não apoiem nenhuma quebra da ordem pública. Tyler e Lawrence, por favor, levantem-se."

Tyler se encolheu e olhou para Steve. Tudo que Steve podia fazer era assentir e pedir que ele se levantasse. *Faça o que eles querem, filho, só por hoje*, pensou ele. Não podia dizer como estava imensamente aliviado. A presença dos garotos era puramente cerimonial. Dolorosa para eles, mas sem consequências.

Com relutância, Lawrence e Tyler se levantaram e olharam ao redor, profundamente arrasados, enquanto gritos altos e aplausos irromperam à sua volta. Tyler assentiu rapidamente e se sentou assim que pôde.

"Muito bem", sussurrou Steve, mas Tyler desviou o olhar.

"Está certo", disse Colton Mathers. "Como a questão da culpa não se discute e os perpetradores confessaram, eu, como acusador, passarei direto para a sentença..."

"Vamos apedrejá-los até a morte!", gritou alguém, e os demais responderam com urros de aprovação — claro que eles não fariam *mesmo* isso, pois afinal eram todos civilizados.

"... e, como estamos acostumados a fazer, este caso será tratado legalmente, de acordo com as leis do Decreto de Emergência de Black Spring, conforme escrito por nossos antepassados, em 1848. Senhoras e senhores, ao cometerem esse ato, Holst, Walker e Şayer, o rebotalho de nossa sociedade, puseram em risco conscientemente as vidas de cada um de nós. Eles nasceram e foram criados em Black Spring, e estão inteiramente cientes das leis *e* dos perigos envolvidos em zombar da bruxa. Investigações revelam que cada um deles estava totalmente *compos mentis*, incluindo Walker e Şayer, que são menores de idade. Que fique ainda mais claro que tal comportamento extraordinariamente pernicioso não será tolerado em nossa comunidade e merece tratamento extraordinário. Mas, amigos concidadãos, eles não são os únicos que violaram o Decreto de Emergência nas últimas semanas." Olhares assustados, silêncio tenso. Mathers, tremendo de raiva, continuou com sua ladainha: "Há aqueles entre vocês que começaram a se associar com a bruxa. Aqueles entre vocês que foram procurá-la. Aqueles entre vocês que levaram para ela oferendas blasfemas, e aqueles entre vocês que conversaram com ela. A todos aqueles envolvidos, eu tenho apenas uma coisa a dizer: *Vocês... estão... pondo em perigo... a todos nós!* Vocês *não devem* se associar à bruxa! Nós estamos amaldiçoados! Vocês conhecem o Decreto de Emergência, e sabem que destino cruel nos aguarda se Katherine abrir os olhos! Amaldiçoados, pessoal, amaldiçoados!".

Steve ficou escutando o sermão do conselheiro em um estado de quase hipnose e mais uma vez sentiu o estranho magnetismo que o homem exalava. Mathers era como um pastor pregando fogo do inferno que provocava terror do púlpito, e isso tinha seu efeito: Steve percebeu que estava com medo, simplesmente com um medo irracional.

Mathers continuou: "Esses atos serão solucionados com medidas anormalmente duras. O que precisamos é de um impeditivo. Mas nenhum de seus crimes é tão repreensível quanto pôr em perigo toda a cidade, que é o que esses rapazes fizeram ao tratar a bruxa com tamanha infâmia. De acordo com as leis do Decreto de Emergência, tal comportamento deverá ser punido com flagelamento público, a ser testemunhado como exemplo por toda a comunidade". Uma onda coletiva de repulsa e — ah, sim — de excitação instintiva e bestial. Robert Grim encarou o conselheiro sem acreditar. A sra. Şayer soltou um grito terrível, mas Mathers continuou rapidamente com seu trovão. "Então esta é minha sentença: o sr. Justin Walker e o sr. Burak Şayer serão levados até a praça da cidade em quarenta e oito horas para que cada um receba publicamente dez chibatadas com o gato de nove caudas em sua pele nua, como prescreve a tradição. O sr. Jaydon Holst, devido ao seu duplo crime e por ter chegado à maioridade, será levado à praça da cidade em quarenta e oito horas para receber vinte chibatadas na pele nua com o gato de nove caudas, como prescreve a tradição. Depois disso, eles deverão cumprir três semanas inteiras no Centro de Detenção de Doodletown, todos os três, depois do que os delinquentes terão permissão para voltar à sociedade sob supervisão próxima e com a orientação psicológica adequada."

Se Robert Grim não tivesse pulado para o pódio naquele momento, o caos provocado por essa nova e explosiva mistura de raiva descontrolada e tensão suprimida provavelmente teria alcançado proporções incalculáveis. Mas foi exatamente o que Grim fez e, com as mãos estendidas, ele avançou no palco.

"Não, não, não! Isso está errado, não foi com isso que concordamos, Colton. No que diabos você está nos metendo?"

"Essa é a nossa lei, Grim!" O conselheiro levantou o Decreto de Emergência enrolado como um cajado em sua mão e o balançou para a frente e para trás. "Sim, pode ser estranho nos dias de hoje, mas o que podemos fazer? Precisamos dar o exemplo com esses garotos."

"Mas não assim!", gritou Grim, e se virou para a plateia. "Pessoal, não somos bárbaros, somos? Usem o bom senso. Isto aqui não é uma xaria. Podemos lidar com essa situação de forma decente. Vamos encontrar uma alternativa apropriada com o auxílio do Point."

Risos de escárnio surgiram da multidão, dos quais Mathers graciosamente fez uso. "Westpoint não sabe o que é viver sob a maldição de uma bruxa. Westpoint não tem poder em face do mal. Vivemos sob uma redoma, e só podemos confiar no bom Senhor... E uns nos outros." Escancarou os braços como se fosse o próprio Jesus. "Em Black Spring, cuidamos dos nossos, sob o olhar do Deus Todo-Poderoso."

"Deus quer que espanquemos nossos filhos?"

O pomo de Adão de Mathers subiu e desceu convulsivamente. "Aquele que poupa a vara odeia seu filho!"

"Esta é uma corte de mentiras!"

"Esta é uma questão da cidade. E, como fazemos em todas as questões da cidade, a voz da democracia será ouvida."

A viúva Talbot, da parte mais rica da cidade, se levantou e disse com perfeita compostura: "Eu tendo a concordar com o sr. Mathers. Não podemos simplesmente enviá-los para Doodletown três vezes seguidas e transformá-los em lixo psicológico, podemos? Foi o que aconteceu a Arthur Roth, e isso acabou com sua sanidade. Honestamente, creio que isso é muito mais desumano que uma boa chicotada por meros cinco minutos".

Steve estava ali, sentado, olhando para a cena, sem acreditar, e sentiu os pelos da nuca se arrepiarem. Isso estava virando rapidamente uma obscenidade. Se aquela mulher, aquele modelo de respeitabilidade e refinamento, podia ficar ali, com tanto *sangue-frio*, e se declarar a favor da vergonha pública, da tortura pública... então as comportas estavam abertas.

"Além disso", a viúva Talbot continuou, levantando um dedo, "se as pessoas realmente têm sido tão irresponsáveis a ponto de se associar com a bruxa, acho uma boa ideia definir um exemplo para todos. Vocês têm a minha bênção."

Um burburinho de aprovação, mas nervoso mesmo assim, vigilante.

"E o que há de errado com a simples custódia?", insistiu Grim. "Temos um bloco de celas sob a igreja. Podemos despi-los psicologicamente e convencê-los da seriedade do que fizeram. Nós..."

"Você já explicou seu ponto de vista, Grim", gritou alguém na plateia. "Por que não se senta?"

A voz encontrou aprovação generalizada, e Grim olhou ao redor, indefeso. Steve sentiu uma necessidade instintiva de se levantar e falar contra aquele engodo, mas Jocelyn o agarrou pela mão e a pressionou com força contra sua barriga. "Não quero que você diga nada, Steve. Pense em Tyler e Matt."

Ele olhou para a esposa, surpreso, mas quando viu o medo em seus olhos tudo ficou claro. Da última vez, com Arthur Roth, o povo da cidade o havia perdoado por seu idealismo desenfreado. Daquela vez seria diferente. A loucura coletiva estava longe demais; a crise era irreversível. Naquele momento, eles eram heróis, porque haviam rastreado os parasitas que apedrejaram a bruxa e os tirado de suas tocas... E era melhor que permanecessem heróis.

"Eles ainda votarão", suspirou Jocelyn. "Tenha fé no bom senso deles."

"Desculpe, mas não tenho." Olhou para Pete em busca de apoio, mas seu olhar estava distante, com a vaga expressão de um homem que havia acabado de ver seu pior pesadelo se realizar. Seus dedos estavam presos ao redor dos de Mary, e Steve viu que ele não tinha absolutamente nenhuma intenção de se levantar.

Pense em Tyler. Você sabia que isso ia acontecer.

Mas não... isto!

Qual é, quem você está querendo enganar? Claro que sabia. Fique de boca fechada ou vai pagar o preço.

"Pai, quero ir pra casa", sussurrou Tyler, ansioso.

Steve olhou para seu filho e apanhou a mão dele. Podia ter sido Tyler ali em cima no julgamento. Ele podia ter todas as fantasias que quisesse a respeito de descer o Hudson com seu filho, mas se não apreciasse o que estava em jogo agora poderia jogar sua chance fora. Então Steve se recostou... e não disse nada.

O resto do julgamento passou por ele como uma névoa. O sr. Şayer, pai de Burak, fez um apelo emocionado. Sua casa já tinha sido destruída; poderiam pelo menos mostrar misericórdia por seu filho? Falou sobre construir pontes e deixar de lado diferenças étnicas. Falou de humanidade e decência. Falou com sotaque pesado e foi arrastado para longe por pessoas da plateia, enfurecidas porque ele não queria parar de falar. Surgiu uma briga, e o sr. Walker saiu do meio dela, ameaçando ir aos meios de comunicação se continuassem com sua punição. Mas nem os olhares ameaçadores dos concidadãos nem o conselheiro com sua Doodletown eram necessários para revelar o óbvio: o sr. Walker era um homem alquebrado que se resignaria à situação. E será que não havia ali um vestígio de aceitação em seu rosto? Se fosse o filho de outro, ele teria votado a favor.

Griselda Holst também fez objeção, às lágrimas. Deram-lhe mais tempo do que todos porque era dela que o pessoal da cidade mais gostava. Mesmo assim, Steve entendia que se tratava apenas de formalidade, não faria a menor diferença. As pessoas sentiam o cheiro do sangue e estavam ansiosas para votar. A esposa do açougueiro lembrava à multidão sobre a trágica história de abuso de Jaydon por seu pai e o dano emocional que havia provocado aquela atrocidade, e concluiu com um apelo para que deixassem seu Jaydon ser tratado em vez de punido. "Por favor, meus queridos amigos. Nós conhecemos bem uns aos outros, não é? Vocês não vão à minha loja toda semana para comprar seus bifes? Seus hambúrgueres? Seus cortes de vitela? Suas asas de frango? Seu patê?"

"Tirem essa mulher daqui antes que ela comece a listar toda a maldita seção de carnes!", gritou um engraçadinho. Foi uma piada sem graça, mas o comediante conseguiu o que queria: Griselda foi levada para longe, chorando incontrolavelmente.

Por fim, era hora de votar. O conselheiro pediu a todos aqueles a favor da sentença que levantassem a mão direita. Muitas mãos foram levantadas, incluindo as de três membros do Conselho. Então Mathers pediu a todos que haviam se oposto à sentença para que levantassem sua mão direita. Steve levantou sua mão bem alto... e, para seu enorme alívio, ele voltou a ver muitas mãos no ar. E agora também havia três membros do Conselho entre eles — incluindo Robert Grim, é claro. Steve sentiu uma fagulha de esperança. O voto não havia sido decisivo. Era impossível dizer quem estava com maioria. Isso significava que um grupo grande tivera o bom senso de silenciosamente se afastar dessa farsa, graças a Deus.

Enquanto o voto escrito estava sendo preparado, Grim ocupou o púlpito mais uma vez. "Pessoal, por favor, não sejam burros. Eu sei o que o Decreto de Emergência diz, mas é uma piada. Tenham isto em mente: se algum dia chegar o momento de nos libertarmos da maldição de Katherine, vocês serão capazes de olhar uns aos outros nos olhos com essa história na consciência? Vocês serão capazes de dançar ao redor da igreja e cantar 'Ding Dong! The Witch is Dead' se houver sangue em suas mãos? Por favor, sejam sensatos!"

Então começou a procissão infinita de gente passando pelo pódio, onde quatro pacotes de papel de impressora haviam sido rasgados, e as pessoas recebiam uma caneta com ponta de feltro para escrever um "a favor" ou "contra" anonimamente. Como se sentaram bem à frente, Steve, Jocelyn e Tyler estavam entre os primeiros votantes. Steve colocou seu voto improvisado na urna — a mesma urna que fora usada apenas uma semana antes para as eleições presidenciais. Na semana passada, eles votaram para quem teria a chave da Casa Branca durante os próximos quatro anos, Barack Obama ou Mitt Romney. Era um elo absurdo com uma realidade que Black Spring havia perdido completamente de vista.

Pelo menos uma hora se passou até que todo mundo, incluindo aqueles que tinham dificuldade para caminhar, aqueles que estavam em cadeira de rodas e aqueles que tinham esperado no vestíbulo e no balcão tivessem votado. A separação e a contagem dos votos pelos membros do Conselho levou mais vinte minutos. Steve perdeu de vista Jocelyn, Tyler e os VanderMeer, e nunca tinha se sentido tão angustiado e sozinho, apesar do fato de que muita gente da cidade o agarrava e queria saber exatamente como os eventos haviam se desenrolado. Em determinado ponto, ele se deu conta de uma imagem súbita e hiper-real: as pessoas ao redor dele não só lembravam como na verdade eram *mesmo* pessoas de outrora, vestindo farrapos que fediam a lama e doença. Se ele fosse caminhar lá fora, a Deep Hollow Road seria uma trilha de terra batida para carroças, o sino do campanário de uma igreja antiga ali perto estaria tocando, e o ano seria 1664.

Steve ficou ao mesmo tempo aliviado e exausto quando Colton Mathers finalmente pediu ordem no recinto. "Senhoras e senhores, obrigado por sua atenção. Não testarei mais sua paciência. Com 1.332 votos a favor e 617 contra, a sentença exigida foi aceita."

Uma onda de choque de horror estremeceu o Memorial Hall quando as pessoas perceberam quantos de seus vizinhos e amigos, na segurança do anonimato, foram seduzidos pelo sensacionalismo e pelo instinto. Houve comemoração e houve raiva, houve aqueles que choraram e aqueles que clamaram por uma rebelião, mas a maioria estava satisfeita porque a justiça tinha sido feita.

O conselheiro continuou: "A sentença será efetuada na próxima quinta-feira no lugar da tradicional Queima de Todos os Santos, no cruzamento da Deep Hollow Road com a Lower Reservoir Road. É dever e responsabilidade de cada um de vocês testemunhar a sentença. Portanto, sugiro que marquemos a hora na primeira luz do amanhecer, para reduzir o impacto da ordem pública e de seus próprios cronogramas de trabalho. Vamos rezar para termos aprendido uma lição com tudo isso e colocar este motim para trás de uma vez por todas. Senhor, nosso Pai...".

Mathers os liderou em prece, e a maior parte da comunidade se juntou a ele. Eram pessoas que conheciam umas às outras por toda uma vida, que respeitavam umas às outras e se amavam de suas próprias maneiras peculiares, como normalmente acontecia em pequenas cidades do norte do estado. Mas Steve notou que todos haviam passado por uma mudança radical. Ele sentiu isso com ainda mais força quando eles se afastaram, pouco depois, silenciosamente e desviando os olhares. Sobre os habitantes da cidade, havia caído uma resignação que Steve achou ainda mais impressionante do que a tensão anterior.

Eles pareciam pessoas que sabiam ter feito algo pavoroso, algo irreversível... e algo com o qual poderiam facilmente viver.

21

Black Spring se preparou para a execução da sentença como se fosse um feriado. O gato de nove caudas original, do século XVII, foi retirado do display na pequena Câmara do Conselho, na prefeitura. Era um fino exemplar: um bastão ricamente decorado com nove tiras de couro, cada qual com sessenta centímetros de comprimento com um nó no meio e bolinhas de chumbo na ponta. O instrumento não era usado desde 1932. Colton Mathers o levou ao Dinnie's Shoe Repair especialmente para a ocasião com instrução para que o couro fosse besuntado de cera oleosa a fim de que pudesse aguentar vigorosas chicotadas sem arrebentar.

Theo Stackhouse, dono de garagem e mecânico de carros até a semana anterior, aceitou ansiosamente o cargo de carrasco da cidade e foi convocado para os estábulos da propriedade do conselheiro na noite de quarta. Primeiro ele praticou em uma sela de couro, para dominar a arte da chibatada; depois, em um novilho amarrado, para se preparar para o reflexo da carne viva. Naquela noite, antes de ir para a cama, ele tomou dois Advil por causa da dor intensa no antebraço, mas, apesar disso, dormiu como um bebê.

Griselda Holst não dormiu naquela noite. Muito embora o sangue do seu sangue estivesse prestes a se tornar o centro das atenções, ela se sentiu dominada por um senso de submissão. E não estava só: todo o povo de Black Spring parecia ter sucumbido à mesma resignação. Se não estivesse dolorosamente ligado à questão, o sociólogo Pete VanderMeer poderia ter traçado semelhanças com países onde as pessoas se submetem de livre e espontânea vontade à lei da xaria. Era precisamente por esse motivo que ninguém se erguia em protesto nem notificava as autoridades. Mesmo aqueles que votaram contra a sentença acharam que talvez fosse melhor assim. Eles só queriam que tudo acabasse para poder prosseguir com suas vidas.

Então, em vez de se preocupar com o destino de Jaydon, Griselda passou a noite rezando para Katherine. De joelhos nus, no tapetinho ao lado de sua cama, ela pediu perdão por sua apostasia. Como penitência, tentou se flagelar chicoteando as costas com o cinto de Jaydon. Mas a coisa toda saiu um tanto desajeitada, e assim que Griselda começou a sentir dor de verdade ela pensou: *Isso não é pra mim*, e então parou.

Se em vez de passar por tudo isso ela tivesse olhado pela janela, teria visto seu filho, Justin Walker e Barak Şayer sendo silenciosamente escoltados pelo cemitério por nove homens parrudos. Os acusados foram levados para a Crystal Meth, onde desceram a mesma escadaria circular que Griselda havia usado tantas vezes para manter Arthur Roth vivo. Nas criptas da igreja, Colton Mathers leu a sentença em voz alta. No começo, os garotos acharam que ele devia estar brincando, mas num instante começaram os gritos — primeiro espantados, depois assustados, depois histéricos. Era uma gritaria horrorosa, uma expressão aterrorizante de puro sofrimento e desespero humanos. E, assim que a porta foi fechada com um estrondo, eles se viram sozinhos no subterrâneo com os mortos do cemitério ao redor, e era como se os mortos gritassem junto com eles.

Os gritos despertaram as corujas. Despertaram as doninhas.

E, em algum lugar de Black Spring, a bruxa parou de sussurrar... e começou a escutar.

Na manhã seguinte, 15 de novembro, as pessoas começaram a chegar antes do raiar do dia para garantir um bom lugar. Exatamente como na Queima da Bruxa, duas semanas antes, o cruzamento foi bloqueado com barreiras para a multidão que fora colocada em um círculo ao redor do cadafalso de madeira. O próprio cadafalso tinha sido construído pela empresa de construção de Clyde Willingham: uma plataforma de dois metros de altura, três metros quadrados, com algo nela que lembrava uma estrutura em forma de "A" para balanços feita de cavaletes de madeira. As pessoas se reuniram mais longe, nas ruas estreitas e chuvosas ao redor do cruzamento. Fazia o típico tempo fechado de Nova York, e todos usavam ponchos e capuzes que reluziam na luz dos postes de rua, mas tiveram consideração suficiente para deixar os guarda-chuvas em casa a fim de evitar que bloqueassem a visão. O Sue's Highland Diner ganhou um dinheirinho vendendo café e chocolate quente fumegantes em um estande do lado de fora da loja para suavizar a dor da espera. Aqueles que tinham sorte o bastante para ter amigos morando em casas próximas estavam sentados no alto e sequinhos, à espera nas janelas dos andares de cima. Muitos dos velhos e ricos haviam se reunido nos quartos da Pousada Point to Point, cujas tarifas estavam sendo cobradas por hora — um roubo para compensar a necessidade de transferir Forasteiros para acomodações fora da cidade.

Claro que Robert Grim estava encarregado da implementação prática de tudo isso. Ele havia selado hermeticamente a cidade por todos os lados, colocado cercas e postado oficiais de patrulha voluntários nas divisas. Era complicado, mas, com planejamento cuidadoso, as estradas só tinham de ser fechadas por uma hora antes que a primeira explosão de rosa começasse a sangrar no céu a leste. Como todos os varejistas tinham recebido ordens do Conselho para remarcar ou cancelar serviços para os Forasteiros, os bloqueios na estrada passaram quase despercebidos, e apenas uns poucos carros tiveram de ser orientados a voltar.

Robert Grim estava enojado. Estava enojado com aquilo tudo. Ele estava enojado com as pessoas, e sua sede de sangue hipócrita e camuflada. Estava enojado com seu oportunismo e sua traição. Estava enojado com Mathers, com o carrasco, com Katherine, e com os garotos que a tinham apedrejado. E estava enojado consigo mesmo, porque não tinha coragem de se opor a esse circo horroroso.

Poucos minutos depois das sete e meia da manhã, o grande momento finalmente chegou. O cortejo saiu da igreja Crystal Meth, passando pelo beco isolado por cordões no cemitério Temple Hill até o cadafalso. Na frente estava Colton Mathers, imponente e severo, ladeado pelos dois membros do Conselho que tinham votado a favor da sentença. Eles eram acompanhados de perto por um grupo de seguranças liderado por Rey Darrel. Jaydon Holst, Justin Walker e Burak Şayer foram brutalmente arrastados para a frente em grilhões de ferro, de modo tão desumano como haviam tratado a bruxa poucos dias antes. Seus torsos estavam nus, e o pânico, inscrito em seus rostos. Atrás de um segundo grupo de seguranças, o carrasco fechava o desfile usando um capuz tradicional, embora todos soubessem quem ele era.

Não houve gritos animados. Não houve torcida. Houve apenas um murmúrio incomodado e duvidoso que se elevava da multidão. Agora que o momento pelo qual todos esperavam tinha enfim chegado, agora que eles eram capazes de ver com os próprios olhos os monstros que tinham apedrejado Katherine, subitamente todos pareceram se lembrar de que, apesar das terríveis acusações, também eram seres humanos, dois deles ainda crianças — seres humanos com os quais tinham vivido e com os quais seriam forçados a viver nos anos por vir. A ansiedade dava caminho à vergonha, a empolgação à incerteza. Só quando a procissão se aproximou da multidão em pé ao lado da estátua de bronze da lavadeira é que alguém gritou "*Assassinos!*", e vários cretinos descerebrados começaram a atirar pinhas grandes nos prisioneiros, que a plateia se atreveu a olhar para eles... pálidos, mas com os olhos brilhando.

Agora eles tinham um espetáculo para assistir e não precisavam mais ficar refletindo.

Gritando, os garotos tentaram se esquivar das pinhas, que deixaram marcas feias em suas peles à mostra. Um dos seguranças foi atingido na cara. Sem um momento de hesitação, ele e dois outros se jogaram em cima dos agitadores para apagar o fogo antes que se espalhasse.

Mais adiante, pelo menos quarenta metros no lado leste do cruzamento, Steve, Jocelyn, Matt e Tyler estavam de frente para o show. Pouco da perturbação chegou até eles àquela distância, mas eles sentiram a inquietude, que ondulava pela multidão como anéis concêntricos na água. Steve e Jocelyn tiveram uma briga muito feia. Imediatamente após a votação na noite de terça, Jocelyn levou Tyler para casa, porque o garoto não aguentava mais. Ela culpou Steve por não tomar a iniciativa. Além disso, ela se opôs categoricamente a que Matt fosse ver as chibatadas. Gritou com Steve — gritou *mesmo* — e Steve retribuiu, gritando que *ela* havia proibido que *ele* intercedesse na hora certa de fazê-lo. Agora que a sentença fora proferida, todos os pais tinham a obrigação de levar crianças de dez anos para testemunhar o exemplo aterrador ao vivo. Era proibido faltar.

Steve estava magoado, mas entendia que a raiva e a tensão de Jocelyn tinham a ver com a situação. Como ela não podia lutar contra isso, virou-se contra ele.

A julgar pelas caras na multidão, provavelmente não somos a única casa de Black Spring onde os pratos voaram na cozinha ontem.

Assim, ele abraçou sua família e os puxou para perto, e rezou — não para Deus, mas para o bom senso — para que pudessem passar por isso de um jeito ou de outro.

Jaydon, Burak e Justin foram levados até o cadafalso. Enlouquecidos de medo, corriam os olhos pela multidão em busca de uma saída, uma última esperança, um último vestígio de humanidade. Os guardas jogaram as correntes — presas aos seus pulsos com prendedores de cabos — sobre a estrutura em forma de "A" feita de madeira, e puxaram as outras pontas tão para baixo que os garotos foram forçados a levantar os braços bem no alto e ficar na ponta dos pés. Então prenderam os elos da corrente ao corrimão e desceram do cadafalso, expondo os prisioneiros à multidão. Seus corpos magros estavam pálidos e azulados no ar frio, as costelas saltadas e molhadas pela chuva. Três garotos tipicamente norte-americanos, de jeans e tênis, pendurados como cadáveres de animais em um matadouro.

O carrilhão da Crystal Meth começou a tocar. O povo em Highland Mills e Highland Falls provavelmente pensaria que estava acontecendo um enterro àquela hora da manhã. O carrilhão tocou, e Jaydon gritou para o cruzamento: "*Pessoal, vocês não vão deixar isso acontecer, vão?*". Ele estava com manchas roxas de hipotermia nas bochechas e a saliva voava de seus lábios. "*Que tipo de gente doente vocês são, porra? Por favor, façam alguma coisa enquanto ainda podem!*"

Mas a multidão ficou impiedosamente silenciosa enquanto o carrasco subia o cadafalso.

Com passos longos e lentos, ele deu a volta nos condenados, o bastão do gato de nove caudas na mão direita e as tiras de couro com pontas de chumbo na esquerda. O capuz, com seus buracos, e sua constituição musculosa faziam dele uma visão monstruosa saída de um filme de terror. Justin tentou sair correndo dele, dando chutes numa dancinha patética, e seus uivos podiam ser ouvidos nas ruas distantes. Burak cuspiu no carrasco, mas ele não se abalou e seguiu em frente.

Puxando as duas mãos, estalou com força as tiras de couro, fazendo um som ameaçador de chicote que ressoou pela multidão.

Jaydon ainda falou com ele, tão baixinho que as pessoas na primeira fila não conseguiram ouvir, só o próprio carrasco. "Theo, por favor. Não faça isso."

E, naquele breve instante em que encarou seu carrasco, naquele momento de profunda escuridão que ficaria com ele para sempre, Jaydon soube que não era Theo atrás da máscara, mas um torturador de muito tempo atrás, do tempo de Katherine; um torturador cujo nome e rosto ele não conhecia nem conheceria, porque quando isso acabasse, quando tirasse a máscara, seria 2012 mais uma vez.

O carrasco deu a volta até ficar atrás dele.

O carrilhão soou.

As pessoas passaram a língua pelos lábios.

As pessoas fecharam os olhos.

As pessoas rezaram.

O gato de nove caudas foi erguido.

Com chibatadas brutais e terríveis, que reverberaram entre os edifícios ao redor, as costas nuas dos três rapazes foram fustigadas. As nove caudas com nós cortaram as peles deles, e como garras as bolas de chumbo afundaram em sua carne. A segunda chibatada já tirou sangue. Os garotos gritaram com toda a força, sons animalescos que não eram deste mundo, como porcos sendo esfolados vivos com facas cegas. Um a um, o carrasco passou por eles com o chicote; um a um, o gato de nove caudas os rasgou; um a um, aquela dor pavorosa e excruciante, sem tempo de recuperação, de respirar, de pedir descanso.

O som da chibata ecoou pela multidão, que ficou olhando aterrorizada. Cada um deles sentiu as chibatadas como se tivessem sido dadas em sua própria pele. Ecoaram por toda a região, pelo vale e descendo o rio ao sul. Fizeram com que as moléculas do ar rodopiassem por quilômetros ao redor. Mesmo que você tivesse ficado com o ouvido colado ao esqueleto de metal da ponte de Bear Mountain naquela manhã, teria sentido o tremor dos chicotes, delicados como o bater de asas de borboleta. Mas ninguém fez isso, porque ninguém sabia o que se passava em Black Spring. As pessoas que estavam no tráfego da hora do rush entre as cidades de Highland e Peekskill estavam ouvindo as rádios WJGK e WPKF. Na estrada, em seus caminhos, em seus telefones, comendo bagels de café da manhã em trânsito. Os Estados Unidos estavam acordando. Bom dia, América.

Quando o carrasco ergueu o braço para a oitava chibatada, um tremor de alarme percorreu a multidão. As pessoas começaram a gritar e apontar, e palavras foram sussurradas boca a boca. "A bruxa... Katherine... a bruxa... Katherine... a bruxa está aqui..." Todo mundo do lado oeste do cruzamento olhou para cima ao mesmo tempo e viu Katherine van Wyler na varanda central da Pousada Point to Point. Talvez fosse um grande delírio coletivo, ou quem sabe um milagre sombrio, porque logo após ter notado sua presença, cada alma na multidão teve a mesma visão de pesadelo: os olhos perversos da bruxa estavam abertos. Como um pastor com seu rebanho, ela olhava para a tortura que acontecia no cruzamento... e *gargalhava*.

Num segundo, a visão desapareceu, mas todos se convenceram de que tinham visto aquilo. De que tinham *vivido* aquilo. Katherine estava realmente em pé ali, mas naturalmente seus olhos e boca estavam costurados, como sempre. Entretanto, sua aparição no meio deles não pareceu acidental. Daquele momento em diante, todos perceberam com certeza inabalável que a bruxa havia armado aquilo tudo, que, com seus sussurros degenerados, de algum modo ela trouxera à tona o pior de todos eles como parte de algum plano diabólico. De que outra forma poderiam eles, pessoas tão justas, ter se emaranhado tão irresistivelmente em práticas tão selvagens, depravadas e imorais?

Essa descoberta evocou um medo tão primordial na multidão que o povo se dispersou em pânico cego, tropeçando e pisoteando uns aos outros. Foi um pandemônio. As pessoas nos lados leste e sul do cruzamento não perceberam o que havia acontecido, mas logo o tumulto se espalhou para lá também, e todos começaram a se empurrar para fugir dali. Nem Colton Mathers fez qualquer coisa para impedir a multidão.

Só o carrasco parecia não se dar conta da súbita mudança de clima. Ele tinha terminado seu trabalho em Burak e Justin. Ambos pendiam de suas correntes, se contorcendo de dor, as costas um caos de carne viva, os traseiros e as pernas de seus jeans de um roxo escuro, e as cabeças pendendo como uma imitação da Paixão de Cristo. Sem diminuir o vigor, o carrasco continuou a chicotear o corpo ensanguentado e inconsciente de Jaydon Holst, que estremecia feito um fantoche a cada chibatada.

Quando o carrasco finalmente contou vinte chibatadas, os sinos da igreja se calaram. O grande número de pessoas ainda presentes no cruzamento se afastou em desgraça e vergonha, seguindo as multidões que haviam fugido em um estouro de boiada após a aparição repentina da bruxa. Uns olharam para Katherine e fizeram um gesto para afastar seu mau-olhado, mas a maioria simplesmente olhou na direção em que estavam indo: *longe dali*. Ninguém falava. Muitos choravam. Todos queriam apagar da lembrança os acontecimentos e ninguém — ninguém — mencionaria isso depois que chegasse em casa.

Os seguranças subiram ao cadafalso para soltar os rapazes feridos. Eles foram levados, de maca — e de bruços —, para uma van e então até o consultório do dr. Stanton, clínico geral, para um tratamento adequado. A van levou muito tempo para abrir caminho no meio da multidão. O cadafalso foi destruído — as tábuas salpicadas de sangue seriam recicladas naquele mesmo dia. Varredores de rua chegaram para limpar o cruzamento. A Pousada Point to Point abriu um toldo sobre Katherine, e os bloqueios de estrada na Rota 293 foram retirados. Por volta das 10h, não havia nenhum sinal de que antes, naquela mesma manhã, quase três mil pessoas se reuniram no cruzamento e, em uníssono, foram tomadas de um medo mortal.

Um novo dia amanheceu em Black Spring.

22

Novembro passou como um hóspede indesejado que estendeu sua estadia. Quando o primeiro dia de dezembro finalmente chegou, Tyler sentiu um alívio excepcional. Ele havia lutado muito com suas provas de meio de semestre, mas felizmente a queda nas notas não foi tão grande quanto havia temido. Só espanhol tinha sido um fracasso total. Durante o semestre de primavera ele teria de parar tudo para obter uma nota satisfatória nas provas finais.

Como todo mundo em Black Spring, Tyler estava se esforçando, pouco a pouco, para voltar à vida normal depois do 15 de novembro, para esquecer os acontecimentos daquele dia, bem como se livrar de sua culpa. Ele acabou conseguindo — mais ou menos. A tensão entre seus pais fora palpável na casa durante aquele período. Provavelmente, não era razoável culpar a si mesmo por ter colocado um peso em seu pai com aquele segredo, mas foi o que ele fez, e nenhum pensamento racional poderia mudar isso.

Matt teve pesadelos por um tempo, e uma tarde Jocelyn confidenciou a Tyler que o irmão havia molhado a cama. Tyler sentiu pena do caçula. Ele o ajudou a escovar Pablo e Niké naquela noite, e, embora não tivessem falado a respeito, ambos gostaram daquele raro momento juntos. Pouco depois disso, Tyler perguntou se podia usar o laptop de Matt para pesquisar o dever de casa no Google. Quando abriu o Safari, viu um site pornô gay no histórico de Matt. Tyler mordeu o lábio, fingiu que não tinha visto, e percebeu que amava Matt mais do que jamais diria em voz alta.

Uma semana depois do dia 15, Robert Grim apareceu para devolver seu laptop e o iPhone. Levou Tyler para um canto e disse a ele com um olhar sério: "Não importa o que você fez; se fizer de novo, eu vou ver. Está claro?".

Tyler fechou a cara na hora e ficou olhando para o chão em silêncio. Será que Grim sabia? Claro que sabia. Ou pelo menos tinha fortes suspeitas. Ele devia ter visto a quarentena da URL do site. Por que não agiu na hora, ou pelo menos disse algo a Tyler? Ele não entendia — até aquela noite, quando se deitou na cama e percebeu que, se o site tivesse vazado, o Conselho conservador provavelmente teria bloqueado a internet de toda a Black Spring em resposta. Grim, aquele cara fodástico, tinha ficado de boca fechada para impedir que Black Spring se tornasse uma segunda Coreia do Norte. Tyler adormeceu com um sorriso nos lábios, e no dia seguinte sua consciência estava um pouquinho mais leve.

Então chegou um dia, no começo de dezembro, em que somente depois de voltar da escola e ver o ponto vazio que fora um dia ocupado pela cesta de Fletcher é que Tyler se lembrou da morte do cão, o pesadelo na floresta que havia se seguido àquilo, e o terrível apedrejamento. Tyler ficou surpreso e sentiu um pouco de culpa, como se ele viesse a ser responsabilizado por tentar deixar tudo para trás. Mas o tempo passou e algumas feridas se curavam mais rápido que outras... embora a leve cicatriz sempre fosse estar ali para lembrá-lo.

No aniversário de Jocelyn, 4 de dezembro, o tempo estava escuro e tempestuoso. A casa, que havia ficado tão carregada por tanto tempo, agora parecia quentinha e aconchegante, como sempre. Os VanderMeer chegaram com um bolo de aniversário, e também Laurie, que recebera permissão para passar a noite lá. Tyler se esforçou para fazer uma colagem fotográfica da família — incluindo Fletcher —, e Matt escreveu um poema hilário para Jocelyn que a fez chorar de tanto rir. Depois que Jocelyn abriu os seus presentes, Tyler ficou surpreso ao descobrir dois outros presentes para ele e Matt, mas de Natal, antecipadamente, que ambos abriram diante da lareira. O de Tyler veio numa caixa achatada. Quando ele rasgou o papel de embrulho e viu que era um novo MacBook, olhou para seu pai, boquiaberto. Steve assentiu com um sorriso caloroso. *Esse aí não tem keyloggers*, dizia o sorriso. Tyler ficou profundamente comovido pela confiança do pai e precisou dar o seu melhor para evitar as lágrimas. Jurou com lealdade juvenil nunca trair essa confiança, e deu um grande abraço em Steve.

Houve muitos abraços naquela noite. Foi como se todo mundo na família tivesse sentido necessidade disso. Em um momento, Tyler viu seus pais sentados juntos no sofá, as mãos dadas com os dedos bem entrelaçados. Não notaram que ele os observava. Por um tempo, Tyler mal ousou imaginar como as coisas iriam acontecer entre eles dali em diante, mas naquela hora Katherine parecia muito distante.

Depois do aniversário de Jocelyn, o tempo depressivo e sombrio mudou e eles tiveram uma semana de geada moderada. Nevou, e, durante os dias de sol que se seguiram, a floresta reluziu clara e aguda em todo o seu esplendor. Os acontecimentos horríveis que pesavam não só na família Grant mas em toda a Black Spring, com a lenta certeza de asteroides se aproximando, trariam um fim àquela linda semana, e todas as possíveis semanas lindas que estivessem por vir. Mas, naquela semana, tudo ainda parecia bom. Não excepcional, do jeito que alguns dias em toda vida humana são excepcionais, mas simplesmente normal, e talvez isso fosse o bastante. TylerFlow95 fez um vlog no seu canal do YouTube pela primeira vez em dois meses. Os espectadores regulares podem ter notado que Tyler não estava rindo tanto quanto antes, mas ele fazia um trabalho muito bom, e o próprio Tyler estava orgulhoso disso. Ele e sua namorada se viram muito naquela semana, reacendendo suas paixões. Tyler era leal de todos os jeitos que podia, e foi revigorante não ter de pensar em honestidade por um tempo.

Naquele sábado, Steve lhe contou que Jaydon, Justin e Burak tinham chegado ao fim de sua detenção em Doodletown e voltariam nas próximas semanas sob orientação psicológica. Tyler absorveu a notícia sem muito impacto. Até então, a única emoção que ele havia se permitido envolvia uma vaga saudade de Burak, como quando você se desconecta de um velho amigo que cresceu com você, sem chance de recuperar o elo... e Doodletown não era exatamente um lugar para onde você enviaria um cartão de melhoras. Ele não pensou muito nisso até a quarta-feira seguinte, quando estava passando de bicicleta pela cidade e viu uma figura arrasada se arrastando pela neve ao longo da Deep

Hollow Road, encolhida em seu casaco, o rosto coberto pela sombra de um boné de beisebol. No começo, Tyler achou que era um velho estranhamente vestido com roupas de um cara mais jovem — até seus olhos se encontrarem em um momento gélido, e ele ver que era Jaydon. Um choque percorreu o corpo de Tyler. Jaydon estava muito magro, as maçãs do rosto saltando como em um crânio, e ele andava devagar, o corpo curvado. Suas mãos tremiam como se ele sofresse de Parkinson. Seus olhos estavam mortos, e não havia sequer o menor sinal de reconhecimento neles. Profundamente perturbado, Tyler caprichou nas pedaladas e correu para casa.

Naquela noite, depois que Jocelyn havia subido, ele e Steve ficaram no sofá vendo TV quando Tyler desatou a chorar. Ele chorou muito e por muito tempo, e Steve o acalmou, o abraçou bem forte, disse que estava tudo bem. Mas nada estava bem, nada jamais poderia ficar bem, porque era a última vez que eles iriam se abraçar, e o que teriam feito de diferente se soubessem disso? O que poderia ter sido menos perfeito que o abraço íntimo de pai e filho? Jocelyn, de chinelos, desceu correndo as escadas e olhou para Steve com preocupação, mas Steve assentiu para ela e a mulher os deixou a sós. Aquele era um momento para os dois. Ficaram sentados ali por muito tempo, abraçados um ao outro. Tyler não precisou falar, e era assim que ele preferia. Seu pai entendia. Ele amava seu pai. Seu pai o amava.

Olhando para trás, essa pode ter sido a única coisa que eles lamentariam depois: não ter dito isso em voz alta.

+++

Pouco antes das quatro da manhã seguinte, o apoio da vidraça na janela do quarto, que estava ligeiramente levantado, foi erguido ainda mais por um instrumento fino e comprido. A janela foi aberta com cuidado. O ar frio entrou no quarto. As dobradiças gemeram baixinho, como o aviso inútil de um vigia noturno, mas Tyler não acordou.

Mãos pálidas seguraram o alpendre e uma forma entrou com muita dificuldade no quarto. Ela se moveu com dificuldade muito maior do que Tyler algumas semanas antes, depois de sua aventura noturna na floresta, mas conseguiu mesmo assim, movida por uma grande força de vontade. A forma tocou o chão e ali ficou, sem se mexer. Então foi se esgueirando até a cama.

Uma tábua do piso rangeu.

Tyler se mexeu no sono, virando de costas para o ruído.

A forma não se mexeu.

Depois de algum tempo, ela se esgueirou mais para perto.

Tyler estava deitado de bruços, um braço nu levantado acima dele, a bochecha esquerda esmagada no colchão. Ele dormia quando a figura tirou algo do bolso da calça, algo que iluminou o quarto com uma luz branca artificial. Dedos tocaram a tela, buscando algo que ninguém havia reparado.

Os dedos encontraram.

Quando a forma levou o iPhone ao ouvido de Tyler, suas mãos tremiam tão violentamente que ele precisou agarrar o pulso com a outra mão para firmá-lo. Ela pressionou o iPhone contra a orelha de Tyler e apertou o play.

Tyler resmungou no sono. Depois de um tempo, o resmungo se transformou em gemido, mas ele não acordou.

Quando tudo acabou, a forma tocou o arquivo de novo.

E de novo.

E de novo.

PARTE 2 #MORTE

23

Assim como em tantos contos de fadas, a parte mais cruel é frequentemente esquecida: não é a parte da bruxa, mas a parte com o pobre lenhador chorando a morte de seus filhos.

Como médico, Steve Grant sabia que estar preparado para a morte de um ente querido, como alguém sofrendo de uma doença terminal, era um alívio divino — pelo menos para os parentes. Isso acalmava sua dor e aparava suas arestas mais afiadas, ajudando que eles se adaptassem à ideia de perder alguém precioso, não só permitindo que eles aceitassem o processo de luto em doses pequenas, mas também porque a disposição de aceitar o pior amorteceria o impacto. Babaquice psicológica, claro, e beirando o neurótico, mas Steve não podia se permitir tal luxo. Os horrores o haviam atingido com força tão súbita e implacável que elas estouraram seu cérebro e o levaram para um lugar de trevas com um único golpe assustador. O homem que acordou naquela fatídica manhã de sexta-feira do dia 14 fez a barba e foi ao Shopping Newburgh com Jocelyn depois do trabalho simplesmente não estava mais presente no homem que se deitou para descansar naquela noite nas tábuas do chão ao lado da cama de Tyler — não na cama, pois Steve não conseguia se dispor a apagar a marca de Tyler do colchão.

O que havia completado a escuridão foi aquele último tormento terrível, aquela crueldade tão doentia dos contos de fadas: a de que não haviam conseguido soltar o corpo dele... porque *ela* estivera com ele.

Ele estava vaga e um tanto perturbadoramente consciente de que agora deviam estar juntos, como uma família, mas, no reino crepuscular que Steve habitava, tal ideia fazia pouco sentido. Consolo e apoio eram meros conceitos. Steve estava perdido no choque, muito distante de um estágio de luto gerenciável, e era simplesmente incapaz de oferecer ou receber consolo. Além disso, não existia uma família como tal — a unidade havia sido destruída. Naquele momento, Jocelyn estava sentada numa cadeira dobrável na sala de espera friamente iluminada do St. Luke's Cornwall Hospital em Newburgh — o filho *dela* ainda estava vivo, Steve pensou com raiva —, e Mary VanderMeer estava cuidando de Jocelyn, assim como seu pai. Ela teria de se virar sozinha por enquanto.

Em algum momento naquela noite, o celular havia tocado, e instantes depois Pete entrou com olhos vermelhos. Steve não saberia dizer exatamente quando foi isso, porque sua noção de tempo havia entrado em loop, mas o agente da casa funerária (que tinha o nome estranhamente macabro de Knocks & Cramer) já havia saído e ele se sentou à mesa da sala de jantar, encarando um prato intocado de comida chinesa delivery. Era começo de setembro, e seus filhos estavam sentados diante dele provocando um ao outro com a GoPro de Tyler.

"Conseguiram limpar a maior parte do olho direito de Matt", disse Pete. "Limparam seu estômago também, e ele está fora de perigo. Mas o olho esquerdo é outra história, porque o adesivo colou na córnea. Endureceu antes mesmo de ele chegar aqui."

"Sim", disse Steve. O sol do fim de verão entrava obliquamente no quarto. *Aposto que você não quer saber o que eu acho*, dizia Matt para a lente de Tyler, e Tyler respondeu: *Não quero mesmo, irmão-que-cheira-feito-cavalo. Preferia que você tomasse um banho.*

"Steve?"

Steve reprimiu um sorriso, depois olhou confuso para Pete. "Sim?"

"Há uma chance real de dano permanente, você entendeu? Começou a penetrar a córnea. Pode ser que ele fique cego para sempre."

"Certo, tudo bem", disse ele. Não fazia absolutamente a menor ideia do que Pete estava falando. Em sua cabeça, Tyler dizia: *Vamos trazer a pergunta mais para perto de casa. Se você tivesse que deixar alguém morrer, ó padre mio, quem seria: seu próprio filho ou o resto de nossa cidade?* Todos os vestígios do sorriso desapareceram no mesmo instante do rosto de Steve.

"Você ouviu o que acabei de dizer?", perguntou Pete insistentemente.

"Sim, ouvi."

Pete agarrou a mão dele. Curioso como a mão de seu vizinho era delicada e suave. *Curiosamente inadequado.* "Steve, você tem de se aproximar deles", implorou Pete. "Eu levo você de carro até Newburgh. Eles precisam de você agora. Sua esposa precisa de você. Sei que é uma loucura, mas, que diabos, cara, você tem outro filho e ele está no hospital lutando pela vida." Ergueu e abaixou as mãos. "Mas que merda, não é bom pra você estar aqui agora..." Ele começou a chorar de novo, e Steve, que não tinha ouvido a maior parte do que Pete lhe dissera, levantou lentamente a cabeça. Sua consciência havia atingido um raro momento de aqui e agora; ele sabia que precisava se agarrar ao *aqui*, embora não soubesse direto por quê.

"Não posso ir, Pete", disse ele. Sua voz era calma e educada. "Preciso ficar aqui."

Mas os ombros de Pete tremiam de modo incontrolável. Steve o abraçou e pensou: *Estou consolando meu vizinho pela morte do meu filho.* A ironia era absurda, e Steve precisou morder o lábio para evitar gargalhar. Gargalhar seria considerado inadequado, ele supôs. Sentiu uma pontada de dor e seu rosto se contorceu. Sim, era verdade: seu lábio inferior estava inchado, roxo, dilacerado. Ele o havia mordido antes de o encontrarem naquela tarde, agachado contra o corrimão do patamar do andar de cima, joelhos puxados para perto do peito, punho enfiado na boca, olhos arregalados, garganta inchada, cabelos arrepiados. Agora o sangue escorria para sua boca, e o gosto de cobre era bom, puxando sua mente perigosamente à deriva de volta à realidade. Se ele risse agora, provavelmente começaria a gritar logo depois, e aí ele perderia a cabeça.

Isso é politicamente correto, pai, pensou o Tyler de sua cabeça, e isso deflagrou o loop temporal todo de novo, só que agora Steve tentava se lembrar quais foram as últimas palavras que tinha ouvido Tyler dizer naquela manhã... e não conseguia.

+++

Do que ele se lembrava com clareza cristalina eram os momentos infinitamente triviais antes de chegar em casa. Como folhas de papel vegetal, sua mente tentou sobrepô-las ao que havia acontecido em casa em um esforço de encontrar pontos de diferença e similaridades. *O que ele estava fazendo quando saímos do Walmart? O que nós estávamos fazendo quando ele tirou a corda do estábulo?* Nada lhe ocorria, a não ser o refrão infernal das memórias fragmentadas: *Se apenas... Se apenas... Se apenas...* Uma máquina de tortura que flagelava seu cérebro e se alimentava de seus sentimentos de culpa.

Ele e Jocelyn haviam ambos acabado o trabalho mais cedo e decidiram fazer umas compras de Natal, embora tivessem terminado praticamente andando para dentro e para fora de cafeterias e lojas de velas. Eles já tinham dado aos rapazes seus presentes no aniversário de Jocelyn depois da crise de novembro; então, para o Natal, decidiram manter tudo bem simples porém festivo. Steve quis comprar uma carne especial no Walmart Supercenter, e Jocelyn estava procurando uma bela roupa para usar no dia depois do Natal quando deveriam voar para Atlanta e visitar o pai dela por alguns dias. Não havia indicação de que hoje não seria um dia como outro qualquer. O ar não estava mais pesado nem mais opressivo do que de costume; as pessoas que se acotovelavam no shopping eram tão sem falta de consideração como sempre foram. Eles levaram um minuto para assistir a um flash mob mal-executado de dançarinos de rua na frente do Bon-Ton e aplaudiram por educação. E, enquanto isso, um drama indizível se desenrolava em casa.

Agora, na escuridão plúmbea de seu choque, e sentado no quarto de Tyler onde tudo ainda cheirava a Tyler, Steve se perguntou (seus pensamentos calmos e serenos, mas traiçoeiramente irracionais, se ele tivesse sido capaz de julgá-los com toda sua lucidez) o que teriam feito se soubessem. Conseguiriam ter impedido alguma coisa? Como era tentador culpar Jocelyn por querer ficar olhando livros na Barnes & Noble por tanto tempo, ou a si próprio por insistir em parar no Starbucks — ah, idiota filho da puta, como pôde ter sido tão imbecil? Se apenas tivessem chegado em casa antes...

Colocaram suas sacolas dentro do Toyota. Do estacionamento, onde a maior parte do tráfego virava à direita na direção da I-84 e da I-87, eles viraram duas vezes à esquerda para entrar na Broadway.

Eram apenas dois semáforos até a 9W, que os levaria para fora da cidade e para virar à esquerda no Parque Estadual Storm King. Oito quilômetros descendo a Rota 293 até Black Spring. Oito quilômetros entre eles e o que pendia de modo irrevogável sobre suas cabeças, como a cimitarra crescente do pêndulo, a lendária máquina de tortura da Inquisição espanhola. E a cada quilômetro que eles cobriam, o aço brilhante descia impiedosamente sobre eles, o barulho rápido da lâmina se aproximando cada vez mais: direita, esquerda, direita, esquerda, um violento relógio antigo que anunciava o fim de tudo que eles conheciam, de tudo que eles amavam.

A volta para casa. Cada detalhe reluzindo como uma pedra preciosa em sua mente. O sol baixo que cegava seus olhos pelo espelho retrovisor. A luz pálida sobre o rio Hudson. A sugestão de Jocelyn de que um dia pegassem um novo cachorro. Toda vez ele experimentava tudo de novo, queria gritar para o Steve fantasma e a Jocelyn fantasma, fazer com que eles dessem meia-volta e fossem para muito longe, como se fazendo isso pudessem negar o que havia acontecido. Mas era como ver um filme de terror cujo fim dramático já tivesse sido decidido, e eles estavam dirigindo inevitavelmente em sua direção.

Passando pelo campo de golfe, virando à direita na Deep Hollow Road. Atravessando o riacho, estacionando na entrada. A casa estava vazia no sol de dezembro, contendo sua respiração. Eles levaram as sacolas para a porta da frente e Jocelyn riu com sua luta desajeitada para segurar todas as sacolas e enfiar a chave na fechadura ao mesmo tempo. Steve sabia o que estava por vir agora. Ela o beijou, e a sacola do Walmart escorregou de seu braço esquerdo e bateu no chão, fora de seu alcance. Jocelyn se inclinou para ajudá-lo, disse que ele tinha sorte que não tinham sido as bolas de Natal. Os risos quebraram o silêncio da casa — um silêncio com o qual haviam se acostumado desde que Fletcher não estava mais lá para pular em cima deles, balançando a cauda e latindo como o bom cão que era.

O corredor; as escadas. Ah, meu Deus, as escadas.

O que esperava por ele lá em cima agora, a apenas quarenta segundos de distância.

Jocelyn seguiu até a sala de jantar para abrir a correspondência, Steve foi até a cozinha para encher o freezer. Naquele momento, uma súbita corrente o paralisou onde estava, e ele olhou para cima. Steve não era supersticioso, mas sabia que todo mundo era dotado de certas qualidades biorrítmicas que funcionavam como premonições, e era como se ele já conseguisse ouvir os gritos distantes da câmara de tortura. Aquela corrente de ar, aquela rajada de ar rodopiante, era o balanço firme do pêndulo, agora a apenas centímetros acima dele, e apenas sete horas depois Steve se deitaria no quarto de Tyler lutando para se libertar das tiras de couro que o prendiam à mesa de tortura.

Fechou a porta do freezer e apanhou as sacolas de presentes. De volta ao corredor, subindo as escadas. Steve tentou gritar para ele: *Sai daqui, porra, só mais doze segundos, doze segundos e tudo vai acabar, agora só dez, dez segundos e a lâmina terá descido o bastante para...*

Mas ele não ouviu. Ele subiu as escadas... porque não sabia.

Ele tinha pensado que haveria tempo suficiente antes do jantar para dar uma corridinha.

A porta do quarto se abriu e Pete VanderMeer entrou. Ficou assustado quando viu Steve sentado no chão ao lado da cama de Tyler. O que Steve não sabia era que a maior parte dos vasos sanguíneos de seus globos oculares havia explodido, cobrindo seus olhos com uma película vermelha.

"Não, você vai sair daqui, porra, isso é babaquice", disse Pete. Puxou Steve pelo braço. Steve quis protestar, queria evitar que o ar que os pulmões de Tyler haviam exalado penetrasse nos pulmões de Pete, ou pior, que fugisse pela porta; porque Tyler era *dele*, *ele* queria garantir que o ar estivesse preservado. Ele queria manter Tyler vivo.

"Agora me escute: você não está em condições de tomar decisões, então vai fazer o que eu disser. Vamos para o hospital. Sua mulher não está passando bem. Mary está fazendo tudo que pode, mas vocês precisam um do outro, agora mais do que nunca."

Ele o direcionou para fora do quarto de Tyler, tocando a porta do filho onde ele havia deixado suas impressões digitais. Steve se deixou conduzir espontaneamente para fora, principalmente porque Pete tinha de ser removido antes de apagar todos os vestígios da presença de Tyler.

"Vou ficar com vocês para que Mary possa ir para casa dormir um pouco. Lawrence está com os pais de Mary em Poughkeepsie. Ela não queria que ele..."

... estivesse aqui em Black Spring, Steve completou a frase mentalmente. Um sobressalto terrível atravessou seu coração. *Boa ideia. Se ela pegou Tyler, faz sentido que Lawrence seja o próximo, certo?*

Pete o levou até o patamar, e pela segunda vez naquele dia Steve se confrontou com a visão do seu filho mais jovem, aquele garoto deliciosamente feliz que às vezes podia deixá-lo louco, mas que agora estava no meio do corredor, sentado no chão, cabeça jogada para trás. Ele havia selado os próprios olhos com Super Bonder, e sua boca estava retorcida em um horrível sorriso prateado. Isso porque ela estava entupida de cogumelos venenosos. Matt estava babando. Pedaços do cogumelo estavam escorrendo por sua camisa. Estava preso no meio de um círculo de fadas que crescia por entre as frestas das tábuas do piso, e era como se ele pensasse que a única maneira de se libertar era comendo todos. *Mas toda vez que pegava um dos cogumelos, um novo cogumelo surgia no seu lugar e o círculo se fechava ao seu redor novamente.*

A cola estava fora do círculo, no chão.

Matt havia testemunhado algo que havia roubado sua sanidade de uma tacada só.

Steve se virou, e, um tanto conscientemente, sentiu o aço do pêndulo cortar seu corpo ao meio. Ele se sentiu evacuando, como se os intestinos tivessem caído pelo buraco, mas não era nada físico que escorregava dele; era tudo o que ele já tinha sido até aquele momento. A sensação era tão real que quase o fez rir.

Tyler havia se enforcado com um pedaço de corda do estábulo. Ele o havia jogado sobre a viga, enrolado em seu pescoço e chutado a banqueta. A queda teve pouco efeito e não quebrou seu pescoço. Em vez disso, a morte veio de forma lenta e dolorosa, levando-o plenamente consciente.

Vestígios secos de lágrimas escorriam de seus olhos inchados e esgazeados. Havia terror em sua marca mortuária, e uma tristeza sombria e profunda.

E só agora Steve via Katherine van Wyler parada, ereta e magra, atrás do corpo pendurado — a Bruxa de Black Rock que, assim como a Morte Rubra, havia chegado como um ladrão na noite, e agora ele sabia, agora sabia com certeza: Tyler, seu filho, seu Tyler, estava morto.

E quando Pete VanderMeer o conduziu pelo patamar, sete horas depois, ele começou a gritar.

24

Foi a decisão mais difícil de sua carreira não enviar Matthew Grant direto para o St. Luke's em Newburgh, mas Robert Grim assumiu a responsabilidade e aceitou as consequências. O ápice absoluto em um pesadelo de proporções já sem precedentes só foi alcançado quando Jocelyn, aos gritos, foi afastada da escadaria vezes sem conta enquanto Steve ficava sentado à mesa da sala de jantar e encarava o vazio com uma concentração tão aterradora que era como se seu cérebro tivesse simplesmente sido apagado.

Foi Mary VanderMeer quem chamou Grim. Ele e Warren chegaram à casa dos Grant apenas três minutos depois, justo quando Walt Stanton, o clínico geral, estava estacionando — *aqui de novo*, ele pensou, estremecendo, como se a maldição de algum modo estivesse concentrada naquele lugar em particular e agora atingisse força total. Pete contou ao médico que ele e sua esposa ficaram apavorados com os terríveis gritos e imediatamente foram até lá para ajudar. Não que houvesse muito o que fazer, mas pelo menos tinham puxado os pais para longe de seu filho morto, e isso foi bom.

Matt estava deitado de costas no tampo de mármore e Mary e Jocelyn jogavam água fria da torneira no seu rosto. Quando Stanton viu os restos dos cogumelos na pia, perguntou se Matt os havia ingerido. Sem esperar resposta, ele virou o garoto de bruços e enfiou o dedo pela garganta dele para fazê-lo vomitar.

Num clarão, Grim viu os olhos de Matt.

Oh, meu Deus, aqueles olhos.

A camada plástica opaca, cor de marfim, dava a impressão de que seus olhos tinham sido furados com agulhas, esvaziados e depois congelados de novo nas órbitas.

Enquanto Warren ajudava com Matt, Grim subiu correndo as escadas, e foi aí que suas emoções decolaram em seu voo de loucura. Tyler Grant, aquele rapaz local simpático, charmoso, um simples adolescente, havia se enforcado na viga do teto. O motivo ficou claro na hora: ela estava parada bem atrás do corpo que balançava. O campo de visão de Grim subitamente ficou cinza-pérola. Todo o som sumiu; os uivos de Jocelyn sumiram na distância. Mordeu a língua com vontade e esperou que o mundo voltasse a entrar em foco. Ele se forçou a mudar o disco. O luto teria de esperar; mais importante agora era garantir a segurança de todos.

Stanton subiu as escadas dois degraus de cada vez e levou a mão à boca, com força. "Meu Deus. Ah, meu Deus."

Os pés descalços de Tyler pendiam um metro acima das tábuas do piso, os dedos para baixo, o vestido sujo e rasgado de Katherine atrás deles.

"O que você costuma fazer em casos assim?", perguntou Grim.

Stanton olhou para ele, chocado, sem entender o que Grim queria dizer.

"Suicídio, digo."

"Ah." Stanton balançou a sua cabeça sem objetivo, passando a mão pelos cabelos. "Vou ter de reportar isso à promotoria. A polícia estadual certamente vai querer efetuar uma investigação, depois do que aconteceu com o irmão dele."

"Certo, mas *ela* vai ter de sumir primeiro."

Stanton olhou com desprezo para o perfeito círculo de fadas de cogumelos, que crescia entre as frestas das tábuas do piso no meio do patamar. Grim não havia sequer reparado nelas... E a visão o aterrorizou tanto que sua pele começou a se arrepiar e as pernas quase cederam. Ele invocou todas as suas forças para acionar seu raciocínio e sua intuição a se concentrar no que precisava ser feito.

"Esses são cogumelos cicuta verde", disse Stanton. "Robert, preciso levar o garoto pro hospital."

"Impossível. Se você levá-lo assim, eles vão chamar a polícia agora mesmo. Se não relatarmos isso junto com o suicídio de Tyler eles vão suspeitar de abuso dos pais e começar a investigar."

"Mas ele precisa ir para o hospital!" Stanton quase gritou. "Não sei o quanto ele comeu, mas aquele fungo é mortal. E aqueles olhos..."

"Leve ele ao seu consultório e faça o melhor que puder."

"Você sabe que não posso fazer isso. Fiz um juramento como médico."

"E eu fiz um juramento como chefe de segurança da HEX. Estou assumindo a responsabilidade. Faça o que estou mandando: ajude o irmãozinho dele."

"Eu *não posso* fazer nada por ele em casa! E se levar três horas para ela ir embora? O garoto está em perigo mortal! Essas pessoas já perderam um filho, Robert."

Os olhos de Grim passaram pelo ponto escuro na virilha do jeans de Tyler. Ao morrer, o garoto havia soltado a bexiga. Grim desviou o olhar. Por que isso tinha de ser tão cruel, tão indigno? Não entendia. Mesmo assim, finalmente sentiu a calma familiar descer sobre ele, a calma que reconhecia de seus anos de lidar com situações malucas às pressas, que lhe permitia desligar a moralidade com apenas um pequeno e opressor senso de dor, como uma anestesia acabando. Stanton não conseguia fazer isso. O que o incomodava provavelmente não era a ideia de quebrar seu juramento — por mais arriscado que isso fosse —, mas a terrível verdade do que havia acontecido. Grim o agarrou pelos ombros. "Escute, Walt. Você não acha que eu gostaria que houvesse outra maneira de sair dessa confusão? Mas em situações de emergência o interesse da cidade vem antes do interesse dos indivíduos, e você sabe disso. Não temos escolha. Só podemos torcer para que os pais não entrem nessa também. Eu informo a você assim que acabar aqui. Agora vá depressa. Não me importa como você vai fazer isso, mas salve o garoto, pelo amor de Deus."

Stanton permaneceu onde estava por dois segundos, destroçado pela dúvida, mas aí fez algo inesperado: foi até Tyler, estendeu o braço e fechou os olhos dele. Foi um gesto de carinho e compaixão, e Grim ficou contente por ele ter feito isso. Depois Stanton desceu as escadas e Grim gritou atrás dele: "Certifique-se de que os pais não notem".

Stanton foi embora com Matt, e num instante Grim ouviu o seu carro na frente da casa. Menos uma coisa com que se preocupar. Mesmo assim, os minutos seguintes foram uma sucessão de fragmentos caóticos. A histeria inicial de Jocelyn se transformou em confusão. Ela queria começar a ligar para as pessoas, e Grim precisou lhe dizer que as ligações teriam de esperar. Mary se sentou com ela no sofá. Em um determinado momento, Jocelyn disse que tinha de tirar os peitos de frango do freezer para aquela noite, e Mary lhe garantiu que já tinha cuidado disso. Grim foi ficando preocupado. Olhou para Steve em busca de ajuda, mas Steve estava sentado à mesa da sala de jantar, entorpecido e incapaz de se mover. Vinte minutos se passaram antes que Jocelyn reparasse que Matt tinha ido embora, e Grim disse a ela que Stanton o levou para o hospital. Jocelyn começou a chorar e quis voltar para perto do corpo de Tyler. Era uma confusão dos diabos.

Enquanto os VanderMeer cuidavam de seus vizinhos, Grim levou Warren para cima. Discutiram suas opções. Katherine estava imóvel atrás de sua presa, como uma leoa protegendo uma carcaça de uma matilha de hienas famintas loucas para mordiscar os restos. Com um horror cada vez maior, Grim sentiu que ela não iria embora. Aquilo tinha sido calculado. Aquilo era uma provação.

Ela queria que os pais de Tyler sofressem.

Como ela um dia sofrera.

Pelo menos suas intenções eram claras agora, certo?

Warren balançou a cabeça negativamente. "Não sei, não, Robert. Nunca foi preciso movê-la antes."

Isso era verdade. A HEX era infinitamente criativa quando se tratava de esconder Katherine, mas o protocolo mandava que nunca tocassem nela. Se provocassem a bruxa, mais alguém na cidade poderia morrer, alguém de coração fraco ou córtex cerebral delicado... alguém que sentiria as vibrações dela e simplesmente cairia morto.

Do outro lado do patamar, Katherine permanecia parada.

Ela estava sussurrando suas palavras de depravação.

Ela os estava desafiando.

Venham me tocar, camaradas. Venham me tocar. Vamos ver quem morre desta vez?

Irritado, Warren deu um chute nos cogumelos, rompendo o círculo de fadas. Um dos botões rolou até os pés cadavéricos da bruxa. Parou quando tocou as unhas marrons tortas dos dedos do pé dela.

"Katherine", disse Warren, com um pigarro para limpar a garganta. "Ei, Katherine."

A boca de Grim ficou seca como pergaminho e um gemido engasgado e nervoso escapou-lhe dos lábios. Ele queria puxar Warren para longe, mas era como se estivesse pregado ao chão. Era de entendimento tácito que eles *jamais* falariam com a bruxa. O fato de Warren estar fazendo aquilo agora era quase mais apavorante que tudo mais.

"Você conseguiu o que queria. O garoto morreu." A voz de Warren soava gorgolejante e aprisionada, como se tivesse uma bolha de gel presa na garganta. "Deixa a gente fazer o nosso trabalho agora e some daqui, porra."

Katherine continuou imóvel.

Não: os dedos de sua mão direita estremeceram.

Alguma coisa estava acontecendo atrás daqueles olhos costurados. *Ela estava zombando deles.*

Warren deu um passo mais para perto dela. "Ei, você já não fez o suficiente?"

"Warren, pare", sussurrou Grim, enojado e tomado de um temor brutal. Não havia dúvida na sua cabeça de quem em Black Spring estava puxando os cordéis, e até que aquela ameaça tivesse acabado eles estavam inteiramente à mercê dela. "Sai logo daqui antes que você também acabe numa corda, porra."

O tempo se arrastava. Quarenta e cinco minutos e contando. Eles desceram. Grim tentou despertar Steve do seu choque, mas não conseguiu. Lá fora o céu sangrava.

Warren sugeriu que eles cuidadosamente a empurrassem para longe dali com vassouras. Para onde? Escada abaixo, se necessário; a queda faria com que ela desaparecesse. Justo como quando aqueles babacas usaram varas para levá-la para dentro do tanque no Riacho do Filósofo para poder apedrejá-la. Grim viu as olheiras de Jocelyn e hesitou. Arriscar a vida de algum velhote da cidade? A moralidade estava mudando com os tempos.

De volta ao andar de cima. Warren com uma vassoura, Grim com um esfregão. Gotas frias de suor porejavam em suas testas. Com extrema cautela, eles começaram a cutucar Katherine gentilmente com as extremidades dos cabos. O corpo frágil dela cedeu um pouco, mas ela não saiu do lugar — só continuava virando a cabeça, voltando o rosto costurado para o lugar por onde ela se sentisse cutucada.

Era tão grotesco quanto odioso, mas o corpo de Tyler estava pendurado no caminho.

Nenhum deles tentou forçar a situação.

"*Quero ver meu bebê!*" O grito torturante de Jocelyn ressoava lá embaixo. Grim e Warren trocaram olhares assustados, e num instante Pete VanderMeer subiu. Ele estava claramente assoberbado, mas tinha consigo uma vassoura extra. Grim sentiu uma profunda admiração por aquele homem.

"Como está indo lá embaixo?", perguntou ele baixinho.

"Uma zona", disse Pete. "Como você achou que estava indo? Mas Mary está fazendo um bom bule de chá de camomila." Ele deu uma risada breve por entre as lágrimas. Era mesmo absurdo: como se chá de camomila fosse solução para uma tristeza tão profunda.

Os três tentaram forçar Katherine a dar a volta à direita do corpo de Tyler, e finalmente ela deu um passo cambaleante para o lado. Grim sentiu seu coração bater acelerado. Warren empurrou com mais força... e num relâmpago a bruxa estava *na frente* do garoto enforcado, bem no meio deles, e Grim poderia jurar que a ouviu sibilar. Com um susto, o grupo deu um pulo para trás. Warren tropeçou nos próprios pés e acabou caindo de bunda no restante do círculo das fadas.

O resto se desenrolou com velocidade assustadora. "*Jocelyn!*", gritou alguém lá de baixo — Mary, Grim percebeu —, mas no seu choque ele demorou demais para entender, demais para detê-la. Tudo o que ouviu foram os grunhidos cada vez mais altos de Jocelyn enquanto corria as escadas, os dentes arreganhados. E, com um golpe que pareceu uma tacada de beisebol, ela quebrou o belo bule de chá de camomila na cara da bruxa.

O efeito foi surpreendente. Lascas de vidro voaram para todo lado e chá fervendo respingou no papel de parede. Grim teve de pular de lado para evitar ser atingido. A bruxa se dobrou e desapareceu no mesmo instante. Gritando, Jocelyn soltou o cabo de plástico e abraçou o corpo de seu filho morto.

+++

A polícia apareceu e fez perguntas. Graças a Deus, Mary VanderMeer já havia levado Jocelyn para o St. Luke's, pois Grim não achava que ela fosse capaz de responder sem abrir demais a boca. Depois que mandou Pete ligar para o 911, Grim se sentou com Steve na sala de jantar e perguntou a ele se achava que seria capaz de prestar depoimento.

Steve lentamente absorveu sua pergunta, como se estivesse voltando de um lugar escuro e distante. Com olhos infinitamente tristes ele perguntou: "Vão trazer Tyler aqui pra baixo então?".

Foi a gota d'água; Grim sentiu que isso estava passando dos limites, mesmo para ele, e tomou Steve nos braços, abraçando o pai em luto o máximo que pôde.

"Sim", disse Grim, feliz por não precisar olhar nos olhos dele, "é isso que vão fazer, meu amigo." Ele estava conseguindo se manter sob controle, em parte porque tinha de fazer um diagnóstico profissional. Steve estava lúcido o bastante para perceber o que havia acontecido, o que queria dizer que ele provavelmente também saberia o que podia e o que não podia dizer à polícia.

Grim o soltou e se sentou ereto. "Steve, preciso perguntar uma coisa. Existe alguma coisa... Alguma coisa que possa explicar isto?"

Steve balançou negativamente a cabeça, bem devagar.

"Algo que ele possa ter dito?" Como Steve continuava a balançar a cabeça, Grim continuou: "Estou perguntando isso na base da confiança, não é para informar ao Conselho. Se alguma coisa aconteceu, preciso saber por questão de segurança. Sei que Tyler estava trabalhando naquele website dele, mas não acredito que tenha algo a ver com isto, ou teria acontecido muito antes. Rastreamos o laptop dele no último mês e não o apanhei trabalhando em nada novo. Você sabe se ele estava fazendo outras coisas do tipo? Onde, em nome de Deus, foi que tudo deu errado?".

"Eu não sei, Robert", disse Steve, finalmente, sincero e sereno.

Grim olhou nos olhos dele e acreditou que ele falava a verdade. Steve estava tão perplexo quanto ele estava chocado. Decidiu deixar tudo daquele jeito, por ora; Steve já tinha muita coisa na cabeça. Deu palmadinhas no ombro dele. "Vá com calma, meu amigo. Te ligo mais tarde."

Steve agradeceu, e Grim entregou a chave do carro para Warren, que ficaria lá como amigo da família para lidar com a polícia estadual. O próprio Grim ficou aliviado por sair da casa. Podia sentir a presença da morte pendendo sobre ela como um véu pesado e contagioso, espreitando sobre ele de cada canto. Era superstição, claro, mas naquela casa parecia que a morte estava obedecendo às leis das trevas, com desastres chamando mais desastres e se espalhando como doença. Com pernas de borracha, Robert Grim correu para a porta dos fundos. Não parou até estar no meio do pátio, inalando o ar da noite profundamente, cabeça baixada e coxas tremendo.

Pasmo e nem tão funcional assim, ele se pôs a caminho do antigo centro de visitantes. Para evitar esbarrar na polícia, tomou a trilha da floresta, que subia íngreme ao longo de um campo não cultivado onde a neblina que vinha do chão refletia silenciosamente o luar. As temperaturas abaixo de zero da semana anterior tinham sido seguidas por um degelo, e o ar estava pesado de umidade. Grim viu seu hálito formar nuvenzinhas no escuro.

Depois de alguns minutos, lamentou ter tomado a trilha da floresta.

Usou o celular para iluminar o caminho e acelerou o passo. As cicutas formavam uma grande parede preta à sua esquerda. Em outros pontos das colinas, mais ao norte ou mais longe, a oeste, as pessoas estariam levando os cachorros para passear àquela hora ou fazendo amor na noite de verão. Mas ali não, não naquelas paragens assustadoras. Em Black Spring, ninguém saía depois de escurecer.

Os olhos daquele garotinho.

Como alguém podia fazer isso a si mesmo? Será que Katherine tinha mandado ele fazer aquilo, ou tinha mostrado algo tão insano para ele que o garoto quis se cegar, numa imitação pavorosa da própria bruxa? Até que ponto a influência dela se estendia?

A visão de Jocelyn quebrando o bule de chá de camomila na cara da bruxa subitamente voltou, mas desta vez, quando o vidro se estilhaçou, o sangue jorrou de seus próprios olhos e ele cambaleou, caindo de costas pela escada...

Segure sua onda, idiota.

Mas ele estava muito abalado e não conseguia tranquilizar a mente. Era algo a respeito de como o vento estava aumentando naquele momento, o jeito como fazia os galhos das árvores sacudirem no céu. Robert Grim saiu correndo, tentando não deixar a escuridão o alcançar. Sozinho ali fora, sua incredulidade e espanto estavam sendo moldados em algo gerenciável, e as perguntas começavam a surgir. Como isso pôde ter acontecido? Nos quase trinta anos que Grim estava servindo como chefe de segurança da HEX, ela nunca havia atacado daquele jeito. Ela não havia feito vítimas de suicídio desde que cortaram o canto de sua boca em 1967. Todos sabiam o que os sussurros de Katherine podiam levar você a fazer, e ninguém jamais correria o risco de se expor a isso. Tyler e seus amigos podiam estar brincando no limite com suas travessuras e vídeos, mas ele era um menino brilhante, e jamais teria cometido um erro tão grande, teria? Agora, tarde demais, Grim começava a ter a sensação terrível de que podia ter feito a escolha errada não deixando o Conselho saber das atividades de Tyler.

A visão para trás é sempre perfeita, meu amigo. Com o devido respeito, você não fez nenhum favor a ele ficando quieto.

Parou e se virou. Alguma coisa estava subindo a trilha atrás dele.

Seus pés começaram a escorregar nas raízes cobertas de geada. Ele recuperou o equilíbrio, e o que quer que tivesse se movido lá fora — a neblina ou sua própria mente lhe pregando peças — tinha agora ido embora. Tomado por um senso de urgência, Grim começou a correr. Tudo o atingiu ao mesmo tempo, um medo súbito e irracional, e uma premonição aterradora de um horror que se aproximava.

Algo aterrorizante estava chegando.

Tudo fazia parte da mesma espiral descendente de causa e efeito. O estilete fatiando o peito de Katherine. A morte do cão. O riacho enfeitiçado. O apedrejamento e a loucura subsequente na cidade. Jaydon, que havia chegado à beira da morte nas mãos do carrasco, mas conseguira retornar do lado certo. E agora Tyler.

As crianças cavavam buracos fora das muralhas do forte e carregavam caixotes de frutas para colocar nas pequenas covas, caminhando em procissão. Seus pais achavam que elas estavam possuídas, e a brincadeira foi vista como um mau presságio.

Sentindo dor no flanco, Grim pegou a trilha de cascalho que passava pela velha casa Hopewell e finalmente chegou à Deep Hollow Road. A rua era bem iluminada, e ele continuou mancando até o antigo Centro de Visitantes de Popolopen.

Encarapitada na beira do telhado, sobre a frisa, uma coruja marrom. O pássaro o encarava com olhos de predador sinistros e brilhantes. Grim não conseguia entender por que isso lhe dava uma sensação tão grande de angústia e desastre, mas bateu as mãos com força para afastá-la. Para seu grande desgosto, a coruja não se moveu, nem mesmo piscou. Só quando Grim pegou uma pedra e a jogou com força ela bateu as asas e saiu voando.

Lá dentro, Grim descobriu que Katherine havia aparecido em uma cozinha do Lower South. Convocou Claire e Marty para ir até a casa, mandar os moradores para a Pousada Point to Point e não perder a bruxa de vista por um único segundo. Não havia relato de acidentes induzidos pela camomila. Grim ficou para trás no centro de controle e começou a pesquisar os filmes da câmera de segurança. Ficou reproduzindo as imagens sem parar, passando-as para a frente e para trás entre momentos importantes. Ele viu Matt chegando em casa vindo do ponto de ônibus. Viu a quietude enganosa atrás das janelas escuras da casa dos Grant. Em que zona do crepúsculo Tyler havia ficado antes de sua morte? Entre o momento em que Matt voltou da escola e o momento em que seus pais chegaram na entrada de casa, uma hora e meia depois, não havia nada, literalmente nada, a ser visto. Dado o que estava se desenrolando lá dentro, era um retrato de uma normalidade assustadora e surreal.

Warren ligou do St. Luke's. Steve Grant ficara para trás em Black Spring com Pete VanderMeer e o diretor da casa funerária, e ambos viriam mais tarde. Matt havia sofrido grave envenenamento gastrointestinal por ter ingerido cogumelos venenosos, mas pelo menos estava fora de perigo. Agora os médicos estavam trabalhando em seus olhos, mas não havia garantia de que pudessem ser salvos. Warren queria ficar em Newburgh caso o garoto despertasse e começasse a falar — altamente improvável, mas não impossível.

Grim desligou. Enquanto começava a considerar várias estratégias para manter o choque público da cidade disfarçado, não conseguia eliminar a sensação de que estava deixando de ver algo essencial, algo que teria de encontrar rapidamente antes que o desastre acontecesse. A coisa tocava em sua cabeça como sinos fúnebres. Ele tentou deslocar o foco para questões práticas: as perguntas que teria de fazer aos pais, que coisas podia tornar públicas, se fariam o enterro dentro ou fora da cidade. E se Katherine aparecesse durante o enterro na frente de parentes e amigos de fora, como um piromaníaco que vai observar as próprias fogueiras que acende?

Talvez ela tenha planejado isso tudo. Talvez a morte de Tyler fosse parte de algum esquema sombrio e preconcebido.

Grim deu um pulo, como se alguém tivesse dito essas palavras em voz alta. Com olhos arregalados e a pele se arrepiando sobre os ossos, ele olhou seu celular, que estava ao lado, na mesa. Dois segundos depois, o aparelho começou a tocar. Claire.

"Alô?"

"Robert, ela partiu faz apenas um segundo."

No começo, ele não entendeu de onde aquele fedor forte de cadáver estava vindo. "Ok, então pode..." Ele começou, mas aí ouviu o sussurro. Olhou ao redor e deu de cara com o rosto atormentado e pavoroso de Katherine van Wyler. Seus lábios rasgados estavam pressionados em um sorriso cruel, puxando com força os pontos. O canto aberto à esquerda se movia com grande concentração, e as palavras corruptas entraram em sua mente. Grim deixou cair o celular com um grito e cambaleou para trás, rolou pela mesa, derrubou uma caixa de canetas no chão e caiu junto a ela do outro lado.

Num passo calmo e cauteloso, Katherine deu a volta na mesa e parou diante dele.

"*Robert? Robert!*", chamou a vozinha ao telefone.

Grim se levantou sofregamente quando a Bruxa de Black Rock se aproximou cada vez mais, seus pés cinzentos descalços. Suas unhas eram de um amarelo mórbido, compridas e curvas nas pontas. As correntes de ferro batiam ao redor de seu corpo magro. Em estado de puro pânico, Grim se chocou com a tela grande e caiu de costas no canto — ah, tudo sempre acabava num canto.

Momentos depois, Katherine estava curvada sobre ele, o corpo rígido, os lábios perto do ouvido dele. Era impossível fugir da mulher morta sem tocá-la, então Robert Grim ficou paralisado onde estava, enfiou os dedos nos ouvidos e começou a cantar com todas as forças. Mas desta vez não foi Katrina & The Waves, desta vez o uivo patético não era uma canção; as notas que saíam eram sons atonais de sobrevivência, para protegê-lo dos sussurros da bruxa, e enquanto isso ele era compelido a olhar para as órbitas costuradas de seus olhos e respirar o fedor doentio de lama e morte que exalava dela.

25

Matt foi mantido em coma induzido até a tarde de sábado. Às quatro da tarde, quando Steve, Jocelyn, Milford Hampton (o pai de Jocelyn, vindo de Atlanta) e Mary VanderMeer retornaram de um almoço quase intocado no pátio do hospital, Matt acordou. Em pouco tempo, entretanto, ficou claro que não estava reagindo a nenhum estímulo externo, e ele recebeu o diagnóstico de estupor catatônico. Foram encontrá-lo em seu leito hospitalar, a pele mortiça e translúcida, ataduras sobre os olhos como uma mórbida máscara mortuária de luxo. O assustador era que sua cabeça estava pairando a cerca de cinco centímetros *acima* do travesseiro, mantida ali por músculos enrijecidos. O médico de plantão disse a eles que, quando trocou as ataduras, a pupila de seu olho direito não havia mostrado nenhum reflexo. Seu olho esquerdo não reagiria a nada sem um transplante de córnea. Steve sabia por sua própria experiência médica como deveriam estar as coisas embaixo daquelas ataduras: tudo branco-acinzentado e enevoado, como se não houvesse globo ocular.

Nem Steve nem Jocelyn haviam dormido. Jocelyn não quis voltar a Black Spring, então fizeram o check-in no Ramada Inn do Stewart International Airport, onde o sr. Hampton estava hospedado. Steve não estava em condição alguma de ver o estado de Jocelyn. No bufê do café da manhã ela parecia estar sofrendo de alguma virose devastadora. Falava de maneira desconexa. Em seu choque, ela havia esquecido completamente do protocolo de Black Spring: a bruxa aparecia a todo instante em seu fluxo de palavras sem sentido, e em um momento determinado ela disse ao pai: "Foi Katherine quem fez isso". Mary, que lidava com a confusão maleável de Jocelyn de maneira surpreendentemente profissional, tentou acalmá-la sem contradizê-la, e por fim a levou para o banheiro das mulheres.

"Deus, que coisa terrível", disse o sr. Hampton. Seus olhos estavam vermelhos e ele não tinha feito a barba. Steve sempre gostou do sogro, mas ele e Jocelyn nunca foram capazes de fazer de suas famílias parte integral de suas vidas — e agora seus dois mundos, que estavam a quilômetros de distância um do outro, se afastavam de maneira nem um pouco natural. "Steve... quem é essa Katherine de quem Jocelyn não para de falar?"

Steve não fora capaz de dizer nada à sua esposa. Enquanto sua mente ficava reproduzindo os momentos críticos em um loop eterno, ele era ameaçado por uma dor de magnitude tão terrível que rapidamente voltou ao seu estado seguro de semiconsciência. Mas pelo menos aquela última parte da conversa ele havia registrado.

"Não sei", disse ele. E muito embora compreendesse naquele estágio inicial como era injusto ter que mentir a respeito da morte de seu filho, ele próprio se ouviu distorcer a verdade com facilidade desconcertante: "Ela está em estado de choque. A noção de tempo dela está perturbada. Será que ela conheceu alguma pessoa chamada Katherine no passado?".

"Não sei." De repente, o velho começou a chorar. Ele se curvou sobre a mesa e agarrou as mãos de Steve com punhos trêmulos. "Não acredito. Tyler, suicídio? Quero dizer, por quê? Você e Jocelyn realmente não viram... nada... nenhuma pista?"

Quando ele falou essas últimas palavras, sacudiu ferozmente as mãos de Steve. *Não, senhor*, queria dizer Steve, repentinamente enfurecido. *Nosso cachorro se enforcou numa árvore mês passado, mais alta do que qualquer homem normal poderia subir, e três garotos foram torturados na praça da cidade. Foi uma espécie de feira, na verdade. Mas, caramba, nós não esperávamos nada assim, claro que não. Tyler era tão...*

Ele logo percebeu, no entanto, o que seu sogro estava prestes a dizer, e um pânico terrível travou sua garganta, porque ele não queria ouvir aquelas palavras ditas em voz alta. E ainda assim ali estavam elas, e era como sal sendo esfregado em suas feridas abertas: "Tyler era um garoto tão cheio de vida".

É, tão cheio de vida, o Tyler, que garoto incrível ele era. Por que está falando dele no passado, seu idiota, como se ele não estivesse mais aqui, como se fosse algo que já aconteceu, caso encerrado? Que garoto cheio de vida. "Me ajuda, pai", pediu ele, e o que foi que eu fiz? O que foi que eu fiz?

Lentamente, Steve balançou a cabeça. "Não sei, Milford."

"E ele realmente não deixou nenhum bilhete, nada assim? Não preciso saber o que estava escrito, mas me faria bem saber que existia."

"Não. Eu não sei." Onde diabos estavam Jocelyn e Mary? Steve queria, *precisava*, que aquele momento acabasse.

O sr. Hampton puxou as mãos frágeis de volta e baixou o olhar. "Será possível que Tyler tenha feito aquilo com o irmão? Que tenha sido uma espécie de... ataque de loucura?"

Steve precisou morder com força os lábios já estuporados para se controlar. Com voz trêmula, falou: "Eu não sei, Milford".

+++

Eles foram levados a uma salinha para falar com o médico de Matt e um psiquiatra do hospital. Warren Castillo estava com eles também, para oferecer o apoio necessário... e para ficar de olho nos dois. Jocelyn parecia um pouco mais presente do que naquela manhã, e ela não revelou nenhuma informação confidencial. Em vez disso, começou a soluçar, fazendo uso abundante da caixa de lenços de papel na mesinha lateral.

Depois das perguntas esperadas, a maioria das quais permaneceu sem resposta, o médico disse: "Há outro assunto sensível que preciso discutir com vocês. No momento, não existe nenhum doador de córnea para Matt. Quanto mais cedo pudermos ajudá-lo, maiores serão suas chances de recuperar completamente sua visão. Vocês levariam em conta a possibilidade de nos deixar usar a córnea de Tyler para ajudar Matt?".

De algum modo, Steve havia esperado por isso, mas ele não conseguiu não ficar chocado. O psiquiatra falou: "Vocês não precisam responder agora. Pensem com calma. Talvez seja uma maneira de dar sentido à morte dele, por mais terrível que tenha sido".

Ah, claro, ele pensou. *Vamos pegar o melhor dos dois e transformar tudo num filho só. Deve haver alguma espécie de lógica oculta aqui, mas se existe eu não estou vendo.* Porém, ele imediatamente disse que sim, porque era o mais óbvio a se fazer.

"E a senhora? O que acha?"

Jocelyn enxugou os olhos. "Se você estiver de acordo, Steve, então vamos fazer. Tyler teria feito tudo por Matt."

Houve um momento de inquietação no qual o médico e o psiquiatra não disseram nada. Warren ergueu as sobrancelhas e os observou cuidadosamente. Jocelyn não reparou porque estava chorando outra vez. Mas Steve entendeu: eles não estavam acreditando nela. Assim como o pai de Jocelyn, eles estavam convencidos de que Tyler havia se voltado contra seu irmão com a pistola de colagem antes de se matar. Warren também percebeu isso, e ficou satisfeito. Steve sentiu seu coração se partir ao meio. Seu filho, seu Tyler, tinha sido forçado a tirar a própria vida contra a vontade, enfeitiçado por uma força grande demais para se compreender, uma força que também tinha arrebatado Matt, e todos achavam que Tyler ficara louco. Apenas um garoto triste e perturbado com sede de sangue, como aqueles que iam parar nos jornais.

Foi essa profunda injustiça que fez Steve chorar pela primeira vez: soluços longos e fortes, vindos de uma tristeza profunda, devastadora. E, como ele não tinha sido capaz de consolar Jocelyn antes, ela também não era capaz de consolar Steve agora. Os dois estavam sentados lado a lado em suas cadeiras, sozinhos e perdidos em suas tristezas, e Steve não sabia se teria sido capaz de receber o consolo dela mesmo que ela o tivesse oferecido.

Warren os conduziu para o Café Hudson View, ainda dentro do hospital. A janela enorme dava para o estacionamento ao lado da floresta, com o rio preguiçoso correndo logo atrás. A enorme árvore de Natal na entrada circular ondulava para a frente e para trás à medida que a luz do dia dava lugar à escuridão. O calorzinho da manhã havia sido dispersado por um frio cortante de dezembro. Não tão longe dali, no necrotério, em uma parte diferente do prédio, estava seu filho, nu e dissecado, e a esta altura o patologista de anatomia estaria removendo todos os seus órgãos vitais.

"Eu sinto muitíssimo", disse Warren, "mas precisamos tratar de umas questões práticas, antes que a Knocks & Cramer apareça e comece a organizar o funeral. Vocês querem que Tyler seja cremado ou enterrado?"

"Enterrado", disse Steve quase sem pensar, e Jocelyn o encarou completamente espantada.

"Steve..."

Eles não tinham seguro funerário, embora dinheiro não fosse problema. Steve sempre acreditou que eles não fossem do tipo que atribuía qualquer valor simbólico a um túmulo. Tinham conversado no passado que queriam ser cremados após a morte — hipoteticamente falando, claro, do jeito que você diz essas coisas quando a morte parece muito distante. Mas agora ele via seus amigos e sua família indo à sua casa com eles após a cerimônia de cremação e comendo as saladas e os quiches que tinham trazido, enquanto Tyler era enfiado em um forno. O calor iria queimar e enegrecer sua pele macia, chamuscar seus cabelos, e em questão de minutos romper os músculos que haviam composto o corpo de seu filho por tantos anos. Nada restaria de Tyler a não ser uma pilha de cinzas e fumaça que sairia de uma chaminé e seria levada para longe, no frio, enquanto suas moléculas se dispersariam pelos telhados de uma centena de casas. Steve não podia suportar isso, e sabia que queria manter seu filho por perto, não importava de que maneira.

"Vamos enterrá-lo", repetiu ele.

"Ah, Steve, não sei...", disse Jocelyn. "Tyler sempre quis sair de Black Spring, descobrir o que há lá fora... Não seria melhor se espalhássemos suas cinzas em algum lugar adequado...?"

Mas Steve se recusou a ceder. Não sabia ao certo o motivo. Talvez fosse uma escolha egoísta, mas parecia importante, como se algo de fora o estivesse inspirando e ele estivesse obedecendo a essa voz interior.

"Eu quero que ele fique conosco, Jocelyn. Quero poder ir visitá-lo."

"Ok, vou deixar você decidir", disse ela. Era Tyler, afinal; se Matt tivesse morrido, ela teria tomado a decisão.

"Onde querem enterrá-lo?", perguntou Warren.

Ao lado de Fletcher, no quintal, pensou Steve subitamente, e sentiu seu corpo gelar.

"Em Black Spring."

"Eu temia isso", suspirou Warren.

"Isso é um problema?"

"Não. Claro que não. Vocês terão oportunidade de fazer isso do seu jeito, podem confiar. Só estamos preocupados — para dizer o mínimo. Os padrões de Katherine têm mudado e isso está apavorando todo mundo na cidade. Não sabemos o que esperar."

"Warren, Tyler deve tê-la ouvido sussurrar de alguma maneira. É a única explicação razoável, não é? Foi um acidente horrível."

Warren abaixou a voz. "Ela atacou Robert ontem à noite."

Steve e Jocelyn olharam para ele, chocados.

"Não se preocupem, ele está bem. A gente só ficou preocupado, só isso. Apenas não estamos conseguindo entender — pareceu um ataque deliberado."

"Por que ela faria algo assim?", perguntou Jocelyn, e sua voz, já trêmula, agora desabou. "Por que ela matou Tyler, Steve? Eu tento não pensar nisso, mas não consigo parar de vê-lo... pendurado ali... e aí eu vejo Matt enfiando aqueles cogumelos na boca... Aquilo não era ele, você sabe; ela o levou a fazer aquilo, *ela* queria tirar Matt de nós também... E toda vez que tento lembrar do rosto de Tyler não consigo... tudo que consigo ver é o rosto *dela*... e os olhos dela estão abertos... e ela está olhando para mim..." Lágrimas desciam pelo seu rosto. "Ah, Steve, por favor, me ajude, me abrace, por favor."

Me ajuda, pai.

Steve a abraçou. Ele a envolveu em seus braços e a abraçou enquanto ela chorava, inconsolável, na camisa dele, mas isso não o ajudou em nada. Era como se estivesse abraçando uma massa sem forma. Enquanto isso, ficava olhando pela janela as pessoas que desciam a passagem circular no vento forte, possuídas por seus próprios fantasmas e memórias malignas. Mas elas estavam indo para casa, e seus motivos para estar no hospital iriam embora; em casa, seus filhos estariam esperando por elas junto da árvore de Natal. Steve viu à sua frente uma imagem assustadoramente clara de crianças flutuando em jarros grandes de formol sob galhos de pinheiro; corpos nus e inchados de crianças numa água amarelada, e uma delas era Tyler, os olhos arregalados refletindo as luzes natalinas.

+++

O velório de Tyler foi na terça-feira. Como a única casa funerária de Black Spring ficava no lar Roseburgh para idosos, eles optaram pelo solário aos fundos do Homem Calado. Tyler gostava de ir até lá para tomar cerveja sem álcool com os amigos, e o barman contou a Steve, com lágrimas nos olhos, que ele sempre fora uma visão exemplar e encantadora.

A confusão de Jocelyn chegou ao auge na tarde de segunda-feira. Ela começou a imaginar que nenhuma dessas coisas terríveis tinha realmente acontecido e a ter ataques de pânico. Steve a encontrou em seu Limbo, onde ela estava puxando os fios do tapete um por um. O dr. Stanton tinha lhe dado um antipsicótico à noite e ela dormiu pela primeira vez desde sexta-feira, o que representava algum progresso.

Pete implorou a Steve que dividisse sua atenção entre os membros restantes da família. No fundo, ele sabia que seu amigo tinha razão. Jocelyn estava em um estado de colapso total e Matt não melhorava. Embora o transplante de córnea tivesse sido um sucesso, não havia nenhum sinal verdadeiro de consciência. Entretanto, Steve era incapaz de dar a seu filho mais novo ou à sua esposa a atenção de que precisavam e provavelmente mereciam; sua mente estava assolada pelos pensamentos de Tyler.

No começo daquela manhã, o corpo de Tyler havia sido levado ao Homem Calado em um moderno caixão de madeira de cor clara. Steve e Jocelyn estavam lá e haviam passado um momento a sós com ele antes do fechamento do caixão, mais tarde naquele dia. Tyler estava vestido justo como eles queriam que ele estivesse, jeans, camiseta branca com gola V e seu cardigã favorito — as mesmas roupas que teria vestido em vida. O homem da casa funerária tinha realmente feito um ótimo serviço nele. Até os hematomas da corda, que Steve sabia que deviam estar visíveis no seu pescoço, haviam sumido.

Ele era tão bonito. Seu filho. Seu Tyler.

Ele parecia dormir. Tão em paz. Tão vivo. Uma sensação incômoda se instalou sobre ele de que, na verdade, Tyler estava mesmo dormindo e apenas esperando para abrir os olhos, se espreguiçar e sair do caixão. Mas o pulsar suave do gerador embaixo do leito resfriador estilhaçou essa ilusão. Tyler estava se decompondo de dentro para fora, um processo que só poderia ser reduzido um pouco. Se você abrisse uma de suas pálpebras, veria uma bola de isopor olhando para você; a solução do patologista para preencher a órbita.

Laurie chegou. Seus pais não tinham sido capazes de sair do trabalho para o velório, disse ela, mas estariam no enterro. Steve chorou com ela e depois a acompanhou até lá dentro.

"Será que eu posso... tocar nele?", pediu ela depois de um tempo.

"Claro, querida", disse Steve. Ela cuidadosamente pegou a mão de Tyler, mas rapidamente a soltou, talvez assustada pela sensação de frio e rigidez.

Sim, é assim que a coisa é, pensou Steve. *Você pode soltá-lo. Vai doer por um tempo, mas sua vida seguirá em frente. Pode ser que no próximo verão você arrume um novo namorado, e Tyler não será nada a não ser uma memória dolorosa que aos poucos desaparece.*

"Eu não consigo entender", soluçou Laurie, enxugando as lágrimas dos olhos com a manga.

Steve sentiu uma descarga elétrica súbita no salão que parecia estar direcionada a ele. Agora era a hora em que deveria perguntar se Laurie tinha reparado algo de estranho a respeito de Tyler... algo que pudesse explicar seu suicídio inesperado. Percebeu que isso era esperado dele, e que talvez Laurie estivesse magoada porque ele não a envolvera nisso. Mas Steve não podia fazer isso. Esse teatro teria de vir depois, não na frente de Tyler.

"Nem eu, Laurie", disse ele finalmente, tremendo.

Então vieram todos os outros. A morte de Tyler os havia atingido como uma bomba dentro da comunidade de Black Spring e além dela. Uma estranha tensão isolada ricocheteou na sala dos fundos do Homem Calado naquela manhã. Era mais do que simplesmente compartilhar o luto: era uma colisão frontal de tanta gente de Black Spring com tantos Forasteiros, as pessoas que sabiam e as pessoas que não sabiam. Nem mesmo as trilhas animadas da banda Owl City — a favorita de Tyler — tocando no fundo foram capazes de amenizar a tensão. Era como se as fronteiras da cidade estivessem correndo diretamente através da taverna naquela manhã, e aqueles que viviam de um dos lados afastassem os demais do outro. O pessoal da cidade estava congelado até os ossos. Tyler tinha sido tocado por Katherine. A maldição da bruxa estava nele. Isso era tão sutil que os membros da família de Tyler, os colegas da O'Neill, os torcedores do Raiders e professores Forasteiros nem sequer notaram, mas a procissão que passava na sala principal para seu caixão se movia com uma certa pressa e não se aproximou além de um metro do leito resfriador. As pessoas da cidade mal conseguiam olhar para Tyler; faziam um sinal da cruz ou gestos para protegê-los do mau-olhado. Quando saíam pela sala dos fundos do Homem Calado, ficavam muito aliviados. Era ridículo; Steve sentiu nojo. Se Tyler não tivesse sido uma pessoa tão adorada na cidade, a maioria esmagadora dessas pessoas não teria sequer coragem de se despedir dele.

No meio do velório, ele levou Jocelyn até um canto. Pálida como um lençol branco, ela parecia prestes a ter um ataque de nervos. Seu rosto estava arrasado e suas mãos tremiam. "Você vai conseguir?", perguntou ele baixinho.

"Eu não sei, Steve. Se eu ouvir mais um maldito clichê, acho que vou gritar." Ela havia obviamente ficado arrasada com todas as condolências, cada uma cortando mais fundo, abrindo mais feridas, desde a frase "o tempo cura todas as feridas", e "a vida nem sempre é justa", que não faziam o menor sentido, até os não muito promissores "sete anos de fome serão seguidos por sete anos de fartura" e o profundamente incompreensível "eles vêm por um lado e vão por outro".

"Quero dizer, o que é que estão tentando me dizer, pelo amor de Deus?", perguntou Jocelyn, profundamente perturbada. "Será que eles realmente pensam que eu de repente vou começar a dar pulinhos, melhorar e dizer: 'Ah, muito obrigada, senhora, eu realmente não sabia disso. Nesse caso a coisa não é tão ruim assim, é?'."

"Calma, calma", disse ele abraçando-a. Ela voltou a chorar, e quando Mary viu como ele estava pouco à vontade, tomou o lugar dele com certa hesitação. Steve queria mostrar sua gratidão, mas Mary baixou a cabeça com uma leve reprovação. Ninguém era bom nisso, ele deduziu. Só podiam tentar fazer o melhor possível.

Griselda Holst levara uma impressionante torta de carne. Steve não sabia o que fazer com aquilo, mas não teve coragem de rejeitar o presente. Até Pete tirá-lo dele, Steve ficou ali parado, todo desajeitado, com a torta na mão.

"Eu me sinto tão mal por vocês todos", disse Griselda, tocando rapidamente o braço de Steve. Ela ficava olhando para ele e depois para cima e para baixo, como se sentisse culpa simplesmente por ser uma residente do lugar que tinha custado a vida de Tyler.

"Obrigado por vir, sra. Holst", disse Steve com frieza.

"Rezo toda noite por seu outro filho." Ela olhou ao redor e disse baixinho: "Não consigo entender por que Katherine faria algo parecido. Ele só queria ajudá-la, certo? Nós todos vimos que ele estava do lado dela".

Steve não sabia o que dizer. Falar de quem estava do lado de quem o atingia como algo absurdo, na melhor das hipóteses. "Obrigado, sra. Holst. Como vai Jaydon?"

Mais uma vez, aqueles olhos nervosos olhando para baixo. "Não tão bem. Mas ele vai melhorar."

"Lamento pelo que aconteceu. Quero que saiba que eu fui contra — contra a maneira como tudo aquilo foi tratado."

"Muito obrigada por dizer isso. Nunca tive nada contra você."

Nada contra mim? Steve quis perguntar, mas então ele compreendeu, e por um breve momento um insight terrível disparou em sua cabeça com medo agudo e paralisante... E desapareceu com a mesma velocidade, como um tsunami que tivesse exposto algo à margem e depois recoberto tudo novamente com água. Steve tentou se apegar àquilo, mas perdeu. Todas aquelas pessoas. Todas aquelas palavras. Quanta dor um homem poderia suportar em seu coração? Por que tudo parecia tão sem sentido? Ali e agora, seu luto tomou conta dele de forma mais intensa do que nunca, e Steve teria dado tudo, literalmente tudo neste mundo, para desfazer aquilo, para voltar uma semana e ficar com seu filho durante aqueles últimos dias para impedir o que havia acontecido com ele.

Talvez pudesse ter sido o fim: aquela intensa tristeza pessoal que destruiria suas vidas por muito tempo mais e que um dia evoluiria em algo suportável, até finalmente se tornar uma memória. E talvez chegasse o dia em que eles, como uma família, seriam capazes de continuar a vida sem Tyler. Mas Griselda Holst fora a primeira a proferir o nome da bruxa, então ele concentrou sua tristeza em Katherine van Wyler. E Steve só conseguiu pensar em por quê. Por que alguém teria tanta maldade e faria pais inocentes sofrerem de modo tão terrível? A mulher do açougueiro podia ser um pouco excêntrica, mas tinha razão: Tyler estava do lado *dela*, diabos. Ele quis protegê-la daqueles filhos da puta que colocaram tudo aquilo em movimento com seu plano doentio de jogar pedras nela. Tyler quis ajudá-la; será que ela não podia ter demonstrado um pouco de misericórdia? Afinal, a própria Katherine tinha sido forçada a matar seu próprio filho ressuscitado, então como poderia...

A coisa o atingiu como uma avalanche. Diante dos próprios olhos de Steve, o café da cidade começou a desabar, e as pessoas vestidas de preto se dissolveram de seu campo de visão. Como se fosse de uma grande distância, ouviu Griselda Holst dizer: *Ele só queria ajudá-la, certo? Nós todos vimos que ele estava do lado dela.*

Pete VanderMeer, na noite em que colocaram os Delarosa a par da situação: *Em outubro de 1664, o filho de nove anos de idade de Katherine morreu de varíola. Testemunhas afirmam que a viram, vestida em roupas de luto, enterrando o corpo dele na floresta. Mas, alguns dias depois, o povo da cidadezinha viu o garoto caminhando pelas ruas de New Beeck como se Katherine o tivesse erguido dos mortos, como Jesus fez com Lázaro.*

Ele só queria ajudá-la, certo?

Se trazer os mortos de volta à vida não é a prova definitiva de que você está mexendo com coisa que não devia, eu não sei mais o que é.

Depois de ser torturada, ela confessou, mas até aí todos confessavam.

Depois de ser torturada, ela confessou.

Ele só queria ajudá-la, certo?

Ressuscitar os mortos...

Um estremecimento de primitiva compreensão percorreu a espinha de Steve, e ao longe ele ouviu o latido de um cão, naquela noite fria de novembro, apenas um mês e meio atrás, um cão cujo latido parecia tanto com o de Fletcher.

26

Tyler foi enterrado na manhã de quinta-feira no cemitério St. Mary, atrás da igreja, o maior dos dois cemitérios de Black Spring. O tempo estava ruim, e uma luz baça de dezembro recebeu os enlutados, que compareceram aos montes. Duas pessoas que só permaneceram por parte da cerimônia, cada qual por seus próprios motivos, foram Robert Grim e Griselda Holst.

Griselda ficara sentada nos fundos da igreja durante a cerimônia. Agora ela caminhava até uma elevação no alto do cemitério, na margem atrás do grupo de gente que chorava, que havia se reunido nas trilhas e entre os túmulos durante todo o caminho até o portão de ferro forjado e além. Ela não se atrevia a se misturar com eles. Desde o julgamento e a tortura de Jaydon, eles fizeram dela uma pária. O povo da cidadezinha a evitava como se fosse a peste. Black Spring jamais havia se recuperado por completo de 15 de novembro. As pessoas simplesmente não pareciam saber como se relacionar mais umas com as outras. Para muitos, os excessivos acontecimentos assustadores naquela encruzilhada tinham sido tão terríveis e inconsistentes com suas ideias de moral que elas os apagaram da memória. Nas ruas, trocavam meros cumprimentos formais, e não se dizia uma só palavra sobre o que havia acontecido. Cada um tinha a mesma expressão de vergonha no rosto, pois cada um trazia em si a culpa daquela infâmia.

Desde o dia, no final de novembro, em que Griselda havia reaberto sua loja, eles tinham evitado o Griselda's Butchery & Delicacies. A clientela se reduziu a um pingar esporádico, muito pouca gente para cobrir as despesas, e Griselda se preocupou com seu futuro. De forma suficientemente irônica, entendia mais do que nunca como a pobre Katherine devia ter se sentido. Katherine também tinha sido uma pária, a escória da sociedade. Griselda sentia intensamente que elas eram espíritos irmãos, mas, desde que fora expulsa do Conselho, não se atrevia mais a procurá-la. Era uma agonia, mas Griselda estava apavorada com a possibilidade de ser apanhada pelas câmeras de segurança. E, mais que tudo, estava apavorada com a ira de Katherine.

Para Griselda, a mãe de Tyler Grant, vestida em um casaco preto, parecia ter envelhecido seis anos em seis dias. Estava sendo apoiada pelo seu pai, um forte homem Forasteiro na casa dos setenta anos, e ficava olhando ao redor numa descrença cada vez maior, como se tentando confirmar que seu filho mais novo realmente não estava presente no enterro do irmão. Era tão trágico: aquele pobre menino internado no hospital em Newburgh. Corria um boato de que ele entrara em estado psicótico do qual jamais acordaria. Steve Grant estava em pé ao lado de sua esposa, mas Griselda não deixou de reparar que ele não tocou nela uma vez sequer durante toda a cerimônia. Parecia alienado e obcecado, como um homem que perdera a capacidade de reconhecer a realidade.

A família Grant não era religiosa, mas devido ao impacto da morte na comunidade o pastor tinha concordado em dizer algumas palavras... discretas, como de costume, quando havia Forasteiros presente. Griselda passou os olhos pela multidão. Ficou chocada ao ver Colton Mathers oculto na sombra do crucifixo nos portões de ferro. Seu rosto tinha a ausência de emoção do mármore branco, e suas mãos grandes de veias azuis estavam enfiadas no fundo dos bolsos do casaco. Griselda sentiu um surto de ódio frio para com o conselheiro, que havia caído em cima dela como uma tonelada de tijolos, justo como os outros tinham feito.

Ela era uma pária. Ela, Griselda Holst, que fizera todo o servicinho sujo naquele caso do Arthur Roth e cuja mediação com Katherine por todos aqueles anos havia impedido certas coisas — coisas como *esta* — de acontecer.

Griselda levou o lenço ao nariz e assoou com força ao deixar o cemitério em estado de fúria.

+++

Logo do lado de fora do portão, Griselda quase esbarrou em Robert Grim, e murmurou um palavrão. Não se surpreendeu por ele não a reconhecer, pois Robert Grim era uma mera sombra do homem que fora um dia — até a noite de sexta-feira passada, para ser exato. Ele estava todo enrolado em seu casaco, e não havia vestígio daquele olhar cínico em sua cara. Seu rosto parecia contorcido, e com dedos trêmulos ficava espetando a ponta de um cigarro entre os lábios, hábito que havia abandonado vinte anos antes, mas que retomara no sábado de manhã.

Fumava basicamente para apagar o fedor de sua memória.

O fedor maligno e sombrio da bruxa.

Grim escondera o fato de seus colegas de trabalho e se forçou a continuar com seu serviço, mas a verdade era que sofrera um ataque de nervos. O ataque certeiro de Katherine havia confirmado sua premonição. A voz interna que o avisara de uma tempestade que se aproximava agora soava cada vez mas profunda, não só sombria, mas obsessiva e malevolente. O pessoal da cidadezinha parecia sentir isso também. Eles ficavam olhando para o céu sem razão aparente, ou espiando além das tumbas, desejando poder voltar para casa e se trancar atrás da segurança enganosa de portas fechadas. Estavam doentes de medo, e Robert Grim também. Se fosse capaz de fugir correndo disso, ele o teria feito. Mas não havia como fugir de Black Spring. Além do mais, ele se sentia responsável. Talvez conseguisse ficar um passo à frente dela.

Grim se afastou da cerimônia e olhou para os carros dos Forasteiros estacionados, formando uma imensa fileira melancólica que começava na praça da cidade e descia direto ao longo da Lower Reservoir Road e subia a colina. Sua mão nervosa mexia em seu celular, esperando más notícias. Katherine estava na floresta a dois quilômetros a oeste e toda a equipe da HEX estava de sobreaviso, pronta para interferir se a situação exigisse. Voluntários haviam assumido suas posições ao redor do cemitério caso ela decidisse se mostrar, em um excesso de mau gosto. Grim quase esperava que isso acontecesse.

E o que aconteceria então?, pensou ele. *Se ela estiver planejando dar um showzinho, vamos ter de dançar conforme a melodia como malditos fantoches.*

Seus dedos congelaram numa câimbra. Katherine o atacara justo quando ele já começava a perceber que tudo isso fazia parte de um plano preconcebido. Poderia ser uma coincidência?

Ah, qual é.

Mas o que significava se ela realmente tivesse calculado tudo isso? Ah, se ele apenas pudesse ver o que estava dentro desse círculo cada vez mais estreito de acontecimentos relacionados, essa corrente que havia sido forjada elo após elo... E se somente ele, por Deus, fosse forte o bastante para impedir?

+++

Descendo um pouco mais a colina, Griselda Holst estava voltando para a loja, curvada na direção do vento. Queria ver como Jaydon estava passando. Doodletown o deixara alquebrado, e ele não quis ir ao funeral de seu ex-amigo.

Desde sua soltura, quase duas semanas antes, Griselda tinha ficado com um pouco de medo — não de Jaydon, mas de si mesma. Lembrava de estar sentada no sofá com seu filho na noite em que ele foi levado para casa. Jaydon, que agora andava como um velho frágil, havia se enroscado contra ela como um bebê, a cabeça em seu colo. Adormeceu quase na mesma hora. Griselda acariciou seus cabelos, cantarolando baixinho. Foi um momento de intensa confusão e conflito interno: ela aninhou seu filho com amor, algo que não tinha sido capaz de fazer desde que Jim fora embora... Mas mesmo assim foi seu filho que apedrejou Katherine. Sua Katherine. Ela o odiava ao mesmo tempo.

Com cuidado, Griselda levantou o colarinho da camisa de Jaydon. Ele não acordou. Ela fez uma careta quando reparou na revoltante paleta de cores de feridas mal-curadas e na pele rasgada em suas costas. Durante seu período condicional, os psiquiatras ajudariam Jaydon a lidar com os sintomas de seu trauma, mas Griselda sabia que aquelas cicatrizes eram para toda a vida. Por três solitárias semanas, ela tentara, para melhor ou para pior, se preparar para a libertação dele, mas aquela era uma realidade que tinha ignorado completamente: *todos sabem que ele traz essas cicatrizes. Todos sabem o que Jaydon fez. Ele levará para sempre esta maldição consigo.*

Griselda pegou seu kit de costura e cantou uma canção de ninar baixinho para seu filho, alternando amor e ódio: "*As rodas do ônibus giram giram, giram giram...*".

Ela passou a agulha pelo tecido e cortou o fio com um par de tesouras de costura. Toda vez que sua mão estava livre ela fazia um carinho no cabelo de Jaydon.

"*A buzina do ônibus faz bi bi bi, bi bi bi...*"

De repente, Griselda parou de pespontar e olhou para cima assustada, tesouras de costura numa das mãos, a outra fazendo um carinho casual nos cabelos de Jaydon.

"*Os bebês no ônibus fazem nhém, nhém, nhém, nhém...*"

Amor e ódio, amor e ódio.

"*As mamães nos ônibus... fazem...*"

De repente, Griselda teve a ideia de enfiar a tesoura de costura na garganta de Jaydon, abaixo do movimento ritmado de seu pomo de Adão. Foi um pensamento puramente racional, não nascido do ódio, mas do amor.

Seria algo como acabar com seu sofrimento. Jaydon não tinha mais vida naquela cidade, e não havia alternativa. Griselda não teria o direito de dar sentido à vida do filho fazendo um último sacrifício para Katherine?

Griselda Holst, cujo gênio poético normalmente não passava da apreciação de cartões bonitinhos da Hallmark, agora pensou: *Foi meu sangue que atirou aquelas pedras horríveis em você. Agora eu lhe dou meu sangue. Do jeito que um dia forçaram você a matar seu próprio sangue.*

Prendendo a respiração, ela pressionou a ponta da tesoura na pele pálida da garganta de Jaydon.

A carne cedeu suavemente.

Jaydon não se moveu.

Naqueles poucos segundos cruciais, ela tentou imaginar como seria a vida sem Jaydon, uma vida na qual não teria mais de escondê-lo como um segredo vergonhoso nos fundos do açougue, uma vida sem seus ataques e suas agressões, sem que ele frustrasse seus esforços para obter a graça de Katherine...

Mas aí Jaydon se mexeu no sono; pôs a mão na coxa dela — e esse gesto, o gesto que desarmava, o gesto de uma criança procurando instintivamente o apoio da mãe, fez com que ela de repente voltasse a si. Seu coração batia rápida e dolorosamente no peito, e com um gemido contido ela jogou a tesoura num canto da sala. Griselda apertou os lábios e lutou para recuperar o autocontrole.

"Quieto, bebezinho", disse ela, e começou a acariciá-lo de novo. "Calma. Você está seguro com a mamãe. Mamãe é a única pessoa que você tem. Nunca mais ninguém vai te machucar."

E era quase como se ela pudesse ouvir Jaydon responder: *Vamos garantir que todos paguem pelo que fizeram, mamãe.*

Agora não era Jaydon que estava sendo enterrado, mas Tyler Grant. Como se Katherine lhe tivesse dado o sinal de que os havia perdoado. E enquanto Griselda Holst, o rosto doendo pelo frio, enfiava a chave na fechadura da loja, ela pensou: *Sim, meu filho, eu vou levar você comigo, para a graça de Katherine. Vou mostrar a você o caminho certo. Somos nós e Katherine contra o resto deles.*

O sininho tocou, e foi o fedor que a atingiu primeiro. Quase vomitando, ela recuou e botou a mão na boca. Agarrou a moldura da porta, respirando com dificuldade e olhando para a carne embalada sem acreditar. No começo, ela não entendeu o que via; achou que alguém havia retirado toda a carne dali e substituído por um estranho cobertor de pó. Então viu que estava tudo coberto por uma camada azul acinzentada de mofo, como tecido esponjoso numa ferida infectada, fosco mas brilhando na luz clara da vitrine. Toda a sua carne, da esquerda à direita, estava estragada e cheia de ovos de vermes, como se tivesse ficado fora por semanas em vez de pouco mais de quarenta minutos. A carne moída estava infestada de vermes pálidos. Os filés estavam descoloridos como pulmões com tuberculose. As almôndegas que ela havia preparado naquela manhã fediam como se estivessem apodrecendo no molho desde outubro. Uma espuma grossa e amarelada estava colada no cozido, infestada de vermes.

É um presságio, pensou Griselda, apavorada. *Ah, meu Deus, que diabos está acontecendo?*

Lá fora, os sinos funerários começaram a tocar, e Griselda se encolheu com um grito; e a vinte quilômetros, ao norte, os olhos cegos de Matt subitamente se abriram sob as ataduras. E, quando a enfermeira correu para ver o que estava acontecendo, ele gritou: "Não faça isso! Não faça isso! Não deixem eles abrirem os olhos dela! Mãe! Pai! Não deixe eles abrirem os olhos dela!".

27

Depois do enterro, Jocelyn disse que queria ir com seu pai para St. Luke, para ficar com Matt. O dia seguinte marcaria sua primeira semana em Newburgh. Depois que todos finalmente tinham voltado para casa naquela tarde — as condolências pareciam intermináveis —, Jocelyn disse a Steve que se não houvesse melhoria até a semana seguinte teriam de pensar numa maneira de trazer Matt de volta a Black Spring... antes que o poder *dela* sobre o filho mais novo deles se tornasse forte demais.

Steve concordara de modo ausente e disse que ainda precisava resolver algumas coisas com o diretor da funerária, mas que iria a Newburgh mais tarde. Enquanto isso, estava pensando: *Lá vem de novo seu filho mais jovem. Seu único filho agora, não se esqueça disso.*

Metido em seu terno preto, mas com colarinho desabotoado e a gravata frouxa, ele caminhou até o fim do pátio, onde ficava o túmulo de Fletcher. O real motivo para não ter ido a Newburgh é que desejava ficar sozinho em seu mundo. Uma parte insistente de seu cérebro se recusava a aceitar o fato de que agora só tinha um filho, se recusava a deixar Tyler partir. Nunca deixava estar; ficava vindo sem parar. A presença de tantos rostos familiares no enterro tinha de certa forma forçado um isolamento em seu desespero, mas depois retornou com toda a sua intensidade. Aquilo tentava distorcer a realidade, e o atingia diretamente na alma toda vez que ele era confrontado com os fatos. Provocou um curto-circuito que o fez se afastar não só de sua família, mas também de si mesmo. Apesar de sua angústia, percebeu que, ao se isolar, jogava um jogo perigoso. Na terça-feira, depois do fechamento do caixão, ele havia considerado brevemente — e em completo domínio de seus sentidos — o suicídio como uma conclusão lógica de sua dor. Pareceu estúpido, um ato de profunda autopiedade.

Steve Grant não acreditava no pós-vida; isso não traria Tyler de volta.

Estava gelado e a luz da floresta tinha um toque hostil. Anos atrás, antes de construir o estábulo, o pequeno Tyler tinha passado vários verões dando cambalhotas no trampolim aqui, com um preguiçoso afastamento e uma fé cega, como se o futuro não existisse. Steve se lembrou de que Jocelyn ficara com um pouco de medo do poço escuro abaixo do trampolim. Um dia, uma das molas se romperia e Tyler acabaria com uma perna quebrada e preso naquele buraco escuro. Posteriormente, eles tiraram o trampolim, mas o buraco permaneceu: o buraco era a morte, que acabou apanhando o garoto, no fim das contas. Ele estava naquele buraco agora, a pouco mais de um quilômetro e meio de distância, no cemitério St. Mary, um buraco escuro, e era lá que ele ficaria.

Steve se ajoelhou diante do montinho do túmulo de Fletcher com a lápide de madeira que Matt havia feito e sussurrou: "Ei, garoto, tome conta de Tyler, ok? Sei que você teria dado sua vida por ele. Eu faria o mesmo".

Ele então ouviu a voz de Tyler: *O Fletcher tá morto, Matt. Você já ouviu Fletcher uivar assim antes?*

Não, mas também ele nunca esteve morto antes.

Steve sentiu um arrepio percorrer todo o seu corpo. Ele havia ignorado aquilo, achando que era bobagem naquela noite, mas também era verdade, não? Fletcher estava morto... Exceto que, naquela noite, quando o ouviram uivando na floresta, ele não estava. Naquela noite, ele foi trazido de volta à vida por Katherine.

Não. Nós não pensamos esse tipo de coisa.

Ele se encolheu e refletiu: *Depois parei de acreditar em bruxas, mas continuava fazendo isso como exercício de equilíbrio.*

Alguém deu um pigarro, e ele levantou a cabeça, assustado. Era Lawrence. Parecia triste e cansado em seu traje fúnebre. "Desculpa, não quis assustar você."

"Sem problemas, Lawrence. Você está bem?"

O garoto deu de ombros, como se quisesse dizer que *ele* estar bem era irrelevante. "Eu queria agradecer você pelo que fez. Por não entregar a gente, Tyler e eu, quero dizer."

Lawrence deu a volta e parou próximo à lápide. "Ele era louco pelo Fletcher, sabe. Talvez... se o Jaydon não tivesse jogado o cachorro em cima dela... talvez nada disso tivesse acontecido. Ele não merecia, sabe..." Sua voz ficou esganiçada e lágrimas correram por seu rosto. Steve sentiu algo estourar em sua garganta.

Não, Tyler não merecia isso — Tyler não. Não deixe ele fugir de você, porque você nunca vai se perdoar se fizer isso. Se houver dor, abrace essa dor; se houver uma chama, não a apague. Deixe-a queimar, mantenha-a viva. Sim, mantenha-o vivo...

Oh, meu Deus. Era demais. Aquela dor era grande demais; não era capaz de suportá-la. Cada célula de seu corpo desejava gritar tão intensamente por Tyler — para abraçá-lo, para lhe dizer que ele o amava. Teria dado literalmente tudo pela chance de desfazer o que havia acontecido. Não havia furo de reportagem para Tyler, não havia bela namorada da cidade; ele tinha morrido enforcado com a consciência intacta, inteiramente ciente do que estava acontecendo enquanto o mundo se apagava ao seu redor.

Do modo mais contido que pôde, Steve disse: "Talvez você deva ir para casa agora, Lawrence".

Lawrence enxugou suas lágrimas. "Preciso te dizer uma coisa. Se não fizer agora, não vou fazer nunca. É sobre o Tyler."

Steve fechou os olhos com força, respirando muito fundo. Aquele garoto da casa ao lado achava que lhe devia algo, e agora, no momento mais obscuro de seu luto, ele o procurara para tirar um peso de suas costas. Steve entendeu que teria de beber aquele remédio amargo até a última gota.

"O que é?", perguntou ele, sonolento.

"O Tyler nunca teria feito uma coisa dessas sozinho. Deve ter ouvido ela sussurrar. Não tem outra explicação. Mas o Tyler nunca foi mau com ela. Os outros foram, mas o Tyler, não. Ele sempre defendeu a bruxa. No começo, não entendi por que ela ia querer se vingar dele. Mas então percebi logo que não foi *ela* quem fez isso."

Silêncio, o tempo passando. "Como assim?"

"A gente fez uma gravação do sussurro dela. Fizemos um cara de Highland Falls ouvir, pra provar que isso não machucaria o cara. Achamos que o Tyler apagaria a gravação quando vocês dois foram pra HEX. Mas sabe... a gente gravou tudo com o telefone do Jaydon. Eu vi o Jaydon apagar o arquivo, mas e se estivesse só fingindo? Pensei: 'Não, eles pegaram aquele babaca. Eles devem ter limpado o celular dele na hora'. Mas era um arquivo de áudio. Aquilo me assustou. Quero dizer, por que é que eles mexeriam nas músicas dele?"

Steve compreendeu o que Lawrence estava querendo dizer antes mesmo que ele dissesse. "E se Jaydon ainda tiver a gravação?"

Nunca tive nada contra você, ouviu Griselda Holst dizer. Não, talvez ela não tivesse. Agora ele entendia. Em um clarão de horror, tudo se encaixou. Seu queixo pareceu cair sozinho, e pensou no que o havia atingido na margem do rio Hudson, quando limparam o MacBook de Tyler: talvez não tivesse feito um favor a Tyler poupando-o.

Lawrence tinha acabado de agradecer a ele pelo que havia feito, mas se o que ele sugeria fosse verdade, então Steve, apesar de todas as suas boas intenções, era o responsável pela morte de seu filho.

Fechou os punhos de modo incontrolável, e por um momento o quintal girou perigosamente diante seus olhos, como se estivesse prestes a desmaiar. Sua cabeça latejava junto com as batidas de seu coração enquanto o sangue era drenado. Ele conseguiu ouvir a voz distante de Lawrence: "Talvez você consiga encontrar algo no laptop dele. Sei que ele escrevia muito sobre o que estava fazendo, mesmo que não colocasse on-line. Talvez ele tenha escrito alguma coisa nesses últimos dias".

Steve se ouviu dizer: "Eu não sei a senha dele".

"Ah, mas eu sei."

"E qual é?"

"Seu aniversário."

+++

Alcançou o vaso sanitário bem na hora e vomitou o meio bolinho e o gole de café sem gosto daquela manhã em um jato nojento. Caiu de joelhos, abraçando o vaso com os dedos, e ali ficou, os olhos fechados, a cabeça pesada de exaustão física e mental até o enjoo passar. A maior parte do que saiu foi bile; ele mal tinha sido capaz de descer qualquer coisa pela garganta por dias. Quando se sentiu melhor, deu descarga, se levantou e foi até a pia. Lavou a boca, jogou água na cara e então se olhou no espelho para ver o estrago.

Parou bruscamente. Atrás do vidro da janela do banheiro havia uma coruja marrom. O pássaro trazia um ratinho no seu pequeno bico curvado. O pequeno animal havia sido destroçado sem muito esmero e uma fileira de intestinos pendia de seu corpo mutilado. Os grandes olhos dourados da coruja encararam-no friamente, até que Steve deu uma batida repentina na janela.

Com dois espasmos rápidos, a coruja jogou a cabeça para trás e engoliu a presa de uma vez só. Bateu as asas e sumiu instantaneamente.

Tomado pelo desejo de manter seu filho vivo, Steve subiu as escadas tropegamente para descobrir os últimos fatos a respeito de sua morte.

O quarto de Tyler estava intacto desde a última sexta-feira. Steve só tinha voltado no cômodo para pegar no armário as roupas com as quais enterraria o filho. Aquilo mostrou imediatamente como a atmosfera estava anormalmente parada, enquanto o cheiro de Tyler permanecia no ar. As cobertas estavam emboladas, a cadeira de Tyler afastada da mesa, onde permanecia seu MacBook, esperando ali desde que Tyler o fechara, na sexta-feira, para pegar a corda no estábulo. Steve tentou imaginar como Tyler devia ter vivenciado aqueles últimos instantes, mas não conseguiu, porque havia mais alguma coisa, algo muito mais alarmante. Todo o aposento parecia estar altamente carregado, como se esperasse por alguma coisa... Como se Tyler pudesse entrar a qualquer momento e retomar sua vida de onde havia parado, como se nada tivesse mudado.

Alguns dias depois, o povo da cidadezinha viu o garoto caminhando pelas ruas de New Beeck.

Profundamente triste, Steve se sentou à mesa de Tyler e abriu o MacBook. É claro que sabia que a senha não funcionaria. Tyler havia ganhado o laptop apenas nove dias antes de sua morte como presente de Natal antecipado, porque o velho estava cheio de spywares. É claro que ele teria bolado uma nova senha. Mesmo assim, Steve tentou digitar seu aniversário... E o desktop de Tyler imediatamente se abriu.

Por um momento, ele se sentiu desconfortável... Como um invasor, como se Tyler estivesse olhando por cima dos seus ombros. De súbito, ouviu claramente a voz dele em sua cabeça: *Você devia me ajudar, pai.* Steve viu o rosto do filho à sua frente, mas chocantemente diferente do jeito como se lembrava. Não conseguiu entender exatamente como... mas a morte o havia transformado. *Você devia me ajudar,* disse ele, sua voz triste e em tom de reprovação. *Nada deveria acontecer comigo, e agora estou morto. Como você pôde deixar isso acontecer?*

Era muito fácil jogar a responsabilidade toda nas costas de Jaydon Holst. Quão fortes eram as sementes do ódio que Steve plantara no coração de um garoto que havia sido torturado diante de toda a cidade até quase morrer — e tudo porque Steve tentara proteger seu filho? Como ele pudera ser tão estúpido?

Mas não foi estupidez, Steve sabia. Ele fizera isso por amor. Mas isso não era quase a mesma coisa?

Eu lamento, Tyler, eu lamento tanto, tanto...

Emaranhando-se de maneira ainda mais profunda naquela rede destrutiva de culpa, Steve vasculhou o computador de seu filho. Sua esperança logo diminuiu: não havia muita coisa ali ainda. Ele abriu documentos do Word e vasculhou o histórico do navegador. Olhou os últimos vlogs no canal do YouTube de Tyler e chorou quando viu o filho, TylerFlow95, tão vivo e feliz quanto antes. O cartão de memória da GoPro estava praticamente vazio, a não ser por algumas fotos antigas.

Evitando se iludir muito, Steve finalmente começou a vasculhar os clipes MP4 no HD externo de Tyler. Na metade de um deles, encontrou algo em que mal havia prestado atenção no início... mas que logo o assustou até os ossos.

+++

É um vídeo. É claro que é um vídeo, porque é assim que Tyler conta a sua história. Primeiro Steve não entende o que está assistindo, porque tudo o que vê é uma escuridão preta-esverdeada e tudo o que ouve são tropeços e sussurros. Mas então alguém grita o nome de Fletcher e é como se a temperatura no quarto de Tyler tivesse caído dez graus. São Lawrence e Tyler, eles estão na floresta, a noite é um negrume subterrâneo, e Steve de repente sabe o que é que está esgueirando-se em volta deles no escuro.

"Não é o Fletcher lá embaixo", sussurra Lawrence, "é um cervo, uma raposa, um guaxinim, porra, pode ser qualquer coisa. Eu quero é dar o fora daqui." Enquanto Steve olha as imagens indistintas, uma sensação de terror rasteja sobre ele como um enxame de insetos e faz os cabelos de sua nuca ficarem arrepiados. "Ah, meu Deus, é ele mesmo", geme Lawrence, e Tyler grita: "Fletcher!".

Com consternação crescente, quase desconectado do aqui e agora, Steve se agarra às vozes do passado. A única coisa que consegue enxergar é o feixe de luz da lanterna de Tyler iluminando as formas dos troncos das árvores. O que ele não percebe é que sua sanidade está oscilando como um artista circense em uma corda bamba acima de um mar de loucura e que sua racionalidade está se dissolvendo, ao mesmo tempo em que um pensamento sinistro emerge do além e se move de modo furtivo através de sua mente: *mordisca, mordisca feito um ratinho; amanhã todo mundo vai morrer.*

"Dizem que Katherine trouxe o filho de volta dos mortos, certo?", diz Tyler. "Não foi por isso que a enforcaram? Você acredita nisso? Você acredita que ela possa ressuscitar os mortos?"

Ah, Jesus Cristo! Os pensamentos de Steve levantam voo com um grito. *Jesus Cristo! Ele mesmo está dizendo! O próprio Tyler está dizendo! Do que adianta negar, seu covarde idiota? Se Katherine foi capaz de ressuscitar o filho... será que ela não pode trazer o Tyler de volta também?*

"Não sei", respondeu Lawrence. "Mas não acho que seja o Fletcher lá fora, cara. Se é *mesmo* o Fletcher, por que ele não vem?"

Agora que aquilo fora dito afinal — a ideia que esteve se infiltrando continuamente no fundo de sua mente desde a exibição na terça-feira — Steve assiste ao restante do vídeo como se estivesse em um sonho. Ele aperta a borda da mesa com as juntas dos dedos esbranquiçadas. É pura loucura, é uma porcaria não acadêmica, mas seus dias como acadêmico se foram para sempre. A lenta chama moribunda pela qual ele esteve mantendo Tyler vivo fulgura como uma centelha ardente de esperança.

Soa um grito saindo das caixas embutidas do MacBook e a imagem começa a tremer. Eles estão correndo colina abaixo em pânico. Lampejos de luz e escuridão se alternam em uma cena de fuga saída de um pesadelo. E é em algum momento durante essa fuga pela escuridão que a câmera trêmula se precipita para trás e captura alguns quadros de algo que aniquila por completo a noção de normalidade de Steve. Steve não tem como saber que está assistindo aos mesmos quadros que assombravam os pesadelos de seu filho em seu último mês de vida. Tampouco sabe que do lado de fora da janela pela qual o assassino de seu filho entrou naquela noite fatídica para forçá-lo a ouvir os sussurros de Katherine, três corujas pousaram em um galho e estão olhando para dentro do quarto. A única coisa na qual Steve consegue pensar é: *Então é verdade. Ah, Deus do céu, é verdade.*

É um cachorro? A bem da verdade é que Steve não apostaria sua vida nisso, nem mesmo quando congela a imagem. Mas ele suspeita que aquilo tem o feitio de algum animal. O feitio de um animal atarracado. Preto e branco. Algo está reluzindo. Talvez seja um olho ou um dente cintilante. A fivela de uma coleira de cachorro, talvez. Se você estiver disposto a acreditar que essa imagem indistinta e embaçada é um cachorro, então é um cachorro.

E Steve está disposto... se isso puder lhe devolver Tyler, ele está mais do que disposto.

Então uma das corujas colide contra a janela e Steve fica em pé com um pulo e um grito.

+++

Cacos de vidros se espalharam pela mesa e a cortina escarpada ondulou para fora com uma rajada fria do ar de dezembro. Entre os fragmentos afiados de vidro havia uma coruja, agitando a asa quebrada enquanto continuava piando e tentando levantar a cabeça, fitando-o com malícia. Em uma reação de choque tardia, os olhos de Steve ficaram arregalados. Ele ficara ciente das outras corujas. Já não havia apenas três, mas oito ou nove. A visão era tão anormal que demorou um segundo para a verdade o atingir: *É ela.*

Algo estava bloqueando sua traqueia.

Steve agarrou a garganta e tentou respirar, mas não conseguiu fazer o ar descer para os pulmões. Os únicos sons que conseguia emitir eram guinchos abafados. Suor frio irrompeu por todo seu corpo. Cambaleando para trás até o corredor, ele se chocou contra a porta, se virou e cobriu a boca com as mãos em um esforço para lutar contra a hiperventilação.

De repente o som do bater de asas preencheu a casa. Estava por toda parte. Um farfalhar poderoso e maligno, como se todo um bando de corujas estivesse voando ao redor do telhado. Então um estrondo alto e as batidas e marteladas de algo despencando acima. Steve tentou gritar, mas não foi capaz; não conseguia inalar o ar. Seu rosto assumiu um tom de vermelho vivo e lágrimas brotaram de seus olhos.

Ele conseguiu chegar até a metade da escada e então começou a escorregar, rolando dolorosamente pelos últimos degraus antes de bater com a cabeça no chão. Embora tivesse conseguido amortecer a queda, seus cotovelos cederam e sua bochecha se chocou contra o piso frio. Uma dor aguda disparou pelo maxilar, seguida de uma onda de náusea desorientadora que fez seu corpo inteiro se contorcer. Encharcado de suor, ele de repente se deu conta de que não estava hiperventilando... havia *mesmo* alguma coisa em sua garganta comprimindo sua traqueia.

Estou sufocando...

Conforme se arrastava pela soleira até a sala de jantar, seu estômago afundou e seu esôfago começou a se contrair incontrolavelmente. Seu corpo começou a convulsionar. Steve se sentiu como se estivesse girando, dando cambalhotas. O que quer que estivesse bloqueando sua traqueia foi impelido para cima com inúmeros arrotos fedorentos e suco gástrico rançoso e a horrível sensação de que sua boca estava cheia de pelos. Houve outra estocada de dor, excruciante dessa vez, e Steve vomitou fios viscosos de bile e um emaranhado de pelos não digerido com o formato de um tampão e do tamanho de uma ameixa. Finalmente, o oxigênio invadiu sua traqueia.

Com um coração que batia descontrolado, ele se ergueu até ficar apoiado sobre um joelho diante da coisa que tinha regurgitado. Steve vivia na orla da Floresta de Black Rock há dezoito anos e soube exatamente o que era aquilo: uma plumada de coruja. Exceto...

Exceto que os pelos nela não eram cinza, como os pelos de um rato-do-campo, mas loiro.

Cabelo liso, desalinhado e da mesma espessura do de Tyler.

Se você vomita os restos mortais do seu filho, pensou ele, de um modo tão consciente que o fez rir, *é um bom sinal de que você deve estar enlouquecendo*. O riso se intensificou até se transformar em uma gargalhada aguda e profunda que reverberou pela casa vazia, estridente e insana.

Ao longe, como se em um sonho, a voz de Pete VanderMeer falou em sua mente como um mantra: *Depois eu parei de acreditar em bruxas, mas continuava fazendo isso como um exercício de equilíbrio.*

"Por favor", sussurrou Steve com uma voz que mal soava como a sua. "Traga meu Tyler de volta. Traga meu Tyler de volta e eu vou fazer o que você quiser."

Ele olhou para cima, diretamente para os trapos enlameados de Katherine van Wyler.

28

Steve fechou as cortinas e manobrou para desviar do Limbo de Jocelyn. Sua coxa bateu no braço do sofá, e quando ele foi até o meio da sala tropeçou na mesinha de café. Seu corpo inteiro tremia. Lá fora, o vento uivava ao redor da casa. A rua estava vazia... ninguém ali para ver Steve espiando pela janela naquele momento crítico, como se as estrelas estivessem alinhadas favoravelmente para a execução de algum destino obscuro.

Katherine van Wyler estava parada ao lado da mesa da sala de jantar, sua figura magra e curvada como se sua espinha dorsal tivesse sido horrivelmente deformada. Ela exalava um cheiro podre de idade e destruição. A decomposição eliminara qualquer dignidade de seu rosto, mas por baixo daquela camada esculpida de sujeira algo parecia estar *esperando*. Ela acompanhava cada movimento de Steve. Atrás das pálpebras costuradas, os olhos dela estavam fixos nele — ele sentia o olhar dela em cada célula de seu corpo. Ficou imaginando se estaria sob o efeito de algum feitiço ou hipnose que dominava sua vontade, mas não sentiu nenhum indício. Se escolhesse fazer isso, poderia fugir da casa naquele exato instante, pular no carro e dirigir até Newburgh para se juntar a Jocelyn e Matt. Por um breve instante, ele chegou mesmo a pensar nisso — sentiu as chaves do carro no bolso como uma saída tentadora.

Mas, mesmo agora, Steve sabia que o que o motivava não era hipnose, mas algo bem mais perigoso: era amor. Estava seguindo seu coração, que sangrava de saudade de seu filho.

Parou nas portas francesas abertas, quase vomitando com o cheiro insuportável de morte. Katherine assentiu. Era um movimento forçado, animalesco, praticamente inumano. Agora ela finalmente fora à sua casa... como se parte dele soubesse o que estava chegando, desde que encontrou Tyler morto, na sexta-feira passada. A compulsão de ir até ela era poderosa, mas o medo também, pingando de hesitação das cavidades de seu coração. *Meu Deus, o que você está ponderando, Steve? Você realmente quer seguir em frente com isso?*

Sim, pensou ele, seguiria em frente com aquilo... porque Katherine estava aceitando. Ela não estava sussurrando. Ela simplesmente acenava com a cabeça para o cabelo humano que compunha a bolinha da coruja. E quando ela se virou e foi para a cozinha, ele a seguiu, submisso.

Seus pés descalços deixavam rastros de lama nos ladrilhos, e Steve pensou: *Se mandasse examinar isso num laboratório, encontraria sedimentos e bactérias que não são vistos nestas paragens há mais de trezentos anos.*

Quando Katherine chegou à porta da cozinha, parou e olhou para Steve. Claro... ele deveria abrir a porta. Ela mesma estava impedida de fazer isso pelas correntes de ferro que pendiam de seu corpo. Mas chegar tão perto de sua presença inumana fez com que ele se sentisse zonzo, como se estivesse de pé na beira de um abismo... um abismo para o qual *ela* sedutoramente o tentava. Sem parar para respirar, ele colou o corpo contra a moldura da porta, esticou a mão passando pela janela fria e por ela, girou a chave na fechadura e virou a maçaneta. A porta se abriu por uma fresta e ele a empurrou suavemente. Coração martelando com força, ele puxou o braço de volta...

... *e roçou na mão dela.*

Ah, meu Deus! Eu toquei nela! Eu toquei nela, caralho!

Sentiu como se fosse perder o controle... mas nada aconteceu, e ele se acalmou um pouco. A bruxa caminhou placidamente até o pátio, e Steve foi atrás. A bainha do vestido de Katherine balançava com o vento frio.

Quando atravessaram o gramado, ele não olhou ao redor para ver se estavam sendo observados. A parte de sua mente em frangalhos que percebeu por qual estrada ele caminhava, e para onde o levava, tentou guiá-lo para longe, confrontando-o com um horror muito além de qualquer coisa com a qual pudesse lidar fisicamente. Sentiu algo estalar atrás de suas pálpebras. Seus músculos se tensionaram. Seus cabelos estavam em pé, e ele enfiou os punhos cerrados na boca. Tudo que havia temido ao longo dos últimos dezoito anos se manifestava agora em um clímax de terror total. Ele mal conseguia reprimir um grito.

Meia-volta! Meia-volta! Você ainda pode voltar! Você realmente acredita que algo de bom pode sair disso? Que quaisquer forças que você invocar estarão preocupadas com seus interesses? Isso é loucura!

Não é loucura, pensou ele. *É amor*. Katherine havia lhe mostrado o que de fato era um sofrimento indizível. Apenas quando já sofremos podemos fazer escolhas por amor.

A pergunta era: será que ele acreditava que Katherine era capaz de ressuscitar Tyler? Steve não tinha nada que justificasse essa esperança, nada a não ser uma lenda de trezentos e cinquenta anos de idade trazida de volta à vida pelo elaborado estilo narrativo de Pete VanderMeer e uma vaga mancha em preto e branco na tela de um MacBook. Isso desafiava toda lógica; era estritamente implausível.

E no entanto... todos os sinais apontavam a favor. Tyler dissera isso *em voz alta* quando ele e Lawrence estavam na floresta, fugindo de algo que podia ter sido Fletcher.

Aquilo parecera uma mensagem.

Me ajuda, pai.

Subitamente, ele ficou furioso com cada grama de bom senso que tentava demovê-lo de sua intenção usando seu lado racional. Mesmo que só tivesse uma chance em um milhão, ele a usaria.

Katherine tinha entrado nos estábulos, e ele correu atrás dela. Mesmo antes de entrar, ele já ouvia os cavalos surtando. Pablo chutava a porta maciça de madeira de sua baia e quase a derrubou de vez. Niké resfolegava e farejava como se estivesse com raiva ou possuída. Depois que os animais fugiram, no começo de novembro, Jocelyn mandou instalar novos ferrolhos. Steve torcia para que pudessem aguentar tamanha força sobre-humana. Tentou acalmar os animais, mas Pablo se ergueu sobre as patas traseiras, revirando os olhos, fez marcas nas paredes escoiceando com seus cascos poderosos, e Steve recuou. *Acabe logo com isso e dê o fora daqui, antes que os vizinhos venham ver.*

Katherine aguardava pacientemente ao lado da bancada, na parte dos fundos do estábulo, sem prestar atenção aos cavalos. Quando Steve se aproximou, ela estendeu os braços até onde seu corpo permitiu, esticando as correntes. Então acenou com a cabeça para a bancada empoeirada. No começo, Steve não entendeu o que ela pretendia. Sobre a bancada, ele viu o balde de comida para os cavalos e uma serra de vaivém, e embaixo dela a caixa metálica de ferramentas...

Ao lado da caixa de ferramentas, havia um par de alicates de tamanho médio.

Você está mesmo disposto a arriscar tudo que tem?, imploraram os últimos restos escorregadios de racionalidade do cérebro de Steve. *Você está pondo a vida de todos na balança... não só a do povo de Black Spring, mas de sua família. Sua esposa, seu outro filho, você mesmo... e pelo quê? Por nada além de uma mancha na tela. Isso não é amor, isso é egoísmo. Pense em Matt; pense em Jocelyn! Eles estão vivos!*

Mas aí ele ouviu a voz de Tyler. *Se você tivesse que deixar alguém morrer, ó padre mio, quem seria: seu próprio filho ou o resto de nossa cidade?* E, com uma selvageria fria e súbita, ele pensou em algo que Matt dissera quando ofereceu sua flâmula esportiva na Queima da Bruxa na véspera do Dia de Todos os Santos: *Além do mais, se sacrificar algo que não importa pra você, de que vale?*

Ele ouviu um clique dentro da cabeça, um ruído audível: o colapso de sua última resistência. O resto de sua vida — tudo, a não ser seus reflexos mais básicos — desistiu e recuou para dentro dos buracos mais fundos de sua memória.

Steve apanhou os alicates e sentiu o peso frio em suas mãos. Numa imagem confusa que pouco significava agora, ele se viu quebrando o cadeado da bicicleta de Tyler na primavera passada — uma daquelas ocasiões em que Tyler havia perdido suas chaves. As lâminas eram feitas para cortar aço inoxidável moderno, e Steve supôs que o frágil ferro do século XVII, corroído pelos elementos, não seria problema.

Katherine tentou esticar os braços mais uma vez.

Com as mãos trêmulas, Steve colocou as lâminas ao redor de um dos elos da corrente. Ao longe, sem reconhecer isso como o som de seus próprios pensamentos aos gritos, ele ouviu um urro angustiado de loucura: *O que eu estou fazendo ah merda o que eu estou fazendo o que eu estou fazendo O QUE EU ESTOU FAZENDO?*

E aí a alavanca se fechou.

Com um *zinnnng!* alto, a corrente se abriu com um salto e as pontas soltas caíram no chão do estábulo.

Por toda parte em Black Spring, as pessoas interromperam o que quer que estivessem fazendo e levantaram a cabeça, como se ouvissem um trovão distante no céu. As pessoas colocaram bruscamente de lado seu trabalho, pararam de cozinhar ou de lavar os pratos, e experimentaram uma ondulação coletiva de alarme que permeou o cerne de seus ossos. Ninguém podia identificar o que era, mas todos sentiram instintivamente que algo, *algo* estava terrivelmente errado.

O ferro precisou ser cortado em mais três pontos; só então Steve foi capaz de retirar os grilhões do corpo magro da bruxa.

Quando acabou, ela ergueu lentamente as mãos mortas e as levou até o rosto cego. Então fez um gesto para que Steve se aproximasse.

Ela o levou de volta para a casa. Atrás deles, os cavalos, agora aterrorizados, batiam nas portas do estábulo, mas Steve não os ouviu. Tampouco viu o próprio reflexo quando passaram pelo espelho da sala de jantar como dois fantasmas, um atrás do outro. O que foi bom, porque se tivesse visto o próprio rosto provavelmente teria começado a gritar. Era o rosto de um velho decrépito, com olhos e boca tão distorcidos que pareciam que nunca mais se fechariam outra vez.

Lá no quarto, ele encontrou os alicates de unha de Jocelyn e um par de tesourinhas.

Katherine aguardava no andar de baixo, com toda a paciência do mundo. Quando ele voltou a encará-la, ela apontou para a boca.

Steve tentou falar, mas sua voz falhou e ele mal conseguiu produzir um som. Deu um pigarro para limpar a garganta e tentou mais uma vez: "Traga de volta meu Tyler".

A bruxa apontou para a própria boca.

"Por favor. Faça ele viver de novo, como você fez com seu filho."

Aquele dedo: esquelético, autoritário, implacável.

Steve obedeceu.

Com dedos trêmulos, ele cortou os pontos que prendiam os lábios dela, um por um.

Com as tesourinhas, puxou os fios de sua carne morta.

Steve deu um passo para trás, e a boca mutilada da bruxa se abriu com um ruído mole. Katherine estremeceu e respirou fundo, com dificuldade, um som pesado. Mais uma vez, um choque percorreu o povo de Black Spring, ainda mais grave desta vez. Olhos arregalados, pessoas gritaram no meio da rua, olharam umas para as outras febrilmente e pensaram: *Pelo amor de Deus... o que está acontecendo?*

Sem se dar conta dos eventos se desenrolando lá fora, Steve começou a trabalhar nos pontos do olho esquerdo da bruxa.

Os fios caíram ao chão, um por um.

A pele da pálpebra, inflamada, azulada e descascando, estremeceu.

Quando acabou, Steve passou para o olho direito.

E, quando isso também acabou, a bruxa lhe deu as costas com uma mão sobre os olhos, num esforço de proteger seu libertador dela mesma. Seu rosto se contorceu como se ela estivesse sofrendo uma dor excruciante, e seu corpo caiu para a frente de um modo que não foi natural. Ela balançou o braço livre para Steve, fazendo um gesto para que ele fosse embora, embora, embora dali.

Nesse momento, um novo choque reverberou por toda a Black Spring, mas agora não atingiu as pessoas por dentro; agora pareceu vir da própria terra. Por um momento, tudo pareceu escurecer diante dos olhos de todos. As ruas se encheram de um som muito real, um som *baixo*, como se algo gigantesco tivesse rolado sobre a abóboda de escuridão sob a cidade que fez o asfalto e a floresta tremerem. Os sinos da Crystal Meth ressoaram com um hino profundo e sonoro. No Ackerman's Corner, as ovelhas de John Blanchard saíram numa carreira desabalada. Jaydon Holst, perdido em um sonho febril sobre um carrasco sem rosto que mutilava seu corpo torturado sem parar, grunhiu inquieto no seu sono. No Centro de Controle da HEX, Robert Grim e Claire Hammer vinham descendo às pressas o corredor até a tela, que piscava com um zumbido elétrico. Então toda a energia de Black Spring acabou. Geradores de emergência rugiram, mas desligaram em seguida, e as luzes de Natal em algumas das janelas se apagaram ante a luz do dia que se punha.

Mas Black Spring não foi o único lugar onde a escuridão caiu: ao longo das Highlands e pelo Vale do Hudson — sim, mesmo nas rodovias e nos prédios de escritórios de Manhattan —, moradores de Black Spring que por acaso estavam fora dos limites da cidade quando Katherine abriu os olhos foram tomados por uma inexplicável tristeza mórbida que excedia a compreensão humana. Começaram imediatamente a ver imagens simplesmente demasiadas para seus frágeis espíritos suportarem, e isso despertou nelas um desejo irreprimível de buscar a morte como a única maneira de sair dessa existência. Os que foram sortudos o suficiente para estar relativamente perto de casa entenderam que a força que sempre os unira a Black Spring havia se intensificado até a enésima potência, e correram para retornar... mas houve aqueles para quem a salvação veio tarde demais, e eles se enforcaram em salinhas de almoxarifado ou jogaram os carros em cima de árvores com os pés enfiados no acelerador para que seus corpos fossem esmagados em nuvens de fumaça e escuridão.

Na casa ao fim da Deep Hollow Road, Steve olhou horrorizado e de queixo caído para a figura torta e inumana que ainda cobria seus olhos perversos com a mão. Mais uma vez, ela fez um gesto para que ele fugisse, uma suástica de carne queimada e membros retorcidos. Por um momento, as pernas de Steve pareceram líquidas, e ele foi incapaz de mover os pés. Agulhas geladas espetaram sua nuca só de pensar em Katherine abrindo os olhos... e voltando-os para ele.

Steve saiu correndo de sua casa, gritando. Ele correu para a floresta, e correu por sua vida.

29

Quinze quilômetros dali, em Newburgh, Jocelyn Grant sentiu o choque inicial, mas o ignorou como um surto de biorritmos em dissonância e tirou isso da cabeça. Quando o segundo choque veio, ela levantou a cabeça do exemplar da revista *Esquire* que estava folheando, distraída, e olhou para dentro do quarto silencioso do hospital. E ao terceiro choque que se seguiu, pouco depois, mais intenso que os dois anteriores juntos, ela se levantou correndo e deixou a revista escorregar para o chão.

Matt gemeu e moveu a cabeça durante o sono. Assustada, Jocelyn se aproximou do leito dele e pôs a mão em seu ombro. "Matt! Matt, você pode me ouvir? Pode me ouvir, meu amor?"

Mas Matt não respondeu. Seu olho esquerdo estava coberto por uma bola de algodão, presa por uma atadura enrolada ao redor da sua cabeça. A atadura em cima do olho direito havia sido removida. O olho continuava fechado, mas aquela inquietude era um sinal de vida maior do que ele havia demonstrado em dias. Será que ele finalmente acordaria? Mas a empolgação dela não era páreo para seu súbito pânico. *Tem algo de errado. Tem algo de muito errado.*

Ela sentiu isso. Não era sua imaginação. Estava ao redor dela, mas não conseguia entender de onde vinha. Era tão intocável quanto a estática entre duas estações de rádio. O relógio na parede dizia que passavam poucos minutos das cinco da tarde. O vento se divertia no estacionamento, chicoteando um saco plástico contra as grades dos radiadores de carros que reluziam nas luzes de Natal. Tudo parecia normal, mas não estava.

E não era ali que as coisas estavam erradas; era em casa, em Black Spring. Ela se sentia sendo puxada de volta; pelo quê não saberia dizer.

Ligou para Steve, mas não obteve resposta, nem mesmo o correio de voz dele. Apenas o silêncio. E a mente dela respondeu sem se comprometer, como se esse silêncio tivesse tudo a ver com seu palpite: *Nós temos que voltar para casa, antes que seja tarde.*

Isso a pegou de surpresa: o sonho, o mesmo sonho, e ela o reconheceu imediatamente. Foi o sonho que tivera uma vez antes, dezoito anos atrás, em um bangalô de bambu na Tailândia, mas ele estivera presente no fundo de sua mente e fora responsável por grande parte da escuridão da vida deles em Black Spring, apesar da relativa felicidade que acreditavam ter conhecido.

A intensidade era diferente, mas a essência do sonho era a mesma. Ela se viu puxando fios de seu cabelo histericamente. Viu a si mesma jogando os papéis da prancheta de Matt por todo o quarto. Eles foram flutuando até cair no chão, e ela os viu formarem uma colagem fotográfica, imagens de mortos. Todos crianças, crianças pequenas e grandes. Tinham todos os tipos de cortes em seus rostos e corpos. Na imagem seguinte, as crianças mortas estavam na verdade deitadas no quarto do hospital, as crianças de Black Spring, e uma delas era Matt. Seu rosto cortado e recheado de carvão preto. Viu-se nua e rolando em poças reluzentes de tinta, seu corpo vermelho e preto, enquanto era possuída por um javali selvagem. As presas curvas do animal reluziam enquanto ele a penetrava com seu membro, resfolegando, grunhindo e batendo os cascos, e ela gritava de prazer.

Jocelyn não tinha a menor ideia de quanto tempo ficou encarando o leito de Matt naquele estado de horror entorpecido. Nem todas as imagens que ela viu encontravam registro em sua mente. A única coisa que conseguiu assimilar foi a vaga porém urgente sensação de que podia acabar com tudo isso tirando a própria vida. Essa perspectiva não a assustava; apenas a enchia de uma profunda tristeza, mas nada pior do que a sensação que a atormentava naquele momento. Foi até a janela com chumbo nos pés. Pegou as costas da cadeira na qual estava sentada e a levantou acima da cabeça, prestes a quebrar o vidro e remover o último obstáculo entre ela e uma queda de quatro andares.

O que salvou sua vida foi seu celular, que começou a tocar naquele exato instante. Zonza, olhou para cima, ainda não liberada da imensa tristeza, mas pelo menos consciente de si mesma, e pensou: *Ah, meu Deus. Eu queria mesmo fazer isso. Eu realmente queria pular da janela. O que está acontecendo comigo?*

Ela agarrou o telefone, supondo que veria a foto de Steve na tela. Mas não era Steve. Era seu pai.

"Pai!"

"Você não quer descer para jantar? Não está muito cheio aqui..."

"Pai, eu *preciso* ir para casa. O senhor pode, por favor, me levar?"

"Mas eu pensei que você..."

"Tem alguma coisa errada com Steve", disse ela, a coisa mais óbvia em que podia pensar. E a verdade: "Não estou conseguindo falar com ele". Não podia explicar ao seu pai por que precisava voltar a Black Spring. A urgência havia crescido dentro dela, como se um ímã colocado bem ao sul estivesse atraindo sua mente. Sentia seu lar a chamando com cânticos suaves, que iam ficando cada vez mais altos — vozes de um coral sedutor ao qual ela tinha de obedecer antes que alguma coisa terrível acontecesse.

"Ele provavelmente foi pegar um pouco de ar fresco", disse Milford Hampton de forma calma e caridosa. "Jocelyn, você está à beira de um colapso. Vou sugerir uma coisa: por que você não..."

"*Pai!* Por favor, preciso ir para casa. O senhor pode trazer o carro? Vejo você na entrada."

"Bem, suponho que sim, se você realmente quer...", respondeu seu pai. Jocelyn desligou sem responder. *Segura sua onda*, pensou ela. *Segura a onda, mantenha o foco...*

Um ruído atrás dela. Matt havia arrancado seu tubo intravenoso e ela o viu levar a ponta aos lábios. Num pulo, Jocelyn já estava à sua cabeceira, arrancando o tubo de suas mãos com um grito. A agulha voou do braço dele, atadura e tudo, salpicando uma linha fina de sangue no lençol.

"Calma, Matt", disse ela, febril. "Vou tirar você daqui. Calma. Tudo vai dar certo."

Mas a tristeza, aquele impulso — aquela *onda* dentro dela não ia embora, só ficava mais forte. Ela também tinha tomado conta de Matt. Com cuidado, combatendo os impulsos que enchiam sua mente de loucura, ela rapidamente puxou o tubo de alimentação escorregadio do nariz de Matt e o deixou cair em cima do cobertor. Então lutou com o corpo rígido dele para vestir seu agasalho com capuz. Precisou recomeçar três vezes porque as mãos dela tremiam demais para endireitar as mangas.

Havia uma cadeira de rodas no hall, e sem hesitar ela a levou para o quarto. Arrastou Matt até a cadeira, calçou os sapatos nele e colocou seus pés nos descansos. Matt não se mexeu — não parecia sequer perceber o que estava acontecendo —, mas seus dedos agora agarravam os descansos dos braços e seu único olho aberto branco-perolado encarava o quarto com cega intensidade.

Suicídio, pensou ela. *Ele tentou cometer suicídio, e você também... ele saiu de Black Spring por uma semana somente e você estava lá apenas esta manhã, e você sabe que isso é muito pouco tempo para sentir o poder dela. O que isso lhe diz? Ah, o que foi aquele choque um minuto atrás?*

Jocelyn enrolou as pernas de Matt no lençol e no cobertor e pegou seu colírio na mesinha de cabeceira. Torcendo para que o corredor estivesse vazio, ela empurrou seu filho para fora do quarto do hospital.

O corredor não estava vazio. No outro lado, perto da máquina de bebidas, duas enfermeiras bebericavam café. Jocelyn suprimiu a vontade de correr e foi rapidamente na direção dos elevadores. Ela apertou o botão. Quando a campainha anunciou a chegada do elevador e as portas se abriram, ela ouviu vozes lá atrás: "Senhora?". E mais forte: "*Senhora!*".

Com os maxilares travados, ela deu um bom empurrão na cadeira de rodas enquanto os passos se aproximavam. Apertou com força o botão para o térreo e as portas do elevador barraram os gritos lívidos das enfermeiras.

A área de recepção lá embaixo fervilhava de gente, mas ninguém prestou muita atenção neles. Jocelyn avançou pela multidão na direção da saída. Quando passou pelas portas giratórias com a cadeira, procurou o Toyota na área de embarque — o carro não estava lá. O vento puxava o cobertor de Matt. Ela sentiu aquele abismo se abrir novamente, aquele estranho e sombrio impulso. Para se manter distraída, ela digitou o número de Steve pela enésima vez, mas a ligação não foi completada.

"Merda!", gritou ela, um grito de puro desespero e frustração.

Finalmente, seu pai apareceu com o veículo. Ela puxou com violência a porta do carro antes mesmo que ele parasse totalmente. O sr. Hampton ficou pasmo ao ver Jocelyn arrastar Matt, feito um boneco de trapo, para o banco de trás e chutar longe a cadeira de rodas para poder fechar a porta.

"Jocelyn, que diabos...? O que Matt está fazendo aqui?"

"Dirija."

"Mas ele não recebeu alta do hospital. Meu Deus, Jocelyn, você está estressada, e claro que tem motivos pra isso. Vamos voltar com ele agora, não posso deixar que você..."

"Não se atreva a nos deixar aqui!", gritou Jocelyn, e o sr. Hampton se encolheu. "Tem uma coisa muito errada aqui e Matt *precisa* voltar para casa, antes que seja tarde demais."

"Mas *o que* é?", insistiu seu pai. "Me diga o que está acontecendo!"

"Não posso. Tem algo a ver com Steve. E conosco. E..." Ela começou a chorar de puro desespero, levando as mãos à cabeça. O sr. Hampton olhava da sua filha para o neto, um pouco nervoso. Por entre as lágrimas, Jocelyn o viu pela primeira vez como o velho cansado que ele era. Os acontecimentos trágicos da semana passada tinham deixado marcas irreversíveis em seu rosto.

"Tudo bem. Vamos até Black Spring, já que é preciso. Vamos ver como Steve está, e quando o encontrarmos vamos levá-lo de volta conosco direto para o hospital. Toda essa correria não pode fazer bem ao Matt." Ele olhou no espelho retrovisor e saiu da passagem circular. "Mas você me deve uma explicação."

"Obrigada, pai", suspirou ela, afundando no banco de trás, profundamente exausta.

+++

Quando saíram do centro de Newburgh e pegaram a 9W, que entrava no Parque Estadual, o relógio digital do console dizia que eram 17h43. Jocelyn começava a sentir o peso opressor fermentando no seu cérebro como um veneno enlouquecedor. Na Tailândia, a coisa já tinha sido ruim, mas o que sentia agora era muito pior. Ela estava alucinada. Por que Steve não atendia seu maldito celular? Em que tipo de confusão ele havia se metido? E que tipo de poder capaz de causar todo aquele desespero havia sido liberado? Seus pensamentos vagavam como nuvens desgarradas, criando um vazio em sua cabeça. Sua mente se recusava a suportar a dor colossal; ela simplesmente não estava à altura disso. Seu mundo havia se tornado uma grande ferida aberta e purulenta de angústia. Lutar contra ela minava sua vontade: Jocelyn queria morrer. E Matt, coitado de Matt: em sua condição, ele não era sequer capaz de se libertar daquela confusão sem saída...

"Jocelyn, o quê você está fazendo?"

O Toyota estava quase desgovernado na estrada, jogando Jocelyn e Matt para a frente e para trás no banco. Isso a tirou por um momento de seu estupor, como se estivesse tentando, e fracassando, lutar contra uma anestesia. Com um susto, ela voltou a si e percebeu que estava enrolando o cinto de segurança de Matt no pescoço dele numa tentativa de estrangulá-lo — um ato de amor materno, para libertá-lo.

Num clarão de medo intenso e inefável, ela largou o cinto.

Isso a está enfeitiçando. Está hipnotizando você. E, assim que ceder, ele a forçará a cometer suicídio. É assim que ela deve ter pegado Tyler.

Com um gemido agudo, o Toyota freou no acostamento. "Que diabos há de errado com você, caramba?", gritou seu pai, olhando para o banco de trás.

"Ah, pai, eu não sei." O sr. Hampton ficou assustado pelo que via: Jocelyn estava realmente apavorada. Seus olhos estavam arregalados e imploravam. "Rápido, leve a gente pra casa. E não me deixe parar de falar... por favor..."

"Mas me diga *o que está acontecendo!*"

Ela não podia, assim como não podia contar a seu pai o verdadeiro motivo da morte de Tyler. Lamentava isso profundamente, e supunha que acabaria contando tudo no devido tempo. Ele tinha o direito de saber, mesmo que isso fosse contra as regras da cidade, que Black Spring tinha lhe custado seu neto mais velho. Mas primeiro era crucial que voltasse à cidade, porque sentia que a influência *dela* a estava tragando para baixo...

"Por favor, não faça perguntas", disse ela, engasgando em suas palavras. "Eu explico depois. Só não me deixe parar de falar; isso é importante."

Havia alguma coisa naquelas últimas palavras que finalmente mexeu com o sr. Hampton também. O que quer que a tivesse acometido, o estava assustando demais. Então ele guiou o Toyota para a saída da 9W e depois entrou na Rota 293 em direção a Black Spring. "Eu tive um mau pressentimento com relação a Steve ficar em casa. Vocês dois deviam ficar juntos, especialmente neste momento. Estou preocupado com ele. Ele não está sabendo lidar com isso. Que diabos, ninguém está; é uma coisa horrível, mas..."

Com a melhor das intenções, o sr. Hampton cometeu o erro fatal de falar sozinho... e não percebeu que os olhos de Jocelyn haviam perdido seu brilho quase imediatamente e encaravam, vazios, o nada. Eles não haviam sequer chegado à metade da subida para o único sinal de tráfego laranja que marcava a saída para a Deep Hollow Road antes que Jocelyn e Matt, cada um em um lado do banco de trás, começassem a bater as cabeças contra as portas do carro. O sr. Hampton soltou um palavrão abafado. Olhando para trás, ele viu Jocelyn tentar abrir a porta do carro, e ele pisou com violência no freio. O volante girou em suas mãos, rodando tão rapidamente que queimou as palmas, e mais uma vez eles pararam de forma brusca, todos os três sendo atirados para a frente em seus cintos de segurança.

"Pai, me ajuda, por favor..." Jocelyn olhou para ele, rígida de medo. Havia um corte na lateral de sua cabeça e o sangue escorria pelo seu rosto. Ela pegou Matt nos braços e começou a niná-lo.

O sr. Hampton os observava com um olhar perdido. Começou a sentir náuseas. Não estava entendendo nada, absolutamente nada, mas sentia a urgência e isso o estava devorando por dentro. De repente, ele percebeu que a causa disso tudo estava mais adiante, à espera... um segredo no fim da estrada, na floresta, à noite.

Foi então que o sr. Hampton se convenceu de que, se nunca descobrisse qual era o segredo, não lamentaria nem um pouco.

Com a mão trêmula, ele passou a marcha no carro e seguiu na direção de Black Spring.

Jocelyn abaixou o vidro e sentiu a cabeça clarear com o ar frio. A escuridão da Floresta de Black Rock se descortinava silenciosa enquanto passavam, sugerindo uma normalidade que não existia. Ela sentia como a coisa estava ruim. Descendo um pouco mais a estrada, eles estariam a salvo, o que quer que essa segurança implicasse. Não havia motivo para especular, já que ela veria tudo com seus próprios olhos em alguns instantes... supondo que houvesse algo para ver, claro.

Com a placa BEM-VINDOS A BLACK SPRING já à vista, ela pôde ver — e seu queixo caiu. O sr. Hampton tirou o pé do acelerador, e depois pisou no freio.

"Não quero ir a Black Spring", murmurou ele.

"Pai?"

"Eu... Sabe o que mais? Vamos voltar. Ainda temos... coisas a fazer... em Newburgh. Isso. Eu devia estar em outro lugar." Ele já tinha começado a dar meia-volta com o carro, mas não tirava os olhos do que estava diante deles. Isso quase fez com que eles derrapassem para fora da estrada e caíssem numa vala adjacente.

"Pai — não! Precisamos continuar!"

Mas seu pai não estava escutando. Ele resmungou uma coisa ininteligível e o som de sua voz fez Jocelyn gelar. Uma expressão confusa apareceu em seu rosto, que se transformou em plena compreensão. Aquele não era seu pai. A mesma influência que a estava puxando de volta para Black Spring o estava afastando da cidade.

Porque ele era Forasteiro.

Ela abriu com violência a porta do carro e puxou Matt para fora, para a rua. Eles não podiam voltar a Newburgh; isso seria a morte deles. "Pai, por favor...", implorou Jocelyn.

"Desculpe, meu amor." Ele olhou para ela com olhos que não eram os de seu pai. "Tenho muito a fazer. Em casa, lá em Atlanta."

Com a porta de trás ainda aberta, o Toyota disparou para a estrada. Ele avançou aos trancos, e, depois de uns trinta metros, a porta foi fechada com força. Jocelyn gritou para ele, mas o sr. Hampton logo foi embora.

Com treze anos de idade, Matt ainda era uma criança esperando para atingir seu surto de crescimento acelerado, mas Jocelyn já sentia o peso de seu corpo mole nos braços. Carregá-lo de volta para casa seria um esforço de quebrar a coluna, mas não tinha escolha. Na melhor das hipóteses, eles teriam que cruzar a divisa da cidade. Travando os maxilares, ela o levantou nos braços e começou a caminhar.

Black Spring estava diante deles em total escuridão.

Do lado de Highland Falls, as luzes das ruas estavam acesas, refletindo-se foscas em Long Pond, ao lado da estrada. Black Spring estava mergulhada em uma escuridão absoluta. As casas e as árvores eram formas monumentais, que mal podiam ser vistas recortadas contra a noite. Ela não conseguia sequer distinguir a única luz de tráfego mais abaixo, além de seu rangido no vento. A energia tinha sido cortada. Mas era mais do que simplesmente a ausência de luzes elétricas... era como se a *própria noite* tivesse se tornado mais intensa, uma sombra mais funda de preto, uma escuridão à qual seus olhos jamais poderiam se acostumar. Ali, nas margens da cidade, o contraste era inegável. Jocelyn sentia como se uma mancha de tinta tivesse vazado para dentro daquele canto remoto do mundo e fosse crescendo e crescendo até cobrir toda a Black Spring e bloqueasse cada raio de luz ou de esperança. Ela gemeu incoerentemente, sabendo que a única salvação para Matt e ela própria estava naquela escuridão.

Com seu filho nos braços, Jocelyn passou pela placa de boas-vindas e foi engolida pela penumbra.

30

Em Black Spring, as pessoas enchiam as ruas como um enxame. Era um pouco parecido com o Ano-Novo, quando todo mundo saía às ruas para desejar felicidades uns aos outros, só que não havia fogos de artifício. Em vez disso, o povo da cidade carregava lanternas, velas ou tochas caseiras que lançavam sombras intensamente escuras e destacadas sobre o chão congelado. E também não havia nada de alegre nisso. Aos poucos, o choque inicial estava sumindo, apenas para ser substituído por um medo que não passava, inflamado pelos rumores que se espalhavam pela cidade como um incêndio.

"Ela fez mais uma vítima...?"

"Estou te dizendo, é igualzinho a 1967..."

"Não... você não acha que... me diga que não é verdade..."

Seus olhos reluziam como mercúrio na luz fraca, apavorantes e apavorados. Seus ossos doíam por causa do frio, mas pouquíssima gente voltava para casa; a maioria nem mesmo pensaria em voltar até saber com certeza o que havia acontecido.

No Centro de Controle da HEX, Robert Grim e Marty Keller tentavam febrilmente iniciar o gerador de emergência. Não só a energia elétrica havia acabado na cidade — uma puta falha em toda a grade;

adeus, wi-fi —, mas também não havia mais pressão nos canos de água e toda a rede telefônica tinha caído, incluindo a telefonia fixa. As implicações disso eram impossíveis de contemplar — *assim como o que provocou isso tudo,* pensou Grim cada vez mais nervoso —, mas naquele instante sua prioridade era fazer o centro de controle voltar a funcionar. Se não conseguissem fazer sequer isso, estariam fritos. As câmeras de segurança, o hexapp e o sistema de aviso não valeriam de porra nenhuma. Isso queria dizer que a ilusão geral de segurança não podia ser mantida... e eles certamente estavam seguindo nessa direção.

O gerador de emergência nem piscou. Nem sequer uma faísca.

Na elipse trêmula de sua lanterna, Marty mexia no cano do combustível. Sua testa reluzia de suor. Eles tinham testado a maldita coisa três semanas antes e ela havia funcionado sem nenhum problema. Era intrigante, mas não importava o que tentassem, permanecia escuro no antigo Centro de Visitantes de Popolopen, e nessa escuridão os pensamentos de Grim corriam desenfreados: *Ah, meu Deus, o que foi aquele choque? O que foi o choque que todos sentimos?*

No cruzamento, descendo a estrada sob a igreja Crystal Meth, a atmosfera estava fervilhante. Warren Castillo havia corrido até lá a toda velocidade para medir as coisas. Precisou abrir caminho no meio de um emaranhado de moradores preocupados, que o agarraram, fazendo perguntas que ele não tinha como responder e expondo almas que ele não podia iluminar. Eram cinco e meia, e pelo menos duzentas pessoas tinham acorrido até a praça da Pousada Point to Point, onde a equipe do hotel havia acendido uma série de braseiros. Warren ouviu boatos sobre pessoas entrando de carro na cidade como se o próprio diabo estivesse nos calcanhares delas e se trancando em suas casas sem dizer uma só palavra. Sua primeira inclinação foi dispensar isso tudo como uma reação de medo. Mas aí ele notou o Chevy de Rey Darrel com as palavras "Rush Painting" na lateral, estacionado na diagonal da Deep Hollow Road com os faróis cortando a escuridão. Um bloqueio. A silhueta de Darrel caminhou até a multidão com os braços levantados e gritou: "Não saiam da cidade! Não é seguro! Escutem: fiquem na cidade!".

Um murmúrio inquieto, no fio da navalha. "Do que você está falando?", alguém perguntou.

"Vocês não podem ir embora! Se forem lá pra fora vão morrer!"

Warren avançou aos empurrões e agarrou Darrel pelo colarinho. "Baixa sua bola, meu camarada. Você está apavorando o pessoal."

"Eles têm todos os motivos para ficarem apavorados", disse Darrel com sinceridade, e Warren percebeu que o pintor estava aterrorizado de verdade.

"O que aconteceu?"

"Eu saí da cidade. Parece que tem luz no Centro Recreativo do Exército em Round Pond. Mas assim que saí de Black Spring, alguma coisa... alguma coisa estava me impedindo. Não sei de que outra forma descrever isso. É como se a estrada tivesse suspensórios gigantescos que puxassem você de volta assim que saísse da cidade. Não dá pra ver, mas dá pra sentir." Sua voz falhou. "Antes mesmo de chegar ao campo de golfe, eu queria dar um tiro na cabeça. Eu queria pegar minha Lancaster .410 na mala do carro e meter uma bala na boca. Tenho três filhos e nunca quis cometer suicídio."

Um silêncio profundo.

"É muito, muito ruim mesmo", acrescentou Darrel. *Não diga, Sherlock.*

Esse foi o sinal para o pessoal da cidade perder a cabeça. Provocou um efeito dominó: uma pessoa começou a sussurrar, outra falou alto, alguns tentaram ligar para seus companheiros ou membros da família que não tivessem ainda chegado em casa depois do trabalho, todos em um pânico cada vez maior. O sentimento varreu a multidão como uma onda. Desanimado, Warren olhou ao redor; não reconhecia mais seus concidadãos. Seu corpo estava rígido, tão rígido que não conseguia se mover. Fora treinado para não se deixar apanhar por rumores nem superstições. Tentou se forçar a arrastar suas emoções para a luz, onde poderiam ser analisadas e varridas para o lado, porque não faziam o menor sentido. Mas não conseguia. E se desta vez, apenas desta vez, o medo tivesse razão de ser? E se desta vez eles realmente tivessem sido isolados do mundo exterior, forçados a esperar a escuridão que caía e o amanhecer seguinte, e ver o que o destino havia reservado para Black Spring?

Mais a leste, na direção da qual Warren tinha vindo, ele ouviu gritos. Não havia lua nem estrelas para penetrar a noite, e aquela extremidade da Deep Hollow Road era escura feito carvão. Nada se movia ali. Mas o que era aquela pressão na atmosfera? E por que estava tão anormalmente escuro?

Warren não conseguia evitar ficar encarando. O vento cravou seus dentes nele. Ele o entorpeceu, bagunçou seu cabelo e gelou tanto seus olhos que ele lacrimejou, mas mesmo assim não conseguia fechá-los.

É a noite de Katherine. O pensamento lhe ocorreu assim, do nada... e aí ele entendeu. Aí ele entendeu tudo.

A escuridão cuspiu três homens que gritavam e corriam numa miragem alucinada provocada pelas próprias lanternas que carregavam: *Agora você me vê, agora não vê mais.* Eles ficavam a todo instante olhando para o que estava atrás até darem de cara com o brilho dos braseiros e os olhares de dezenas de pessoas da cidade. Warren Castillo viu que um deles tinha o rosto de um palhaço: o sujeito tinha passado as unhas na face e criado uma máscara de sangue.

"São os olhos dela!", gritou ele. "Os olhos dela estão abertos! Nós vimos, ela estava lá! Ela *olhou* para nós! Fujam se não quiserem morrer, pessoal, o mau-olhado está sobre todos nós!"

E assim a tragédia se abateu sobre Black Spring.

Seus moradores, um coletivo de almas enfeitiçadas que não conseguia encontrar forma de fugir do arrebatamento do pânico, se espalharam em todas as direções. Aprisionados em um destino que todos compartilhavam, nenhum deles levantou a voz mais alto que seu vizinho ou sofreu menos. Eram as regras do caos, e a partir desse caos uma espécie de perturbadora solidariedade emergiu: em poucos segundos, a ilusão de individualidade foi varrida do mapa e apenas um desejo, um grito de morte, prevaleceu sobre o consciente coletivo de Black Spring. As pessoas *eram* Black Spring, e Black Spring havia caído. O grito primal que permaneceu foi: *Fujam! Fujam! Fujam do mau-olhado dela!*

O caos foi imensurável. As pessoas soltaram suas bexigas, gritaram até ferir as gargantas, passaram por cima umas das outras, e rezaram aos céus por misericórdia. Puxaram os braços, pernas e cabelos uns dos outros. Não foi necessário nenhum aplicativo para espalhar a notícia, e em questão de minutos até aqueles que viviam na periferia da cidade estavam sabendo o que tinha acontecido. Mas, apesar de seu medo, a bruxa não veio. Os olhos da bruxa estavam abertos, mas ninguém a não ser aqueles três homens a tinham visto, e ninguém mais desejava vê-la se aproximar. Muitos fugiram para suas casas e puseram barricadas em portas e janelas com o que estivesse à mão. Tremendo de medo, disseram suas preces na escuridão profunda. Uns cortaram os pulsos ou engoliram o conteúdo de seus armários de remédios. Embora a possibilidade de que esse dia pudesse chegar sempre tivesse povoado as mentes até mesmo dos mais ingênuos de todos ali, ninguém sabia como isso se revelaria nem o que aconteceria depois. Morrer sem descobrir era melhor do que viver e ter de esperar por isso. Quem tinha um instinto de sobrevivência mais forte tentou escapar, mas voltou assim que passou dos limites da cidade, tomado pela terrível percepção de que estava aprisionado. Rey Darrel tinha razão. Apenas uns poucos infelizes seguiram em frente, e nunca mais foram vistos.

Por volta das 19h, apenas o vento e sua sombra percorriam as ruas de Black Spring. A vingança esperada de Katherine não aconteceu, e se as pessoas estavam morrendo era sob o efeito delas mesmas.

Um dos primeiros a sucumbir foi Colton Mathers. Por toda a sua vida o conselheiro acreditou que suicidas iam direto para o inferno, mas Deus lhe enviara uma visão. Estava na igreja, rezando, quando começou o pânico, e ele viu dos degraus da igreja uma imagem trêmula em sua mente, uma imagem de cabanas coloniais e fazendas pobres do século xvii. Os prédios transmitiam uma sensação de isolamento completo, paganismo e morte. Katherine van Wyler estava ali parada na frente da igreja como a carranca de um navio ao vento... *enxergando*. Aquela ilusão, aquele fantasma divino, foi o suficiente para convencer Colton Mathers de que o Senhor havia definitivamente abandonado Black Spring. O fogo do inferno seria um bálsamo refrescante se comparado ao que os aguardava ali. E, assim, o pastor — como sempre apreciara se considerar — abandonou seu rebanho; foi para casa e se atirou de sua varanda, quebrou cada osso em seu corpo, e sangrou até morrer mais tarde, no chão do pátio. Quando as pessoas ficaram sabendo disso, ao romper do dia, muitos consideraram um ato de covardia sem precedentes.

E Katherine?

Ninguém sabia onde ela estava.

Ninguém sabia o que ela queria.

Em seu lar, na Upper Mineral Valley, Jackie e Clarence Hoffman haviam se refugiado na cozinha junto com seus filhos Joey e Naomi. Era uma cozinha de luxo, normalmente banhada pela forte luz do sol que caía pelas janelas duplas em cima da pia. Mas agora as portas e janelas estavam cobertas com tábuas feitas de todas as prateleiras da casa (os Hoffman eram leitores vorazes). Mesmo assim, às onze e quinze da noite, a lâmpada em cima da mesa da cozinha começou a balançar para a frente e para trás, como se o ar frio de dezembro tivesse achado um jeito de entrar, e todas as velas se apagaram ao mesmo tempo. Um instante depois, Katherine apareceu entre eles. Acontece que, na hora, as coitadas das crianças estavam na outra ponta da cozinha (tinham conseguido superar sua exaustão e estavam jogando *Angry Birds* no iPad enquanto ainda tinham bateria), e a aparição de Katherine os separou de seus pais. Ela lançou uma sombra grotesca nas paredes durante os poucos segundos em que Joey conseguiu continuar segurando seu iPad. Então ele o deixou cair e a tela se quebrou no chão da cozinha, trazendo a completa escuridão consigo.

Não, completa não: havia uma sombra menos obscura que vazava das rachaduras entre as tábuas, apenas o bastante para distinguir as formas de Joey e Naomi pressionadas rigidamente contra a barricada da porta e a sombra da bruxa se assomando sobre eles. Jackie deu um grito. Clarence Hoffman foi andando aos poucos ao longo do balcão para alcançar seus filhos, mas a sombra se contorceu e sibilou para ele feito um gato. Não havia olhos para olhar na escuridão, mas Clarence sentiu esses olhos sobre ele mesmo assim, inumanos e malevolentes. Ele se encolheu, como se atingido por um tijolo, e agarrou Jackie pela cintura quando ela correu para a frente.

"Por favor, não machuque meus filhos", implorou ela. "Eles são inocentes, como seus filhos eram, Katherine... Ah, meu Deus, o que ela está fazendo? Joey, diz pra mamãe o que ela está fazendo!"

"Ela... eu acho que ela tá dando uma coisa pra gente, mamãe."

"Não toquem nisso!", gritou o pai.

"O que é?"

"Não sei... acho que é uma cebola..."

"E o meu é uma cenoura!", disse Naomi.

"Mandei vocês não tocarem nisso!"

Mas Jackie deu uma cotovelada no marido e sussurrou: "Não a deixe estressada, Clarence... Talvez ela tenha boas intenções...".

A sombra não se mexeu; pareceu persistir. Jackie Hoffman começou a se dar conta de que se os legumes estavam vindo do avental dela, eles teriam sido retirados da terra em 1665 e preservados pela morte de Katherine. Naomi *não gostava* de cenoura... mas Jackie sabia que elas nem de longe se pareceriam com os legumes embalados que apanhavam no refrigerador da Market & Deli. Ela entendeu o que a bruxa estava exigindo.

"Podem dar uma mordidinha, meus amores."

"Mas, mamãe..."

"É o que ela quer que vocês façam, meus bebês."

"Mas eu não quero, mamãe." Naomi começou a choramingar.

"Come a cenoura, porra!"

Deve ter sido com uma enorme relutância, mas ela ouviu a mordida do que deviam ter sido os dentes de Joey na pele da cebola. Naomi logo seguiu o exemplo de seu irmãozinho corajoso e deu uma mordida na cenoura. Começaram a mastigar devagar.

"É doce!", gritou Naomi entre as lágrimas. Com ganância, a menininha deu mais uma mordida na cenoura, e então as coisas rapidamente ficaram muito estranhas. Mais tarde, Clarence e Jackie Hoffman nunca concordariam completamente sobre o que aconteceu. Ambos lembravam dos momentos aterradores em que Katherine pegou uma criança em cada mão, mas nenhum dos dois teve coragem de confessar o que foi presenciado naquela cozinha depois disso. Ou o que *pensaram* ter presenciado, pois as cenas que eles testemunharam foram tão horríveis e contraditórias que *só podiam* ter sido imaginadas. Numa delas, Naomi e Joey abriam caminho, a dentadas, com as gengivas ensanguentadas, pelas tábuas que bloqueavam a porta. Depois olharam ao redor, com olhos que brilhavam, foscos e obsessivos, numa luz que parecia não vir de parte alguma, os palatos quebrados e cheios de lascas de madeira. Ridículo: claro que tinha de ser imaginação, porque Joey estava vestindo um gibão de couro e Naomi um vestido comprido e sujo. O que quer que tivesse acontecido, o fato era que, quando Clarence e Jackie acordaram, a barreira e a porta haviam apodrecido como se infestados por uma praga de cupins e o ar frio do inverno entrava rodopiando pela cozinha. Jackie gritou até não poder mais por seus filhos desaparecidos, mas não saiu para procurá-los, porque entendia que havia forças em ação contra as quais um mero ser humano não podia lutar.

Muita gente viu os três caminhando pelas ruas ao espiar pelas frestas entre suas cortinas e janelas. A bruxa era uma mera sombra, não dava para ver seus olhos — ah, Deus, seus olhos —, mas uns poucos reconheceram os filhos dos Hoffman, embora não pudessem entender por que usavam roupas estranhas e antigas. Com o passar da madrugada, cada vez mais pessoas viram o menininho vestindo gibão e calções e a menininha com um manto grosso e um lenço de cabeça. Apesar dos olhos esgazeados, eles pareciam estar andando com a bruxa por vontade própria. Houve quem acreditasse ter visto a menina carregando um cata-vento numa varinha de madeira que chacoalhava com a brisa e fazia a criança rir.

+++

Um pouco antes do amanhecer, uma sombra penetrou no quarto de Griselda Holst. O fedor de carne podre no açougue havia se espalhado pela casa como um cobertor doce e nauseante, mas Griselda não sentiu vontade de descer e jogar tudo fora. No começo da noite, Jaydon adormeceu, estupidificado pela alta dose de lítio e praticamente sem se dar conta do que havia acontecido, em um contraste imenso com sua mãe. Deus sabia que Griselda havia se preparado mais completamente do que qualquer um na cidade para o dia em que Katherine pudesse abrir os olhos... mas, agora que acontecera, ela percebeu que estava numa paralisia convulsiva. Foi súbito demais. Ela nem sequer fora avisada! Será que isso queria dizer que Katherine *realmente* a tinha abandonado?

Griselda precisava de tempo para refletir sobre o que estava à sua frente agora. Mas não conseguia pensar. A cada som estranho, cada ranger nas tábuas do piso, cada suspiro estrutural, ela saía da cama e ficava assombrando o andar superior silencioso de sua casa com o toco de uma vela nas mãos trêmulas, alerta a cada sombra que se movesse no escuro. Mas ela estava caçando apenas fantasmas. Por fim, adormeceu de exaustão... e, a cada respiração sua, a decomposição do ar entrava em seus pulmões e forçava a corrupção para dentro de seus poros.

Ela não reparou na única sombra ao seu lado na cabeceira. Simplesmente murmurou quando sua única amiga finalmente lhe deu aquilo que desejara fervorosamente por todos aqueles anos: uma resposta. Subitamente, aqueles olhos bem abertos estavam à sua frente, ligando-a ao sonho que estava tendo. Não havia rosto, nem cenário, nem boca — só aqueles olhos. Griselda se revirou, pegajosa de suor, e enterrou a cara no travesseiro, pois, mesmo em seu sonho, ela sabia que estava enfrentando seu pior pesadelo. Mas então ouviu aquela voz. Não eram palavras, na verdade, e não era realmente uma língua que

Katherine usava para contar sua história. Griselda escutou tudo do jeito que um rato numa gaiola escuta o blá-blá-blá de seu domador, incapaz de compreender qualquer coisa. Katherine falou do mundo e de ser exilada dele, falou de engodos e das escolhas que você fazia por amor, de ser devastada por ter de sacrificar a pessoa que você mais amava para salvar a *outra* pessoa que você mais amava. Griselda não soube dizer exatamente onde o sonho acabou; porém, quando se sentou na cama, a luz cinzenta da manhã entrava enviesada pela cortina. Tinha jogado sua manta de lado enquanto dormia, e agora olhava com repulsa para seu corpo branco e mole, um corpo que há muito tempo não era amado por outros, nem por si mesma. Griselda tinha esquecido o que era fazer uma escolha por amor; ela só conhecia a dura autopreservação.

Enquanto um burburinho aziago crescia no meio de uma multidão que havia aparentemente se reunido na praça da cidade em frente à sua janela, Griselda começou a ter uma ideia nem tão plausível assim de que poderia de fato se salvar sacrificando seu filho Jaydon a Katherine... não entendendo, portanto, absolutamente nada do que a bruxa quis passar em sua mensagem.

31

"Então é isso, certo?", disse Warren Castillo depois de voltar ao centro de controle. "O fim."

Grim assentiu, sem conseguir olhá-lo nos olhos. Seu colega de trabalho parecia uma criança assustada implorando à mãe que lhe dissesse que tudo não passava de um pesadelo, e Grim teria dado seu rim direito se pudesse ter criado essa ilusão para eles dois. Seu reto, se fosse preciso. "Warren, obrigado por ter voltado, mas se você quiser ficar com sua mulher agora eu entendo perfeitamente."

Warren teve dificuldade para conter suas emoções, mas se recobrou. "Não, eu vou ficar. A cidade precisa de nós."

Então Grim fez uma coisa que jamais faria normalmente, algo que ele acreditava ser impossível sob quaisquer circunstâncias: abraçou Warren. Foi um pouco estranho, mas isso deu forças aos dois homens naquele momento de treva absoluta. Levando-se tudo em conta, Warren havia acertado na mosca: Grim imaginava que as chances de saírem vivos era de um zilhão contra um.

Enquanto ele tentava freneticamente imaginar um protocolo, seus pensamentos continuavam infiltrando fragmentos da conversa com os Delarosa: *O que essa maldita bruxa quer de vocês, pelo amor de Deus?*

Vingança.
Supomos que ela queira vingança.

A HEX nem sequer pensou em um plano de calamidade para o Dia do Juízo Final, simplesmente porque ninguém tinha a menor ideia de como isso aconteceria. O único cenário vagamente articulado era evacuar a área o mais rápido possível, mas se os rumores provassem ser verdadeiros essa estrada estava terminantemente proibida.

Grim tinha enviado Claire Hammer para encontrar Eddie McConroy, o engenheiro elétrico da cidade para investigar a queda de energia imediatamente, mas logo ficou claro que o que estava cortando Black Spring do mundo exterior não era um problema técnico, mas sobrenatural. E não era apenas a eletricidade. Era tudo. O sistema de fornecimento de água. As linhas telefônicas. As linhas de gás. A estrutura completa. Por volta das nove da noite, Robert Grim estava convencido de que Black Spring havia sido catapultada de volta para o século XVII, e seu choque era tão profundo que ele não conseguia mais refletir com clareza sobre o que isso implicava.

Temos todos os motivos para crer que, se os olhos dela forem abertos, todos nós morreremos.

Foco! Tenha pensamentos felizes. Pense em bebês. Sangue!

Estalou os dedos atrás da nuca. "Ok. Certo. Precisamos conseguir ajuda. Não há outro jeito. O Point."

Claire o interrompeu. "Robert, você sabe que sem Colton Mathers não podemos tomar essa decisão..."

"Você está vendo Colton Mathers aqui?" Ele quase gritou as palavras. Era a testa dela — ela o distraía. Grim não conseguia suportar. Claire tinha prendido os cabelos atrás com tanta força que parecia que o rosto dela ia se soltar do crânio a qualquer momento e teriam de ser presos com pontos cirúrgicos. "Não? Então o encarregado sou eu!"

Claire recuou. Grim reprimiu o impulso de arrancar o elástico da cabeça dela e liberar a pressão da testa, mas em vez disso se virou para o velho sistema de radioamador. Com as têmporas encharcadas de suor, reluzindo à luz das lanternas Coleman, ele tentou sintonizá-lo, mas só conseguiu silêncio total em todas as frequências.

Lucy Everett veio com o telefone de satélite. "Este aqui também não está conectando, Robert..."

"Mas que merda!" Ele arrancou o telefone das mãos dela. "É um satélite, caralho. Isso não tem nada a ver com a nossa rede de comunicações!"

Ele tentou digitar no telefone, olhou para a tela e jogou o aparelho em um canto. *Arame farpado, arame farpado*, pensou ele, tentando se acalmar, mas sua mente tinha vontade própria: *Ela não quer ser compreendida — ela não deve ser compreendida. Katherine é uma bomba-relógio paranormal.*

"Robert, se acalme." A testa de Claire implorava, e Grim teve de se controlar muito para não gritar.

Marty Keller estava ainda pior que ele. Pouco depois que Warren voltou com a notícia chocante, o garoto perdeu o controle. Ele se jogou contra a parede, abanando braços e pernas em todas as direções, enquanto Lucy e Grim tentavam contê-lo. Sua boca era um túnel de vento de tanta fúria, repulsa e medo. Depois de finalmente conseguirem acalmá-lo, ele pediu desculpas, a voz rouca. Disse que tinha medo do escuro, que isso o fazia se sentir claustrofóbico. Grim sabia o que era aquilo, mas não se atrevia a dizer em voz alta: era o medo da morte vagando pelas ruas. Agora ele estava caído de encontro a uma parede com uma lanterna Maglite nas mãos trêmulas e na metade de uma garrafa de Smirnoff.

"Precisamos matá-la antes que ela elimine todos nós", dizia Marty agora, sentado no chão. Sua voz soava como se sua língua tivesse se transformado em geleia.

"E como você pretende fazer isso?", perguntou Grim com impaciência.

"O truque é pegar essa filha da puta desprevenida." Vindo de alguém que estava com a cara cheia de vodca, a lógica parecia indiscutível. "Foi assim que os moleques conseguiram apedrejar a bruxa. Ela não viu eles chegando. Uma bala rápida na cabeça, é isso. A gente bem que podia ter uma chance assim."

Grim conseguiu ficar acima da histeria de Marty, e isso era bom. Era um reforço para sua autoestima não ser o sujeito sem coragem ou sem bom senso. "Estamos tentando matá-la há três séculos, caralho", disse ele. "E, ah, a propósito, os olhos dela ainda estavam fechados. Você não entendeu mesmo, não é? O único motivo pelo qual eles foram capazes de apedrejá-la foi porque ela os deixou fazer aquilo. Ela *queria* ser apedrejada. Ela queria que nossa moral apodrecesse. Foi tudo parte do plano dela. O riacho sangrando, o julgamento, aquela tortura pornográfica na praça, o suicídio de Tyler... tudo faz parte da nossa derrocada definitiva. Só então ela conseguiria alguém que cortasse seus pontos."

"Quem você acha que fez isso?", perguntou Claire.

"Jaydon Holst?", arriscou Warren. "Isso não me surpreenderia nem um pouco. Ou a mãe dele, aquela açougueira maluca, como vingança pelo que fizeram com o filho dela."

Claire balançou a cabeça. "De jeito nenhum. Está tão apavorada com Katherine quanto era obcecada por ela."

"Acho que foi o pai de Tyler Grant", disse Grim.

"Steve? Não... por quê?"

"Não sei." Grim franziu a testa. Seus olhos vagaram até a metade escura do centro de controle. A tela principal estava envolta em penumbra. Alguma coisa andava por ali. Lucy também tinha ouvido, aparentemente, e inclinou a cabeça. "Talvez porque ele seja a última pessoa que você esperaria que o fizesse."

"Não faz sentido", disse Warren, mas havia um vestígio de dúvida na sua voz.

Grim encarava a escuridão. O que quer que estivesse se movendo ali agora tinha trazido amigos. Sem compreender o que seus olhos estavam lhe dizendo, ele viu uma sombra tremeluzir contra a parede na direção de Marty: negra, magra, pelo fervilhando de pulgas. Antes que Grim pudesse dizer uma palavra sequer, Marty soltou um grito e deixou a lanterna cair. Alguma coisa disparou no feixe de luz: um rato enorme. Grim calculou que era do tamanho de um filhote de gato.

"Filho da puta! Essa porra me mordeu!" Marty gemeu e se levantou rápido, segurando o braço. A pele das costas de sua mão estava rasgada e havia muito sangue. Grim vasculhou a área diante da tela com o feixe de sua própria lanterna, e então ficou arrepiado até os ossos. Cinco ratos o encaravam com olhinhos matreiros e caudas enroladas em seus corpos inchados. Um dos roedores era magro e tinha uma película branca sobre os olhos; o animal estava claramente doente.

Claire viu a mesma coisa e disse: "Vamos dar o fora daqui".

"Isso", disse Grim, inesperadamente resoluto. "Lucy, ajude Marty com a mão dele. Tem um kit de primeiros socorros na cozinha. Limpe totalmente a ferida. Não parece profunda, mas não quero que ela infeccione." *Não é disso que você tem medo*, disse uma voz, mas ele a reprimiu violentamente. "Claire, Warren e eu vamos pegar o carro de atendimento. Vamos até West Point; se não conseguirmos chegar até lá, por qualquer motivo, vamos parar na primeira casa que encontrarmos em Upper Highland Falls e ligar pra quem for possível. Você e Marty podem pegar seu carro. Quero que você procure qualquer coisa incomum — qualquer coisa mesmo. Se encontrarem Katherine, fiquem longe dela, mas soem o alarme. Certifiquem-se de que o povo da região não a perca de vista e reportem à Rota 293 imediatamente — vocês vão achar nosso carro."

"Não podemos sair da cidade, Robert..."

Mas Grim tinha de ver por si mesmo. As primeiras casas de veraneio descendo a estrada em Upper Highland Falls ficavam a menos de cinco quilômetros da divisa com Black Spring — pela primeira vez na sua vida ele estava realmente feliz com esse fato —, e o Centro Recreativo do Exército no Round Pound, a pouco mais de dois quilômetros. Katherine era uma bruxa do século XVII, não um campo de força alienígena. Dois quilômetros — não podia ser assim tão ruim, podia?

+++

Mas a ajuda jamais viria.

Nenhum deles chegou nem à metade do caminho até o alojamento do Centro Recreativo do Exército, onde as luzes de Natal ainda piscavam. Eles quase perderam Warren Castillo, e Grim precisou rapidamente puxá-lo de volta, o que quase custou sua própria vida. Antes ele havia chegado perto de matar todos os três, mas Claire tivera a presença de espírito de pedir para pararem o carro antes dos limites da cidade para que pudessem continuar a pé... por via das dúvidas.

Ah, Deus. As imagens que ela lhes mostrava. Nada nas fantasias cotidianas deles chegava nem remotamente perto de um horror tão indizível. Nem nos momentos mais sombrios de suas vidas eles haviam vivenciado melancolia tão hostil, tristeza tão destrutiva. Assim que passaram por trás da placa de boas-vindas a Black Spring, foi como se tivessem entrado numa nuvem invisível de gás venenoso, carregada de pessimismo, medo e desejo de suicídio. Grim precisou segurar Warren para que ele não esmagasse o próprio crânio no asfalto da estrada, mas ele próprio ansiava por arrebentar a própria cabeça e soltar os pensamentos odiosos que a atormentavam.

De algum modo, conseguiram voltar pelos limites da cidade de Black Spring. Pareciam sobreviventes de um naufrágio, pairando entre dois oceanos de loucura, olhando a luz de tráfego suspensa ao longe no refúgio seguro do Centro Recreativo do Exército. À frente deles havia morte, mas Grim temia coisas piores que a morte.

Eles gritaram. Apertaram a buzina. Atiraram com a pistola sinalizadora. Duas almas corajosas das casas próximas se juntaram a eles, atraídas pelo ruído, mas ninguém saiu do alojamento e nenhum carro surgiu na estrada. Claire sugeriu que o lugar talvez estivesse abandonado (com todas aquelas luzes de Natal?) ou que o som das buzinadas deles não conseguisse ir além de algumas centenas de metros, mas Grim não sabia a quem ela estava tentando convencer. Claro, era possível. Quinze minutos depois, eles retornaram com uma caralhada de fogos de artifício da picape de Bob Tooky — Bobby era o bambambã local que sempre conseguia passar despercebido durante os feriados natalinos. Eles armaram um show de luzes vermelhas e verdes fenomenais, que iluminou sem parar os contornos das colinas e podia ser visto e ouvido por quilômetros ao redor, até Highland Falls, West Point e provavelmente até mesmo do outro lado do Hudson.

Mas nada aconteceu.

Ninguém veio.

A única resposta chegou um pouco antes das onze e meia, depois que o ar havia ficado limpo do cheiro de pólvora: um grito agudo, maníaco, que surgiu das trevas *atrás* deles, um grito agudo e lancinante que pareceu congelar todas as juntas do corpo de Grim. Mas ele imediatamente reconheceu o que era — claro, o que mais poderia ser?

Mais recuado do lado de Black Spring da divisa, onde o carro de atendimento estava estacionado, um pavão saiu correndo pela estrada. Foi seguido por outro... e mais outro. Da mata rasteira cerrada ao longo do acostamento eles viraram as cabeças para Grim e sua equipe e começaram seus gritos sôfregos, primeiro fragmentados, depois em uníssono. Grim jamais pensara que o som de pavões pudesse enchê-lo de um pavor tão louco, mas foi o que aconteceu, e suas visões começaram a ficar cada vez mais alucinantes. Ele se forçou a respirar uma boa dose de ar frio e conseguiu não desmaiar. O ar limpou sua cabeça um pouco — isso já era alguma coisa.

Warren se virou em sua direção, e na luz fraca Grim viu que toda a obstinação feroz que ele havia conseguido reunir para se insurgir contra o que quer que estivesse acontecendo tinha desaparecido do seu rosto, deixando apenas uma máscara desolada de resignação e calma fatalista.

"Pavões. Vocês sabem o que isso quer dizer, certo?"

Grim não respondeu. Não precisava. Eles eram ratos numa armadilha. A cada hora que passava sem que ninguém aparecesse, as chances de *qualquer um* aparecer diminuíam. Grim sabia disso. Mas e se as horas virassem dias? O que estava reservado para eles, então? Enquanto Grim pensava em lendas de invernos congelantes muito tempo atrás, de fome, epidemias e uma cidade vazia, os pavões gritavam sua sinfonia demente, e, depois de um tempo, Grim sentiu a necessidade de gritar junto com eles.

Talvez eu devesse dar uma caminhada, pensou ele. *Só caminhar um pouco estrada abaixo. O que eu tenho a perder?*

Era um impulso tentador, e parecia a coisa inevitável a se fazer... mas Warren Castillo, agarrando sua mão em um gesto simples de gratidão e apertando-a levemente, o impediu. O capitão era sempre o último a deixar um navio naufragando.

+++

Na manhã seguinte, Grim planejou voltar aos limites da cidade assim que a primeira luz do dia tocou o céu do Hudson. Era manhã de sexta-feira e provavelmente haveria gente na estrada indo para o trabalho. A Rota 293 não era uma grande rodovia, mas sempre havia carros. Sempre. Poderiam acenar para eles quando se aproximassem.

E depois... o quê? O que você acha que os oficiais do Point poderão fazer... Avada Kedavra e a bruxa some?

Grim afastou esse pensamento. Era a menor de suas preocupações, como veio a descobrir depois. Pois mesmo da Old Miners Road ele podia ouvir: o clamor abafado e inquieto de uma multidão que havia se reunido na praça e nas ruas ao redor da igreja Crystal Meth. Pequenos grupos de concidadãos vinham correndo de todas as direções para ver o que estava acontecendo. Grim ficou branco quando viu que muitos deles, com medo do desconhecido que os aguardava lá fora, tinham se armado com facas de cozinha, martelos, tacos de beisebol... e armas. A maioria segurava displicentemente essas armas ao lado do corpo, mas as mãos estavam claramente coçando, como se estivessem prontos para tirar sangue com elas, se necessário. Uma mulher bem-vestida que ele reconheceu como uma enfermeira de Roseburgh tinha arrancado o crucifixo da parede e o segurava bem alto, ameaçadoramente, enquanto seguia a multidão, tropeçando e cambaleando feito uma bêbada.

"Então lá vamos nós", disse Grim. "A merda vai bater no ventilador."

Warren balançou a cabeça com tristeza. "A merda já bateu no ventilador há muito tempo."

Foi tomado por um forte sensação de déjà-vu: era o trauma da cidade todo de novo, a reunião em massa do dia 15 de novembro, quando os jovens condenados do apedrejamento foram publicamente torturados na presença de todos os cidadãos... embora agora não houvesse tanta gente na rua quanto naquele dia. E o ar estava diferente também, mais pesado. Dava para sentir o fedor de alguma coisa ruim prestes a acontecer. O povo da cidade não havia dormido nada, e estava sentindo frio até os ossos, mas as pessoas ficaram surpresas ao descobrir que tinham sobrevivido à primeira noite. Agora, a luz fraca do dia lhes dava uma nova inspiração... na forma da raiva que tinha substituído seu medo, como uma troca de guarda. Incitados por profetas do caos como John Blanchard, eles estavam alucinados. Exigiam saber o que deveriam fazer.

E exigiam saber quem era o responsável.

Quando Grim avançou pelo emaranhado de gente no cruzamento, Marty Keller irrompeu no meio da multidão e se grudou nele. Seus olhos estavam arregalados e vermelhos, e havia em seu lábio uma única gota de sangue seco que havia caído de sua narina. "Robert! Precisamos fazer alguma coisa!"

"Marty, o que diabos está acontecendo?"

"Tumultos por toda parte. Vandalizaram o Market & Deli como um bando de porcos selvagens. Alguém atirou uma cadeira pela janela da frente da Jim's Supply Store e eles esvaziaram a loja, estou te dizendo. As pessoas estão fazendo estoques — estão com medo de que não venha ajuda nenhuma. Mas isso não é verdade, é? A ajuda está chegando, certo?"

Já está acontecendo, Grim pensou, chocado. *Isto é o quanto basta para as pessoas mergulharem na insanidade: uma noite a sós consigo mesmas e o que mais temem.*

Marty se agarrava ao seu braço agora. Parecia estar prestes a chorar. "Você não acha isso, acha? Estou vendo na sua cara. Dizem que fizeram fogueiras na Rota 293, mas elas não estão atraindo ninguém. As empresas elétricas devem ter ficado sabendo que tem algo de muito errado desde ontem, caralho. E os membros das famílias? Assim, tão perto do Natal, eles devem ter soado o alarme. Mas por que não vem ninguém? Quero dizer, que merda é essa?"

"Eu não sei, Marty", resmungou Grim. "Você está bem? Está com cara de acabado."

"Eu... não estou me sentindo muito bem. Acho que estou com febre."

"Onde diabos está Mathers?"

"Você não soube?"

"Do quê?"

"Mathers cometeu suicídio."

Em qualquer outra circunstância, Grim teria soado as trombetas com grande pompa e cerimônia, e desfilado por vales e montanhas para cantar a feliz notícia da morte de Mathers, mas agora seu único pensamento era: *Puta que pariu! Então, agora que as coisas estão esquentando pra valer, o babaca dá o cano na gente!*

Pelo menos o conselheiro teria sido capaz de acalmar a multidão. Agora o ministro estava tentando fazer o mesmo na pracinha pavimentada diante da igreja, mas sua voz nem de longe era tão forte para se fazer ouvir por cima da turba. Ele pareceu grato quando Grim subiu os degraus da igreja e assumiu o controle.

"Todo mundo, por favor!", vociferou. "Calma!"

"Vai tomar no seu cu, Grim", gritou um homem na multidão — ele estava chorando, o que de algum modo perturbou Grim profundamente. "Os olhos dela estão abertos. Pra que ficar calmo agora?"

Outra pessoa interrompeu concordando, e num instante toda a multidão virou um emaranhado selvagem de olhos furiosos e punhos balançando. Eles não entoaram bordões, e era impossível distinguir vozes individuais naquela parede de som, mas o tom era de raiva e discordância. Crentes, ateus e aqueles sem nenhuma esperança tinham todos juntado as forças e flagelavam uns aos outros com as mesmas perguntas:

"Onde está ela?"

"O que ela quer?"

"O que ela vai fazer?"

"O que vai acontecer conosco?"

"É nosso direito como americanos saber!"

"Por que ninguém ainda veio nos ajudar?"

"É verdade que aquele covarde do Colton Mathers se matou?"

"E nossos entes queridos que estavam fora da cidade — onde eles estão?"

Em pouco tempo, a pracinha tinha ficado pequena demais para tantas almas perdidas, e a multidão começou a empurrar e apertar, como se todo mundo precisasse estar onde estava o seu vizinho, e, assim que chegava lá, se juntava ao impulso de voltar ao ponto original. Uns perderam o equilíbrio na confusão e outros começaram brigas. Grim viu uma moça ser derrubada nos paralelepípedos, e depois disso um homem gordo meteu a sola do sapato na cara dela e quebrou seu maxilar.

Isso é loucura, pensou Grim. *Loucura. Ontem à tarde, essas pessoas ainda eram americanos normais e tranquilos do século XXI...*

"Um sacrifício!", gritou John Blanchard subitamente, com a paixão dos insanos. "Precisamos oferecer um sacrifício de sangue! Quem trouxe esta maldição sobre nós? Tragam ele aqui! Vamos apedrejá-lo!"

Cada vez mais aplausos.

"Calma, que diabos!", gritou Grim, mas somente as poucas dezenas de pessoas que o cercavam pararam para ouvir. "Estamos fazendo tudo que podemos para controlar a situação, mas não há motivos para tentar se perdermos a compostura! Como não há comunicações, vamos começar a dar boletins de atualização na praça da cidade a cada três horas... Ei, me escutem!"

"Diga algo que a gente não saiba!", gritou alguém. "Quem abriu os olhos dela?"

"É, quem foi?"

"Vamos matar ele!"

"Vamos cortar ele em pedacinhos!"

Grim começou a entrar em pânico: ele estava indefeso diante daquela turba. A raiva que os possuía não podia ser exorcizada por um só homem, e Grim sentia que algo de terrível estava prestes a acontecer.

No canto inferior da praça, a multidão começou a se afastar da vitrine do Griselda's Butchery & Delicacies. Griselda Holst e seu filho tinham acabado de sair, petrificados na presença de tanta gente. A expressão no rosto de Jaydon era de total surpresa. Grim ficou se perguntando se era possível que o garoto realmente não tivesse a menor ideia do que estava acontecendo ao seu redor. Mesmo a multidão ficou em silêncio, face a face com seu herege, seu condenado, seu exilado.

Griselda havia oferecido sacrifícios antes: ela conhecia o vocabulário sem palavras de tal ato e fez uso do momento voltando a entrar de mansinho e trancando a porta.

"Lá está ele!", rugiu alguém, apontando com uma luminária que tinha trazido de casa.

"Foi ele!"

Sim, todos sabiam. Todos estavam convencidos. Quem mais poderia ter aberto os olhos de Katherine a não ser aquele lixo que a tinha apedrejado, que tinha recebido seu castigo justo e fora solto pelas mãos misericordiosas deles, apenas para se voltar contra todos e se vingar de toda a Black Spring? Essa injustiça acendeu um frenesi enlouquecido ao qual ninguém podia resistir. Em pouco tempo, um semicírculo de trinta ou quarenta pessoas se fechou em cima do perpetrador, avançando com mãos trêmulas e punhos cerrados.

Naqueles últimos momentos, Jaydon deve ter visto a desumanização nos rostos deles, e se virou na direção da porta do açougue com o próprio rosto contorcido num esgar primal de medo. O que ele deve ter pensado quando percebeu que a porta estava trancada? O que passou por sua cabeça ao começar a bater no vidro, sua mãe olhando para fora com olhos frios, e ver o reflexo do círculo cada vez maior se fechando ao seu redor?

Então, de uma vez só, os agressores abandonaram o último vestígio de contenção e o círculo desabou em cima dele. Num instante, eles o levantaram sobre suas cabeças como selvagens e começaram a carregá-lo ao longo da multidão ondulante e ululante. Jaydon gritava a plenos pulmões. Dos degraus da igreja, Grim pôde ver seus olhos arregalados enquanto os concidadãos atacavam suas roupas, seus braços, suas pernas, seus cabelos. Num instante ele caiu, e o povo o atacou feito lobos. Enfiaram suas garras, facas e martelos em sua carne, e Grim, já sem nenhuma esperança e resistência, caiu de joelhos e vomitou nos degraus de concreto.

Um profundo nojo de seus irmãos humanos tomou conta dele; queria se distanciar de todos, do ser humano em seu íntimo, pois se isso era humanidade ele não queria ter nada a ver com aquilo. Caiu sobre as pedras do calçamento e afundou nas profundezas nebulosas numa bolha de sua própria consciência, suando e sofrendo por ninguém a não ser ele mesmo, a garganta entupida por lágrimas quentes e febris e o gosto amargo de bile. Não fazia ideia de por quanto tempo tinha ficado ali assim — até ouvir o disparo ressoar contra as casas ao redor. Tinha algo em comum com eles, afinal: o ruído fez todos se encolherem de medo.

Grim levantou a cabeça e limpou o rosto.

À esquerda de onde o linchamento havia acontecido estava Marty Keller, perdido na fúria do populacho. Ele segurava um Colt Special calibre .38 preto sobre a cabeça com as duas mãos, ainda tremendo com a força do disparo. Os olhos selvagens de centenas olhavam para ele sem acreditar, o sangue ainda pingando de seus dedos, os rostos cobertos de suor, seus fogos extintos.

O garoto havia tirado a maldita arma de serviço do cofre e enfiado no cinto. Grim não sabia quem lhe dera permissão para fazer *isso*, mas podia ter lhe dado um beijo na boca pela atitude.

Então a bruxa apareceu.

As palavras percorreram a multidão como uma prece dita sem fé: *a bruxa, olha a bruxa, ai meu Deus, é a bruxa...* Ao redor dele, todo mundo se encolheu, expondo o que havia restado de Jaydon Holst: uma massa de sangue quente e músculos convulsionantes. Mas seus olhos não estavam voltados para Jaydon. Todos se viraram na mesma direção quando seu pior pesadelo foi em sua direção, e o olhar de Grim foi junto.

Katherine van Wyler desceu a Upper Reservoir Road com uma criança fantasiada em cada mão, uma imagem absurdamente calma. Inabalada, sem nenhum impulso de correr, ela foi andando, devagar, para encontrar seu rebanho. Pela primeira vez, o povo da cidade foi saudado pela visão de seus olhos abertos, e todos os seus pensamentos felizes desapareceram em um só golpe. O rosto pálido tinha as feições características que eles conheciam tão bem, mas agora a carne sem sangue e perfurada de seus lábios e pálpebras tinha ganhado vida e reluzia como tecido novo. Cada alma na praça se deu conta do fato de que os olhos dela não estavam apertados, nem possuíam o brilho assombrado e doentio que haviam imaginado em seus sonhos mais sinistros. Na verdade, agora que a máscara terrível de olhos e boca costurados havia desaparecido, o rosto de Katherine era impressionantemente *humano*. Sob o horror, suas linhas suaves e sua estrutura refinada haviam se tornado visíveis. Ela olhou para as ruas, as casas, e o povo do século XXI com uma ansiedade contida, nascida de trezentos e cinquenta anos de trevas, sorrindo com pasmo deleite. Não havia vestígio de maldade: só uma mãe e seus filhos. Era isso o que ela queria o tempo todo? A expressão nos olhos dela só podia ser descrita como êxtase sem paralelo.

Era algo tão fora de compasso com as imagens horríveis que Katherine havia impresso em suas mentes, e os medos com os quais haviam vivido por todos aqueles anos, que os residentes de Black Spring naturalmente se sentiam muito pouco à vontade. Será que isso era realmente verdadeiro? Ela não era uma abominação... *eles* a haviam transformado em uma abominação.

Robert Grim olhava com absoluto terror enquanto Katherine e seus filhos chegavam à praça. Tinha quase todos os elementos de uma cena feliz — mas não era feliz; não era o idílio que deveria ter sido. Porque foi aí que Katherine olhou para o povo aterrorizado e os tristes restos de Jaydon Holst, e seus olhos se encheram de tristeza.

E Grim pensou: *Nós nunca aprendemos.*

A multidão recuou ainda mais. Alguns tentaram fugir, mas a maioria entendeu que não adiantava correr. Como se por uma deixa invisível, todos caíram de joelhos, centenas juntos, como muçulmanos se virando na direção de Meca. Com um nó prendendo a garganta, eles se atiraram aos pés da bruxa, inteiramente à mercê dela, e imploraram, numa prece coletiva: *Perdão, Katherine. Nós aceitamos você, Katherine. Poupe-nos, Katherine.*

Mas eles ainda tinham sangue nas mãos, e em pouco tempo mais sangue iria jorrar. Pelo canto do olho, Robert Grim viu o destino se aproximar na forma de Marty Keller, que segurava a arma nas mãos trêmulas e avançava no meio da multidão ajoelhada.

Grim tentou se levantar e gritar para que ele recuasse, mas tropeçou e caiu de cara nas pedras do calçamento. O ar escapou dos seus pulmões, e, embora tivesse gritado, o som veio tarde demais.

Marty atirou, mas Marty era especialista em dados, não um atirador de elite. Não só isso, mas nunca em sua vida ele estivera sob uma pressão tão grande quanto no segundo em que puxou o gatilho. O pequeno Joey Hoffman foi atingido no pescoço e caiu no chão. Um borrifo de sangue em forma de leque manchou o vestido de Katherine quando ela se curvou numa tentativa chocada de segurar a criança, mas ele estava morto antes mesmo de tocar o chão.

A pequena Naomi gritou, bateu os pés e abraçou a bruxa pelo pescoço. A bala seguinte, disparada com o objetivo de acabar com a maldição de Katherine de uma vez por todas, arrancou a maior parte do crânio da menina. Eles ouviram a respiração rouca da bruxa tentando recuperar o fôlego quando perdeu a segunda criança também, rodopiando numa valsa macabra com os dois pequenos copos.

Isso é uma brincadeira, pensou Grim. *Um tipo terrível de mal-entendido que não consigo compreender.*

A bruxa olhou para Marty.

Marty começou a gritar. Ele tentou fugir, mas seus pés não lhe obedeciam. A bruxa caminhou em sua direção, toda torta, tranquila, aprisionando o olhar dele em sua atitude de desprezo, luto e vingança impiedosa.

Pôs as mãos nos ombros de Marty e olhou para ele. Por mais de dez segundos ela encarou o novo carrasco, enquanto a turba recuava cada vez mais. Então tossiu no rosto dele.

Marty deu um passo para trás, quase cambaleando, e se virou para a multidão. Começou a tremer e a suar como se tivesse sido tomado por uma febre alta, e sangue começou a jorrar furiosamente de seu nariz. Ele começou também a tossir sangue, os lábios cheios de espuma.

"Me ajudem...", gaguejou ele, mas seus concidadãos só recuavam, apavorados com a possibilidade de se contaminar com o que havia tomado conta de seu corpo. Marty estendeu as mãos e caiu de joelhos. Grim viu pústulas escuras incharem em sua face e no pescoço para formar uma grotesca máscara de escaras sem cor que começaram a descascar. Sua respiração começou a falhar e ele não conseguia mais parar de tossir, um soluço rouco e horroroso que dava a impressão de que expeliria os pulmões. Num instante, caiu no chão e começou a ter espasmos, chutando enquanto as veias estouravam sob a pele, e seu rosto foi ficando negro como se tivesse sido queimado. E, enquanto a morte tomava posse de seu corpo, ele encarava os pasmos presentes com olhos cegos e acusadores, um dos quais era o dr. Walt Stanton, que murmurou uma única palavra pavorosa: *Varíola...*

Katherine se jogou no chão e atingiu o calçamento com ambos os punhos. A terra pareceu tremer. Rachaduras surgiram sob suas mãos e Grim então soube: naquela manhã de vingança, não haveria calma, não haveria razão. Só penitência. O povo de Black Spring tinha provocado isso a si mesmo: *eles* eram o mal, um mal humano. *Eles* haviam criado o mal que era Katherine, permitindo que o caos e a crueldade dentro deles mesmos sobrepujassem a tudo, castigando um inocente e se glorificando em seu próprio senso de justiça. Ela lhes oferecera uma *escolha*. Agora era tarde, e enquanto todo mundo ao redor de Robert Grim começava a correr numa vã tentativa de fugir do mau-olhado de Katherine, essa descoberta fez surgir um horror primitivo que só tinha par em suas mais tenras memórias do ventre: aquela primeira perda, a primeira partida irreversível de um porto seguro, aquele primeiro desejo de se agarrar ao que estava ficando para trás.

A única resposta da criança à alucinação cruel do nascimento era gritar... e foi isso o que Grim fez.

32

No fim da tarde de segunda, 24 de dezembro, Steve Grant acordou com água pingando no rosto. Ele estava deitado no chão da floresta coberta de geada, sob um interminável teto de galhos esqueléticos. Tentou se levantar, mas caiu de volta, indefeso, rolou de lado e quebrou a crosta de gelo fina como papel na vegetação rasteira pantanosa. Uma dor lancinante atravessou seu corpo, forçando seus lábios a se fecharem em um risco branco apertado. Onde diabos ele estava, e o que estava fazendo ali? Seu relógio lhe dizia que eram quatro e meia da tarde do dia vinte e quatro, mas Steve não conseguia atinar o que isso significava. Jesus, ele tinha ficado na floresta por quatro dias e quatro noites.

Ficou ali deitado, apático, por muito tempo, ouvindo o silêncio nem um pouco natural da floresta. Estava molhado e entorpecido por causa do frio e não conseguia parar de tremer. Ainda vestia as roupas do enterro. A barba por fazer espetava seu queixo. Os lábios estavam inchados e doíam. A boca estava seca e pegajosa, coberta por uma camada de saliva que tinha gosto de madeira e pinhas. Steve tentou forçar seu corpo de volta ao estupor do qual havia despertado, mas permaneceu alerta e se agarrava... não à vida, mas a...

Tyler! Será que ela trouxe Tyler de volta?

Isso fez com que ele se levantasse. Uma pontada aguda de dor nas costas trouxe um esgar aos seus lábios, e ele se encostou numa parede de terra coberta de folhas. Olhou ao redor e viu bosques de cicutas altas e antigas na encosta, que reconheceu sem muita emoção como a floresta do Monte Misery, atrás de sua casa. Aparentemente, ele havia se escondido numa das trincheiras enormes que a Academia Militar havia cavado quando costumava fazer treinamentos naquelas paragens — ou talvez elas datassem do tempo da Revolução Americana. Comida para visons e cascavéis.

Os acontecimentos dos últimos dias começavam a voltar a ele agora, de forma lenta e fragmentada, como pedaços de lenha flutuando na margem do oceano após um naufrágio. Ele se lembrava de estar sozinho em casa depois do enterro de Tyler, e que ele...

Ah, Deus. A coruja. O cabelo de Tyler. *Ela* aparecera pra Steve e ele havia aberto os olhos dela. O que, em nome de Deus, havia feito?

Sua lembrança do que havia acontecido entre fugir para a floresta e agora estava difusa. Seria possível que tivesse ficado em estado de delírio aquele tempo todo? Que sua mente tivesse ficado tão paralisada pela premonição do que havia provocado para si mesmo que ela tinha simplesmente se fechado? Aparentemente, ele tinha vagado por ali sem se dar conta e dormido por horas sem ser despertado por suas necessidades físicas. Embora não se pudesse realmente chamar isso de sono; parecia mais um estado semiconsciente no qual pesadelos e realidade se fundiam como uma imagem dupla em um projetor. E deve ter sido um delírio. De outra forma, por que ele se recordaria de ter visto uma procissão de flagelantes cantando no meio da floresta e chicoteando as próprias costas nuas com cordas cheias de nós como uma expiação cínica dos pecados? Deve ter sido um delírio, certo?

Em algum lugar, um galho se quebrou, e Steve gelou, a pele da cabeça se arrepiando toda. Mais uma vez, ele notou a quietude anormal. Nenhum pássaro, nada vivo caminhando na vegetação rasteira. Somente o sussurro gentil do vento por entre os topos das árvores e uma ou outra folha congelada se partindo. Mas o que teria feito o galho estalar? Katherine? *Será que ela estivera com ele na escuridão enquanto dormia?* Ou... Tyler?

"Sai dessa", disse ele, a voz rouca. A percepção que, embora em plena posse de suas faculdades mentais, ele estivesse considerando a possibilidade de que seu filho morto o estivesse seguindo naquela floresta, fez com que a pele do seu crânio se retesasse e provocasse tremores em sua espinha.

Tinha de acontecer de um jeito ou de outro, certo? A prometida ressurreição — vamos chamá-la pelo nome mesmo.

Mas ele não ousava — não *podia* ousar — investir sua esperança em... em quê? Steve estremeceu e tentou apagar a possibilidade de seus pensamentos, mas ela se recusou a ir embora. Tudo parecia pavorosamente errado. O silêncio estava errado; a maneira como o crepúsculo afundava entre as árvores estava errada. O que tinha feito caía sobre ele como um peso morto. Buscou seu celular nos bolsos, mas aparentemente o deixara em casa.

Steve não precisava de bola de cristal para ver o que estava agora à sua frente: ele seguiria a trilha de volta para casa e enfrentaria as consequências de suas ações. Isso provavelmente era o que se esperava dele, e ele sentia a obrigação...

Mas pro inferno com isso. O fato era que ele ainda não se atrevia a enfrentar a situação. Rezou para que Jocelyn, por qualquer motivo que fosse, tivesse ficado no St. Luke's com Matt. Ou dado meia-volta ao primeiro sinal de... de qualquer indicação de que os olhos de Katherine tivessem sido abertos, e fugido para a segurança de um hotel de beira de estrada em Newburgh.

Por isso o plano era tão perfeito, certo? Jocelyn estava em Newburgh com Matt... fora do caminho, sã e salva. Talvez fosse a própria Katherine que esperasse que as circunstâncias certas estivessem no lugar... para que pudéssemos estar fora de perigo.

Rezou para que fosse verdade, mas não se permitiu o luxo de acreditar nisso.

Ele desceria pela trilha, mas não a trilha que ziguezagueava através do Abismo do Filósofo e de volta à sua casa. Ele iria mais para o sul, atravessando o Ackerman's Corner onde o Vale Spy Rock dava a volta e seguia para a cidade. E tomaria sua decisão. Avaliaria a situação. Se conseguisse supor de modo racional que tudo estava mais ou menos bem, iria para casa ver se Jocelyn estava lá. Mas não antes. Porque se o sangue de Black Spring estivesse em suas mãos, havia uma chance terrível de que também fosse responsável pelo destino de sua esposa... e ele não sabia se estava pronto para enfrentar isso.

Steve começou a descer a colina na última luz do dia. Seu corpo doía todo e seu estômago se revirava de nojo, mas depois de um tempo pareceu entrar em um ritmo. Mesmo que chegasse à trilha do Abismo do Filósofo, continuaria estritamente à direita — sequer olharia naquela direção.

O que eram aqueles sons vindos da cidade na noite passada?

O pensamento lhe ocorreu repentinamente, e ele se segurou para suportá-lo — teve o poder de quase derrubá-lo. Sim, houve frio e dor, agora se lembrava. Houve fome e câimbras, e tremores incontroláveis, mas o sofrimento físico não era nada se comparado à tortura mental que precisou suportar. O medo aniquilador da escuridão que havia liberado emprestara ao seu estupor sérios efeitos alucinatórios, provavelmente impulsionados por um caso grave de privação de oxigênio induzido pelo pânico. Tinha começado com os ruídos. Junto com os ruídos, vieram os cheiros. E, inspiradas pelos ruídos e pelos cheiros, vieram imagens horríveis que deveriam ter acabado com sua sanidade... e talvez tivessem feito isso. Ele ouviu gemidos, viu pessoas sofrendo, se contorcendo, os rostos enegrecidos, com pústulas inchadas nas axilas e nos pescoços. Mas não de varíola: essa era a doença do Velho Mundo. Ao sentir o fedor do asfalto derretido, viu barris de piche sendo queimados nas esquinas das ruas num esforço de purificar o ar de seus miasmas; por algum motivo, foi Pete VanderMeer quem os incendiou, com uma tocha caseira feita de um par de calças jeans encharcadas de gasolina e enroladas no cabo de um esfregão, enquanto maços de palha pendiam de fachadas abandonadas para mostrar quais casas estavam infectadas. E quando sentiu o cheiro do fogo viu a Crystal Meth em chamas. Atrás dos vitrais estavam os doentes e os mortos, e todos gritavam. As faces em sua visão eram máscaras de horror, e Steve lhes deu as costas, como se não quisesse aceitar o fato — nem mesmo em seu sonho — de que seus amigos e concidadãos estavam em chamas.

Mas sempre havia Katherine. Ela sempre estava ali parada, de pé, sem se mover, olhando.

Num determinado ponto, uma ilusão totalmente surreal surgira diante de seus olhos. No meio da praça da cidade, todas as crianças de Black Spring estavam envoltas em casulos de linho branco bem apertadinhos, uns pequenos, outros um pouco menores, todos juntos, presos a uma enorme rede vertical de lençóis bem esticados. A estrutura ia até bem alto no céu e tinha a forma de um cone arredondado, parecido com um seio de mulher. Era possível ver rostinhos rosados despontando do linho: as quatrocentas crianças de Black Spring, incrivelmente *vivas*, com carinhas sonhadoras e olhos esgazeados. A verdadeira provação foi para os pais, que clamavam nas ruas aos pés da magnífica torre, mas coletivamente mantinham uns aos outros longe dela, pois estava claro que, se um deles fosse incapaz de resistir à tentação de pegar seu filho encapsulado, toda a estrutura desabaria, com tudo o que isso iria acarretar. No alto do "seio" estava Katherine, como um gracioso mamilo materno, derramando leite quente de uma jarra de prata. O leite transbordava de todos os lados como uma fonte perfeitamente simétrica e era lambido por centenas de línguas de crianças ansiosas.

Ela está poupando as crianças, pensou Steve, olhando a cena em seu delírio. *Eles não entendem? Não deixem que estraguem tudo; ela está poupando as crianças...*

De onde exatamente essa imagem grotesca tinha vindo, ele não sabia. Em suas fantasias mais bizarras, nunca visualizara loucura tão sinistra combinada com beleza natural tão desconcertante. Steve tinha ficado deitado ali, olhando sem fôlego, como se testemunhasse um milagre. Mas aí a imagem mudou, e não era mais Katherine com sua jarra de leite que coroava o mamilo no seio tecido, mas Griselda Holst, a mulher do açougueiro, nua como no dia em que havia nascido. Gorda, cheia de carne, assomava sobre os pais de Black Spring. Da mesma forma que ela sempre lhes oferecera carne, agora alimentava os filhos deles com ela. Estava lhe dando à luz. Fluxos de patê jorravam sem parar de seu ventre, como líquido amniótico depois do parto, e escorriam pelas laterais da fonte, manchando o linho perfeito e grudando nos rostos das crianças em pequenos pedaços.

Eu não estou vendo isso de verdade, pensou Steve. *Porra, de jeito nenhum. Ainda estou numa espécie de delírio. Deve ser isso. Vou acordar num instante, é só esperar.*

Mais uma vez a imagem pareceu mudar — e agora era Katherine novamente, ou talvez tivesse sido ela o tempo todo. E logo Steve compreendeu que o povo da cidade só via o que *escolhia* ver: o obsceno, o mau, o feio. Enquanto Katherine criara uma visão de êxtase, os pais só viam crueldade. E por isso precisavam destruí-la.

Foi uma pedra bem jogada, e atingiu Griselda-Katherine na testa, cortando o mamilo como um estilete. Ela cambaleou para trás, balançando os braços, e desabou na rede de crianças nos casulos. Um *zinnng* baixinho pôde ser ouvido como uma corda de baixo arrebentando, e de repente as crianças estavam sendo cuspidas dos tecidos desenrolados onde o flanco do seio havia sido destruído. Em pouco tempo, a estrutura inteira cedeu e a obra de arte desabou. Quatrocentas crianças saíram voando como se tivessem sido lançadas por catapultas. O queixo de Steve caiu e sua boca se escancarou de horror ao ver a súbita descoberta em seus rostos, ao ouvir seus gritos de medo e espanto, que davam pena. Os pais deles não tinham passado no teste, e agora seus filhos caíram em cima deles numa chuva de ossos quebrados. O lamento que se ouviu não era humano, e estava muito além dos limites da loucura, e mesmo no seu delírio Steve percebeu que, se ainda não estava louco, não levaria muito tempo para ficar. Então a imagem desapareceu de sua mente e ele voltou a afundar na escuridão. A única coisa que deixara para trás foi a vaga certeza de que ele próprio tinha a saída dessa agonia em suas mãos.

Conforme a floresta se abria diante dele, o céu era de um azul quase negro, as nuvens de um tom escaldante de carmesim. Com uma sensação peculiar de volta para casa, Steve se localizou. Atrás do arame farpado que corria ao longo da trilha estavam os íngremes campos gelados do Ackerman's Corner, onde John Blanchard sempre colocava suas ovelhas para pastar. A paisagem tinha um estranho aspecto funéreo. Ele estava cercado pela Floresta Highland por três lados, e Black Spring ficava abaixo, invisível além da cordilheira. Mais a sudeste, a terra caía no Vale do Hudson e ele conseguia ver as luzes brilhantes de Fort Montgomery e Peekskill. As famílias já estariam se reunindo para o jantar de Natal agora, os presentes já embrulhados, a lareira acesa. O pensamento o encheu de uma forte sensação de melancolia: as cidades do Vale pareciam destinos exóticos, tão tentadoras quanto inalcançáveis.

Inalcançáveis, não. Este é meu Purgatório, pensou Steve. *Se você passar no teste, o Paraíso o aguarda, certo?*

Isso o trouxe de volta à visão da noite passada, e um peso amargo caiu em cima dele como uma pedra.

Doente filho da puta, pensou ele imbecilmente. Reprimindo isso, começou a descer a encosta na direção de Black Spring.

+++

Não havia provavelmente nada no mundo que pudesse ter preparado Steve Grant para seu confronto com a cidade na qual ele havia criado seus filhos.

O caos havia tomado conta de Black Spring. Só a poesia ou a loucura poderiam fazer justiça aos ruídos que se elevavam no céu radiante, mesmo quando passou pela histórica roda de moinho na prefeitura e subiu correndo a Upper Reservoir Road. Uma fumaça espessa e sufocante que vinha do centro da cidade irritou seus olhos e tornou difícil respirar. Mas só quando ele fez a última curva e alcançou a esquina principal de Temple Hill o espetáculo se revelou inteiramente para ele.

A praça da cidade era uma horda furiosa de anormalidade humana. Agora não centenas, mas duas ou três mil pessoas participavam do pandemônio total de gente urrando, gritando e brigando. *Todo mundo* estava lá — toda a Black Spring. E era impossível dizer quem brigava e por qual motivo. O Griselda's Butchery & Delicacies jazia em cinzas, e outros prédios também pegavam fogo; incêndios enormes que iluminavam a multidão, chamuscavam as copas das árvores, coloriam a estátua de bronze da lavadeira na fonte com um brilho avermelhado, e refletiam nas janelas de formas estranhas da igreja Crystal Meth, dando a ela a aparência surreal de ser ainda mais alta e olhar para a multidão profana com olhos infernais. Steve tentou reconhecer seus concidadãos nas feições dos indivíduos, mas percebeu que era impossível: seus rostos pareciam borrados, sem olhos e sem bocas, e nenhum rosto louco se diferenciava do outro. Aqueles eram os rostos de Black Spring, e Black Spring enfrentava sua hora mais sombria.

Algo fez com que eles se virassem então, uma força que parecia vir de fora dele, e Steve mal conseguiu reprimir um grito. Era Katherine van Wyler. Ela estava parada, de pé, em uma das passagens para carro no alto da colina olhando a vista abaixo, bem na frente de um Grand Am com escapamento duplo cromado, e que aparentemente não iria a lugar algum tão cedo. Seu capô e todas as suas janelas estavam destruídos, e Katherine estava descalça no meio de uma quantidade enorme de vidro quebrado. Mas ela não parecia se importar: a bruxa observava a anarquia que se desenrolava à sua frente com um olhar totalmente impassível.

"Pare com isso!", gritou Steve. Ele deu alguns passos cambaleantes na direção dela, com pernas que tinham perdido toda a sensibilidade. Quando chegou perto o bastante, ele abaixou a voz, pois a bruxa também parecia ter perdido seu poder. "Por favor, faça com que eles parem. Não faça mais isso. Chega. *Por favor.*"

Mas aí Katherine lentamente virou a cabeça para ele. E assim que viu o rosto dela, Steve entendeu que o que havia confundido com impassividade era, na verdade, um choque muito parecido com o dele próprio. E então ele soube. É claro; então ele soube. *Não era a bruxa que estava fazendo aquilo.*

Aquilo não era penitência nem retaliação. Era a própria Black Spring.

Katherine levantou o braço e apontou para a igreja.

Jocelyn e Matt, pensou ele... e subitamente se descobriu encarando a imagem cristalina de seu delírio, a imagem da igreja queimando. Seu interior estava apinhado de fantasmas, só que agora sua esposa e seu filho mais novo estavam entre eles. O tapa-olho de Matt estava molhado e coberto de cinzas, e os cabelos de Jocelyn emaranhados e sujos. Matt se agarrava desesperadamente à mãe, mas ela berrou quando um arco acima de suas cabeças explodiu em brasas fumegantes que caíram em cima dos dois.

Não era tanto uma recordação do sonho febril da noite anterior como uma imagem sendo projetada em sua mente. Katherine a estava mostrando a ele.

E Steve soube com uma certeza súbita e devastadora que Jocelyn e Matt estavam de fato dentro da igreja, e que uma coisa terrível estava prestes a acontecer, algo que ele tinha de impedir.

"Matt está no hospital", murmurou ele. Seu rosto estava lívido. Ele parecia ter perdido o controle de seus músculos. Sua boca se escancarou em um grito: "*Matt está no hospital, ele não pode estar ali!*".

Mas o dedo de Katherine apontava impiedosamente.

Ele ouviu tiros do outro lado da praça, e uma mulher começou a gritar, um grito angustiante que se fez ouvir por cima da balbúrdia: *Meu bebê, meu bebê, não!* Mas Steve mal conseguia assimilar.

Ah, meu Deus. Matt está aqui; Jocelyn está aqui. Está feliz agora com o que provocou, seu idiota? Como é possível que Matt esteja aqui?

Mas ele era realmente tão burro a ponto de acreditar que poderiam ter ficado em Newburgh, para fugir do clímax de um espetáculo tão sombrio como *aquele*? Não é assim que tragédias devem terminar, nem mesmo se você deseja que não sejam de verdade. Então a quem ele queria enganar exatamente?

Virou-se para a bruxa. "Onde está Tyler?"

Katherine apontava incessantemente para a igreja.

Aquele dedo, aquele apontar, toda a implicação do que tinha se ouvido perguntar; aquelas coisas o apavoravam ainda mais que a qualidade rouca e trêmula de sua voz.

"Eu preciso saber. Tyler está aqui?"

Nada, apenas aquele dedo.

Rápido, seu merda; isto aqui está fora do controle dela. Nunca foi dela, pra começar. A cidade enlouqueceu, e Jocelyn e Matt estão provavelmente no meio disso tudo. Ela está te oferecendo uma chance...

Steve hesitou, dilacerado pela visão da tristeza, não do mal, nos olhos da bruxa... e então começou a correr.

Steve mergulhou na direção do turbilhão.

+++

Começou abrindo caminho por entre a aglomeração sem ser visto. Quando chegou na metade da encosta, sua visão ficou inteiramente bloqueada pela confusão à sua frente, e rapidamente perdeu o senso de direção. Ele estava sendo empurrado para todos os lados por corpos sujos e suados cujo cheiro era nauseante: um fedor degenerado de medo, quase tóxico.

Steve viu coisas que nunca mais esqueceria enquanto vivesse.

Eva Modjeski, a agora ex-funcionária do Market & Deli, estava cambaleando sem rumo, o rosto pintado de sangue por causa de um corte fundo na testa, cantarolando uma canção de pular corda com olhos que pareciam ter revirado até a nuca. Um homem, cujo nome ele não sabia, mas que costumava trabalhar como empregado da Marnell's Hardware, estava avançando no meio da massa com dois bebês nus nos braços que ele reconheceu como sendo os filhos de Claire Hammer. E havia cadáveres também. Uns haviam sido mortos a tiros — e estes foram os sortudos.

Lutando contra o pânico que o arrebatava, Steve começou a gritar os nomes de sua esposa e seu filho, mas aí percebeu seu erro: sua voz aguda chamou inevitavelmente atenção daqueles na sua vizinhança, que agora o *viam*. As pessoas se afastavam dele de cada lado. Seus olhos, nos quais ele até então só tinha visto o brilho fosco da ignorância, reluziam com súbito horror supersticioso... e acusação.

"Foi ele!", gritou uma voz muito aguda, e Steve ficou chocado ao ver ninguém menos que Bammy Delarosa lhe apontando o dedo. "Foi ele quem trouxe o mau-olhado para nós!"

Um frenesi de terror imediatamente tomou conta da multidão. Enquanto a mulher que havia começado esse furor gritava a mesma acusação sem parar — e aquela *não podia* ser Bammy, havia algo de *muito* errado, certo? —, outras começavam a resmungar preces, fazendo para ele o sinal dos chifres do diabo ou então o sinal da cruz numa tentativa desesperada de se proteger do culpado. Sem conseguir crer, Steve olhou para elas, recuando devagar mas esbarrando em outros que tentavam agarrá-lo e puxavam suas roupas.

Eles sabiam.

Eles sabiam que Steve abrira os olhos da bruxa. Ele era como o bode expiatório numa colônia de trapeiros do século XVII... e você sabe como essas histórias terminam.

Ele se soltou com um safanão e começou a correr. A multidão se abriu diante dele, e Steve tirou vantagem do pavor das pessoas, mas o grito em prol de sua execução se espalhou mais rapidamente que sua capacidade de abrir caminho por meio daquela loucura que impregnava tudo. O único motivo pelo qual parou quando reconheceu Warren Castillo foi porque sabia com uma clareza irracional que *não deveria* fugir. Não pergunte como, mas era verdade.

"Warren!", hesitou ele, então tocou o braço do homem. "Que diabos está acontecendo aqui?"

Warren se virou e Steve percebeu que ele carregava o maior cutelo que já tinha visto. "Steve", disse ele. "Há quanto tempo. Como foi o enterro?"

Steve deu um passo para trás. Podia sentir um cheiro ruim no suor de Warren. Havia algo de muito estranho na voz dele. Não gostava daquele tom. Nem um pouco. Warren parecia fortemente intoxicado, mas Steve não sentia cheiro de álcool no hálito dele, apenas um estado avançado de decomposição.

"Você viu Jocelyn?"

"Quem é Jocelyn?"

Silêncio. "Minha esposa."

"Minha esposa?" Mais uma vez aquele tom estranho na voz de Warren. "Minha esposa apanhou um monte de bagas de junípero e erva-de-santiago na floresta hoje cedo. Diz que purifica o ar. Não sei quem ensinou isso a ela, mas..." Ele parou no meio da frase e passou o polegar ao longo da lâmina de seu cutelo. "Por que você fez isso, Steve? Por que teve de abrir os olhos dela?"

Ele tentou responder, mas, quando abriu a boca, descobriu que a garganta estava fechada demais para forçar o ar para fora. Um segundo depois, algo explodiu em suas costas e desta vez o ar saiu; o golpe literalmente o expulsou dos pulmões. Steve foi derrubado e caiu de cara no chão. Seus dentes bateram e uma escuridão surgiu dos tênis, botas e sandálias que subitamente fechavam seu campo de visão. Respirando com dificuldade, ele rolou de costas e olhou direto no rosto invertido de Rey Darrel e os canos pretos do rifle com os quais o homem lhe batera.

"Ora, olha só você, garoto", disse Darrel. "Você não é uma visão para fazer um americano orgulhoso chorar?"

"Rey", sibilou Steve. "Não..."

"Traidor filho da puta."

E com isso Rey lhe deu uma botinada na cara. Steve ouviu um osso esmigalhar e sentiu uma explosão excruciante de dor percorrer seu maxilar. Sua cabeça pendeu frouxa no pescoço, o crânio batendo nas pedras do calçamento, e o sangue jorrando de sua boca numa cortina vertical.

Steve deve ter desmaiado por um minuto então, talvez até mesmo por apenas alguns segundos, porque a próxima coisa que ele percebeu foi que estava sendo arrastado, depois levantado, com gritos de incitação da multidão. Sentiu cheiro de asfalto, fumaça, loucura. Engasgou-se com sangue, tossiu fora um dente. O mundo se inclinou quando ele foi levantado sobre suas cabeças, e Steve teve a sensação nauseante porém intensa de que estava voando e jamais voltaria à terra. Enquanto era carregado pela multidão para sua condenação sem julgamento, seu rosto queimava com os horrores, e sua pele bem esticada rastejava sobre seu crânio como se estivesse preparando seus maxilares quebrados para o grito que anunciaria o fim de tudo.

Mas aí algo peculiar aconteceu.

Sua visão periférica inchava e ondulava, e ele teve a nítida percepção de que podia ver os rostos do pessoal da cidade pelos próprios olhos que ele tinha temido por tanto tempo... Os olhos cujos pontos ele havia cortado. Talvez fosse porque, assim como Katherine, ele agora sabia como era ser marcado como um pária. Talvez fosse porque, assim como Katherine, ele agora era o alvo de sua raiva. Ou talvez fosse apenas o fato de que somente em face de sua breve morte ele pudesse se permitir a liberdade de abraçar o que sempre havia parecido ser seu maior medo em Black Spring, mas que agora se assemelhava à sensação de voltar para casa.

Essa revelação veio quando ele se aproximou da igreja e o pesadelo ao seu redor foi ficando mais sombrio. Sentiu-se intimamente conectado a Katherine, e havia uma estranha sensação de alívio nisso, uma sensação de pertencimento. Steve relaxou nas mãos dos inquisidores e sentiu seu toque apaziguador em seu corpo. Fechou os olhos, mas ainda enxergava com os de Katherine: forçada a sair de uma misericordiosa escuridão, fizeram com que ela encarasse o que trezentos e cinquenta anos de civilização progressiva haviam feito aos seus concidadãos. Mulheres sendo puxadas pelas pernas e pelos cabelos e jogadas na igreja. Um coral cada vez mais alto: *"Bruxa! Bruxa! Bruxa!"*. Fardos de feno e pneus de borracha encharcados de gasolina empilhados contra as paredes da igreja. Theo Stackhouse, o carrasco de Temple Hill, agora sem máscara, levantando uma tocha sobre sua cabeça. Uma mulher com um bebê nos braços tentando escapar e levando um tiro na nuca, e depois seu corpo sendo levado para a igreja com o bebê ainda vivo agarrado a ela.

Então Steve também foi jogado dentro do nártex da Crystal Meth. Ele pousou numa pilha humana e as portas da igreja foram fechadas na sua cara.

Rastejou sobre braços, pernas e pele, e quase foi atropelado ele próprio, até sentir o chão frio sobre as mãos. Steve continuou seguindo de quatro, e depois conseguiu se levantar. Deu alguns passos trôpegos, quase caindo de novo no chão. A dor era uma pressão fraca porém estonteante em seu rosto inchado. Seu lábio inferior parecia caído. Seu maxilar provavelmente estava quebrado.

Não demorou muito até que o sussurro suave do fogo lá fora se tornasse um rugido que abafava até mesmo a fúria dos uivos e dos gritos dos concidadãos aprisionados na igreja. E não demorou muito até que um dos painéis de vidro em forma de cristal explodisse e um coquetel Molotov voasse pela arcada em sombras, explodindo entre os bancos no meio da laje.

A explosão de calor foi imediata e selvagem; iluminou a igreja violada em um clarão infernal. Naquela luz, ele viu que o templo estava cheio de gente se jogando desesperadamente em cima das portas trancadas, batendo em paredes, tentando alcançar as janelas de vitrais e se abaixando quando o painel explodiu e as chamas ferveram pelas aberturas. Ele viu duas pessoas em chamas — homens, mulheres, impossível dizer. Ao começar a descer o corredor central para se afastar das paredes onde o calor aumentava com mais rapidez, muitos estenderam as mãos para ele, implorando, perguntando por que ele havia feito aquilo. Ele viu pessoas que um dia chamou de amigos — Pete VanderMeer, ajoelhado com uma criança morta nos braços. Quando Pete levantou a cabeça, seus olhares se encontraram em um momento paralisante, e a expressão neutra do rosto de seu melhor amigo se tornou uma máscara de desespero... e reprovação.

Mesmo ali ele foi considerado culpado.

Mas era mesmo? Aquele inferno era culpa sua? Sua decisão de abrir os olhos de Katherine havia sido apenas uma catálise causada pelo seu luto pela morte do filho, e quem era responsável por aquilo? Jaydon Holst tinha feito Tyler ouvir o sussurro de Katherine. Mas será que o próprio Jaydon podia ser considerado responsável depois do que a cidade tinha feito com ele? Será que Katherine podia ser responsável, depois do que fizeram com ela?

Um mal gerava outro mal maior e, no fim das contas, tudo podia ser traçado de volta para Black Spring.

Black Spring havia provocado tudo isso a si mesma.

Steve foi tomado por um frio de uma natureza tão sombria e primeva que começou a estremecer por inteiro, apesar do calor terrível. Ele os odiava. *Odiava.* Todos eles. Aqueles dentro da igreja e os fora dela. Eram todos iguais. Agora ele via isso.

Seus olhos haviam ficado costurados por anos; não mais.

Todas aquelas bocas escancaradas e olhos arregalados gritando com zombaria!

Que ele fosse seu pária.

Eles não poderiam cegá-lo mais — não mais.

E, quando chegou ao presbitério, amaldiçoou-os todos. Seu rosto virado para cima era bafejado pelas rajadas cintilantes de brasas que caíam da membrana de fogo quase transparente que devorava o teto, mas ele não se importava: o fogo era dele. Malditas sejam essas pessoas. Maldita seja sua corrente interminável de escolhas egoístas. Maldita seja sua recusa de buscar reconciliação, maldita seja sua incapacidade de amar, maldita seja sua insistência doentia de ver só o feio, não o bom. Tyler tinha sido diferente; Tyler tinha sonhos. Malditos, malditos, *malditos*; malditos sejam por terem lhe tirado seu Tyler!

"Pai?"

Steve encontrara a porta que todo mundo tinha esquecido, oculta em um recesso atrás do púlpito. Era como se seus pés o tivessem levado até lá. Mas aí ele parou bruscamente. Ainda estava tremendo, não de frio, mas de um calor febril nascido da raiva. Já tinha apanhado a chave perto da porta, e, segurando-a com força, ele se virou.

Eram eles.

Por todo o caminho dentro da igreja, em meio a uma névoa de fumaça espessa, Jocelyn protegia Matt da cascata flamejante com seu corpo. Suas costas e nádegas nuas estavam queimadas e repletas de bolhas, mas, quando ela ergueu a cabeça, o rosto era inegavelmente dela. Steve viu os lábios dela se mexerem e percebeu, distraído, que ela estava sussurrando seu nome, como se estivesse vendo um anjo em um sonho. Em pouco tempo, a voz de Jocelyn cresceu até virar um guincho rouco: "Steve, é você? Meu Deus, Steve, ajuda a gente!".

Mas foi Matt quem o avistou primeiro: ele tinha acordado de seu estado catatônico, e agora se soltava e começava a correr em sua direção.

E Steve sentiu seu rosto escurecer.

A visão de seu filho mais novo, pálido por causa do hospital e ainda usando um tapa-olho manchado, finalmente o fez perceber todo o sentido da eterna dicotomia de sua família e seu luto por Tyler... Tyler, que havia começado tudo aquilo. Aqueles poucos segundos paralisantes lhe roubaram todas as defesas que ainda existiam. Steve sentiu os olhos dos malditos. Eles foram atraídos pelo ardor de Matt e vinham descendo freneticamente pela nave, e ele se encolheu contra a porta pesada, abrindo-a com as mãos trêmulas.

"Pai, espera!"

Ele olhou a escada em espiral abaixo. Um buraco fundo e negro. Escuridão total.

Alguns dos caminhos que você toma levam a uma escuridão assim, e caminhar por eles seria imoralidade ou loucura.

Loucura, não, percebeu Steve. *Amor.*

Katherine tinha sido forçada a sacrificar um filho para salvar o outro. O que mais isso poderia ser senão amor?

Steve puxou a porta e enfiou a chave na fechadura. Fechou a porta atrás de si. Fechou a porta atrás de si, girou a chave e a trancou, logo antes que as primeiras mãos pudessem alcançá-lo.

+++

Desceu cambaleante o lance íngreme de escadas.

Chegou ao fundo com um impacto e ficou ali deitado do jeito que pousou, enroscado nas pedras frias e resfolegando de dor. A cripta estava totalmente escura, o tipo de escuridão com a qual seus olhos nunca se acostumariam. Mas o que lhe faltava em visão compensava em sons. Ele ouviu a porta ranger, um bater incessante numa madeira que não cedia, elevando-se sobre o rugir do fogo. E ouviu pessoas gritando. Elas pareciam fantasmas. Em certo momento, pensou ter ouvido seu próprio nome — um grito atormentado de tristeza e de dor. Um pensamento ameaçou subir à tona, mas ele o reprimiu violentamente.

Rolou de costas. Abriu os olhos, fechou, abriu outra vez.

Ali era bem confortável. Aquela escuridão lhe caía bem.

Ela transformou seus pensamentos em amor. Em algum lugar, em outro mundo, podia ouvir os gritos de morte, e imaginou que os malditos estavam cantando. Steve se enroscou em posição fetal, tentando ficar o menor possível, e enfiou os dedos nos ouvidos. Começou a cantar.

Pouco antes de adormecer, enquanto cantava, ele sussurrou: "Eu te amo, Tyler".

Mas, naquela escuridão, ninguém respondeu.

+++

E, ao mesmo tempo, Katherine van Wyler se ergueu, e se ergueu parecendo com aquilo que toda criança de Black Spring imaginou em seus piores pesadelos. Uma bruxa deformada que apelava para forças mais antigas que a própria humanidade, forças de partes do universo que já eram ancestrais, antes que a Terra tivesse nascido. Lá estava ela, de pé em Temple Hill, encarando a igreja em chamas, gestos druídicos com os braços erguidos na direção dos céus, murmurando palavras e sons corruptores em um idioma que ninguém de seu rebanho poderia identificar, mas que fizeram cada um dos presentes se arrepiar. Os poucos que a viram começaram a gritar, mas Katherine continuou com seu encantamento subterrâneo para os céus...

... e durante esse tempo todo ela estava chorando.

O povo de Black Spring começou a caminhar na direção leste: uma procissão eterna de almas perdidas, algumas nuas, todas com o mesmo olhar morto e vazio. Todas se afastaram da igreja em chamas, como se em um sonho. Quando chegaram à Rota 293, não a seguiram, mas simplesmente desapareceram na floresta do outro lado. Quase três horas se passaram antes que o primeiro deles emergisse na estrada de uma cidadezinha adormecida ao sul de Fort Montgomery. Atrás das janelas de casas coloniais do norte do estado, pais desciam dos sótão cheios de presentes em embrulhos coloridos. Eles os colocavam embaixo da árvore ao brilho de uma lareira moribunda, enquanto lá fora, na estrada, um pesadelo desfilava incessantemente sem ser visto. O povo de Black Spring desapareceu sob a passagem da rodovia e seguiu direto para o Hudson.

Um a um, eles caminharam para dentro do rio, sumindo sob a água gelada, onde foram apanhados pela correnteza.

Muitas horas depois, o céu sobre as Highlands se tornou vermelho como sangue.

E quando o dia finalmente amanheceu, centenas de corpos inchados foram vistos flutuando languidamente sob a ponte Tappan Zee, a caminho de Nova York... dando a quem acordava cedo um vislumbre do pesadelo de outra pessoa.

Era dia de Natal.

EPÍLOGO

Steve Grant acordou com a luz do sol pálida em seu rosto e o gosto acre de cobre na boca inchada. Seus olhos doíam, salgados e inflamados, e ele precisou ajustá-los à luz antes de conseguir abri-los completamente. Estava deitado no piso de ardósia da sua sala de jantar.

Então ele havia chegado em casa. Tentou juntar os pedaços para entender como e quando deixara a igreja em chamas, mas não conseguiu. O tempo que havia se passado entre fechar a porta da chancelaria atrás dele e agora era um imenso buraco negro. Como uma cripta na terra.

Apoiou-se nos cotovelos e rilhou os dentes de tanta dor. O que restou de suas roupas estava muito chamuscado e fedendo a fumaça. A pele de suas mãos brilhava muito vermelha. Ele dera um jeito nas costas e o joelho latejava como um dente cariado. Mas seu rosto era o pior: o lado esquerdo estava inchado como um balão, como se tivesse havido uma deformação terrível da mandíbula embaixo da pele. Sim, quebrada, não havia dúvida. Provavelmente em sepse a essa altura. *Se você ainda tinha alguma esperança de concorrer a esta temporada do* America's Next Top Model, *provavelmente precisa reconsiderar*, pensou ele sem emoção.

Terminou de se levantar e ficou olhando em volta com apatia. Tudo parecia o mesmo, mas não era; a sensação era desorientadora de uma forma diferente. O silêncio na casa o assombrou. Era tão opressivo que sentia o sangue zumbindo nos ouvidos. Alguma coisa estava errada. Muito errada. A árvore de Natal ainda estava no Limbo de Jocelyn, sem decoração. Eles a tinham montado para poder decorá-la na tarde em que voltassem do shopping. Mas foi aí que encontraram Tyler.

Agora a árvore já tinha começado a perder folhas.

Alguma coisa chamou sua atenção embaixo da mesa da sala de jantar: um fiapinho de linha preta. Um ponto cortado do olho de Katherine.

Mas onde ela estava agora? E onde estava Tyler?

Steve entrou no corredor arrastando os pés. No caminho, olhou de relance no espelho e imediatamente desejou não ter feito isso. O rosto que olhava para ele — com seus vincos profundos, brilho vermelho sinistro e olhos esbugalhados e assombrados — era uma atrocidade na qual não reconhecia nada do que fora antes. O lado esquerdo de sua face e seu lábio inferior eram de um roxo bulboso, já ficando preto, e a parte inferior de seu rosto era toda uma barba escura de sangue encrustado. O maxilar ia precisar de pontos. Ele tinha uma agulha de sutura no armário de remédios, mas isso não daria conta do trabalho.

Foi mancando até a porta da frente e puxou a cortina do painel lateral com o polegar, e então deu uma espiada lá fora. A grama estava molhada de orvalho e reluzia na luz fraca do sol. Ia ser um lindo dia. Mas o lado de fora também parecia errado, e o ar estava pesado com esse mesmo silêncio opressivo. Ele olhou para o oeste na Deep Hollow Road, mas tudo que conseguia ver eram as casas de madeira e tijolos esperando, no sol da manhã, que as pessoas saíssem. Mas isso jamais aconteceria, percebeu. Mesmo dali, ele podia sentir que as casas estavam vazias. Steve se perguntou o que veria se fosse dar uma caminhada até a cidade. O ar tinha cheiro de limpeza; não havia sinal de fumaça. Não havia... nada. Apenas aquele silêncio assustador.

As autoridades provavelmente acabariam vindo. E o que aconteceria então? Seria simplesmente como em fevereiro de 1665. Quando chegassem, não encontrariam nada a não ser aquele silêncio. Três mil pessoas desaparecidas sem deixar vestígios. Uma cidade fantasma.

Isso mesmo, pensou ele. *E eu sou o prefeito.*

Steve começou a gargalhar — na verdade, ele urrava de tanto rir. Sua gargalhada saiu aos trancos, estranhos, ocos, e ressoou obsessivamente pela casa abandonada, como a risada de um morto. Isso trouxe à mente o pêndulo, aquela poderosa máquina de tortura medieval que tinha ficado pendurada sobre suas vidas no dia em que ele e Jocelyn foram para casa e encontraram Tyler morto: afiada como uma navalha, balançando para um lado e para o outro, proferindo sua sentença implacável. Bem, o julgamento havia sido realizado; a sentença, executada. Agora, ele não passava de um amontoado de partes fedorentas de um corpo que ria no canto do corredor.

Em pouco tempo, sua risada se transformou em um grito.

Steve não se lembrou com clareza dos minutos seguintes, só que estava frio de congelar os ossos, tão frio que sabia que nunca mais voltaria a ficar quente.

Quando voltou a si, estava sentado no meio da sala, encostado na parede, as pernas abertas. No chão ao seu lado, uma seleção de artigos tirados do seu kit de sutura: categute, um bisturi, pinças, uma agulha curva. Ele ficou vagamente alarmado por não conseguir se lembrar de tirá-lo do armário, nem de qual havia sido sua intenção. Seu rosto precisava de metal, não de algodão.

Ficou ali, a cabeça vazia, até que um pensamento finalmente veio à mente: *Jocelyn e Matt morreram. Espero que você esteja ciente do fato de que os deixou queimar ontem à noite. Eles estão mortos, como Tyler.*

Seu braço bateu na parede como se tivesse vida própria, tentando em vão se segurar em algo, e então voltou a cair. Ele estava tremendo — tão frio!

Ali, no fim de tudo, lhe ocorreu a certeza paralisante, quase insuportável, de que ele havia tomado a decisão errada. Steve havia escapado da escuridão, mas foi a luz, aquela maldita luz, que o fez ver aquilo. Sacrificar um filho para salvar o outro não tinha sido a escolha de Katherine, mas a decisão tomada pelos juízes. E ele foi tão ingênuo a ponto de pensar que deixariam a filha dela viver depois de ter jogado o corpo de Katherine no poço da bruxa?

Agora ele era o juiz. Em sua provação final, ele também não havia demonstrado nenhum desejo de reconciliação; havia presumido apenas o pior das pessoas, como toda a população de Black Spring. Será que realmente acreditava que merecia receber Tyler em suas mãos sujas com o sangue de sua esposa e de seu segundo filho? E mesmo que Tyler *retornasse*, o que ele seria a não ser uma abominação nojenta?

Ah, a escuridão. Se ele ao menos pudesse voltar para dentro dela! Se pudesse desfazer seus atos! Não queria ver o que o esperava no fim daquela luz implacável. Tudo que podia fazer era se agarrar à esperança cada vez mais tênue de que sua obsessão pela morte de Tyler havia se baseado na razão.

Razão, não, pensou ele. *Amor.*

Bateram à porta.

Steve levou um susto.

Ergueu a cabeça.

Na luz do sol, atrás da cortina, havia uma sombra. Apenas sua silhueta era visível, esperando, imóvel.

A silhueta... de um garoto?

Steve se sentou no corredor, paralisado de medo.

E desejou que a figura fosse embora. *Ah, Deus, por favor* — se pudesse fazê-la ir embora. O que o esperava lá não era seu filho, e o que sentia não era amor, mas um abismo sem fundo que se abria sob ele, e era muito, muito mais fundo que o amor.

A batida novamente.

Um impacto lento e fundo — apenas um.

Ele viu a sombra da mão fechada na vidraça.

Steve Grant apanhou a agulha e o categute e, enquanto a coisa na porta continuava batendo sem parar, ele começou com os próprios olhos, torcendo para que a solidão da escuridão eterna lhe oferecesse um pouco de conforto contra o frio.

#BREAKTHEHEX

AGRADECIMENTOS

Desculpe por isso — eu me empolguei um pouco.

Quando penso nas pessoas que me assustaram quando eu era jovem, tenho que começar com minha babá. O nome dela era Margot, e sempre que cuidava de mim e da minha irmã ela costumava nos contar uma história na hora de dormir. Eu tinha sete anos quando Margot nos contou a história de Roald Dahl, *As Bruxas* (1983), em um estilo épico detalhado, como o seriado que você assiste na Netflix hoje. Depois de cada *cliffhanger* — aquele momento de suspense que deixa você pendurado na história, curioso para saber o que vai acontecer em seguida — ela apagava as luzes, e ali ficava eu, paralisado embaixo das cobertas, olhos arregalados fitando a escuridão, assistindo às suas palavras ganharem vida nos olhos da minha mente.
Deve ter sido por volta da mesma época que meu tio Manus me levou em uma caminhada pela floresta e me contou a respeito dos anéis de fada que encontramos na trilha. Você *tinha* que passar por eles de olhos fechados se quisesse viver para contar a história.
Naquele mesmo ano — 1990 — a adaptação para o cinema do livro de Roald Dahl foi exibida nos cinemas holandeses, estrelando Anjelica Huston como a Mestre das Bruxas. Abençoado seja meu inocente coração pré-efeitos especiais gerados por computador... mas, caramba, aquele filme é assustador para um menino de sete anos.
Descobri isso da maneira mais difícil.
A cada noite ao longo dos seis meses seguintes, eu gritei querendo minha mãe, vendo bruxas em todas as sombras no patamar do lado de fora

do meu quarto. Durante o dia, eu morria de medo de andar sozinho pelas ruas... imagine atravessar o bosque perto da minha casa. Poderia haver bruxas em qualquer lugar. Todas as mulheres eram suspeitas. O livro e o filme tinham me deixado seriamente traumatizado. As bruxas na história de Roald Dahl usavam luvas para esconder garras horríveis, então você pode imaginar como o inverno daquele ano demorou para passar.

E todas as vezes que me deparava com um anel de fada, eu passava por ele de olhos fechados.

Depois parei de acreditar em bruxas, mas continuava fazendo isso como um exercício de equilíbrio.

Como a maioria das pessoas, todos os grandes escritores morrem em algum momento, mas aposto que se Roald Dahl ainda estivesse por aqui para ler o que fez comigo, ele teria se reclinado em sua poltrona com um sorriso largo e contente na cara. Ele era o tipo de escritor que, em segredo, amava traumatizar criancinhas inocentes... e seus pais também, aliás.

Deixe-me contar um segredo: eu acabei igual a ele. Quando HEX foi lançado na Holanda, comecei a receber centenas de mensagens de leitores cujos pesadelos tinham sido assombrados por Katherine e que tiveram que deixar as luzes acesas à noite. Ah, aquele sorriso bobo na minha cara! Ainda está aqui. E agora este livro está em suas mãos, onde quer que você esteja. Se você é um dos leitores que esta história conseguiu assustar, me mande uma mensagem no Facebook ou no Twitter. Eu adoraria sorrir mais um pouco.

Portanto, obrigado, Roald Dahl. Obrigado, Margot e Manus. Agradeço pela minha infância traumatizada. Sem vocês, este livro não poderia ter sido escrito.

O livro que você acabou de ler é diferente do romance original HEX, que apareceu na Holanda e na Bélgica em 2013. Aquele livro era ambientado em um pequeno vilarejo holandês e terminava em um tom um pouco diferente. Como autor, você raramente tem a chance de reescrever um livro após sua publicação. Mas quando meus agentes venderam os direitos para a publicação em inglês para editoras de ambos os lados do Atlântico, eu de repente tive a oportunidade de fazer o livro original funcionar em um ambiente totalmente novo, com um pano de fundo revigorado.

Não me entenda mal: não é que eu não tenha gostado do cenário holandês. Eu adorei o cenário holandês, e adorei a absoluta "holandesidade" do livro. Não no sentido de que a bruxa fumava baseado ou ficava em pé atrás de uma janela de batente vermelho em Amsterdã; estou falando sobre a natureza secular de comunidades holandesas em cidades pequenas e da racionalidade de seus habitantes. Se uma pessoa sã vê uma bruxa desfigurada do século XVII aparecer no canto da sala de estar, ela dá no pé. Se um holandês vê uma bruxa desfigurada do século XVII aparecer no canto da sala de estar, ele pendura um pano de prato sobre o rosto dela, senta no sofá e lê o jornal. E talvez sacrifique um pavão.

Mas quando vejo um desafio criativo, eu o agarro. E como isso seria divertido! Eu tinha um livro que adorava, apresentando personagens que eu adorava, e aqui eu tinha a oportunidade de reviver tudo isso sem ter que enfrentar os horrores de uma *continuação*. Em vez disso, eu poderia criar uma versão melhorada — um *HEX 2.0*, se preferir — com novos detalhes ricos e mais aprofundados, lendas e superstições culturalmente específicas, tudo isso sem perder contato com os elementos holandeses do original. Katherine van Wyler chegou à nova terra em uma das primeiras embarcações de Peter Stuyvesant. A cidade rural de Beek se transformou na colônia de caçadores holandeses de Nova Beeck, mais tarde rebatizada como Black Spring. Os personagens holandeses se tornaram norte-americanos, mas com a qualidade racional dos holandeses. O pano de prato permaneceu. Assim como o pavão. E o açoitamento público de menores, uma tradição comum e divertida que celebramos todos os anos em muitas cidadezinhas por toda a Holanda.

O resultado de ser holandês — isto é um clichê a nosso respeito, mas é verdade — é que eu falo diversos idiomas. O inglês quase com a mesma fluência que o holandês. Isso me permitiu não apenas ler, mas também editar a fantástica tradução de Nancy Forest-Flier para o livro e encontrar minha própria voz em inglês. Trabalhar em um livro em um idioma que não é minha língua nativa me proporcionou novos insights intensos sobre o enredo, o mais importante deles sendo o final. Ele tinha que sair. Ele caiu. Havia uma maneira melhor e mais assustadora para terminar esta história.

Então é isso que você acabou de ler. Muitos dos últimos capítulos, a partir do momento em que as coisas começam a despencar ladeira abaixo para Black Spring, são todos novos. Eu os escrevi em inglês e me diverti pra caramba enquanto o fazia. Em minha opinião, ele se tornou um livro melhor.

É claro, ouço você se perguntando: como a versão holandesa termina?

Não vou contar.

Suborne um holandês — talvez ele lhe conte.

Gostaria de aproveitar a oportunidade para agradecer a Nancy, que é uma tradutora realmente notável, e foi um deleite trabalhar com ela. A importância dos tradutores não pode ser enfatizada o suficiente, visto que eles criam a oportunidade para pessoas ao redor do mundo de descobrirem novos mundos e maravilhas em palavras. Nancy é maravilhosa. Assim como Liz Gorinsky, que editou este livro. Mesmo quando Nancy e eu pensamos que tínhamos lidado com todos os aspectos culturais específicos que surgem quando se muda a ambientação de um romance, Liz descobriu tantas anomalias interessantes. Liz, você deixou este livro ainda melhor, e eu aprendi muito com você. Portanto, obrigado.

Outros no Time HEX são Oliver Johnson (o maravilhoso editor britânico e um cara incrível), Rod Downey, Vincent Docherty, Jacques Post, Maarten Basjes, e todas as excelentes pessoas na Tor Books nos Estados Unidos, na Hodder & Stoughton no Reino Unido e na Luitingh-Sijthoff na Holanda. Um agradecimento especial vai para Ann VanderMeer, que, além de ser uma pessoa fantástica e bondosa, alavanca as carreiras de tantos jovens escritores. Ann, não posso lhe agradecer o suficiente pelo que você fez por mim. O mesmo vale para Sally Harding, a agente literária mais elegante e espirituosa que eu poderia desejar. Junto com Ron Eckel, Sally faz quase o impossível para qualquer escritor que vem de um país pequeno e distante. Sally e Ron: vocês detonam e sabem disso.

Anja, sua ajuda com assuntos práticos foi inestimável. Você me entrega uma caneta antes mesmo de eu saber que preciso assinar um livro e tem olhos onde eu não tenho. Wes, você ainda é o cérebro criativo por trás de tantas descobertas inteligentes e com muita frequência encontra a solução perfeita quando tenho um bloqueio. Você também é meu melhor amigo. Família Grant: desculpe por trucidar seu cachorro. Minha própria família: ~~desculpe por trucidar~~ amo vocês. Francine: você principalmente. E David, obrigado por ficar do meu lado. Sempre você.

Agora.

Tudo o que eu disse sobre a nova ambientação não faz de Black Spring menos real. Você acabou de vir de lá, certo? E quando esteve lá, você vivenciou alguns momentos bem sombrios. Não posso dizer que as coisas acabaram muito bem para a cidade.

Se estiver em Nova York um dia desses, você pode pegar um carro e dirigir para o norte ao longo do rio Hudson. É um passeio lindo. Atravesse a ponte de Bear Mountain e pegue a 9W passando por Highland Falls e entrando no reino da Floresta de Black Rock. Os oficiais de West Point bloquearam tudo à esquerda e à direita da Rota 293, onde a cidade de Black Spring costumava ficar. Você pode vê-la com os próprios olhos, embora as cercas e os barracões não sejam muito interessantes. Em determinado momento, alguém irá até você e pedirá que vá embora — o tipo de alguém cujas ordens você se sentirá inclinado a acatar.

Em vez disso, sugiro que faça uma caminhada pela floresta ao norte. É um terreno acidentado, mas existem algumas trilhas e a maioria leva a algum lugar. Ouça o silêncio. Pode ser um pouco assustador, estar sozinho naquele lugar, mas lhe garanto que o ruído que você ouviu foi apenas o vento nas árvores. Nada de pássaros. Nada de feras.

Nada de nada.

Se você se deparar com um anel de fada, certifique-se de passar por ele com os olhos fechados.

Mas não os mantenha fechados por muito tempo.

Nunca se sabe com o que você pode se deparar.

O escritor holandês THOMAS OLDE HEUVELT é autor de cinco romances e muitos contos fantásticos. Já foi publicado em inglês, holandês e chinês, entre outras línguas. Ganhou o Harland Award (de Melhor Fantasia na Holanda) em três ocasiões, e o Hugo Award de 2014 na categoria Melhor Conto. Olde Heuvelt escreveu seu romance de estreia aos dezesseis anos. Estudou Língua Inglesa e Literatura dos EUA em sua cidade natal, Nijmegen, e na Universidade de Ottawa, no Canadá. Desde então, ele se tornou autor best-seller na Holanda e na Bélgica. Considera Roald Dahl e Stephen King os heróis literários de sua infância, que incutiram nele o amor pela ficção macabra. HEX é a estreia de Olde Heuvelt como romancista. A Warner Bros. está atualmente desenvolvendo uma série de TV baseada no livro. Saiba mais em oldeheuvelt.com/.

Isto é o quanto basta para as pessoas mergulharem na insanidade: uma noite a sós consigo mesmas e o que mais temem.
DE OLHO NA BRUXA DESDE O VERÃO DE 2018

DARKSIDEBOOKS.COM